明熊宗立本《素問》（上）

主　編◎錢超塵
副主編◎王育林　劉　陽

《黃帝内經》版本通鑒
第一輯

北京科学技术出版社

圖書在版編目（CIP）數據

明熊宗立本《素問》：全二册 / 錢超塵主編. —北京：北京科學技術出版社，2019.3

（《黄帝内經》版本通鑒. 第一輯）

ISBN 978－7－5714－0096－5

Ⅰ. ①明… Ⅱ. ①錢… Ⅲ. ①《素問》 Ⅳ. ①R221.1

中國版本圖書館 CIP 數據核字（2019）第018233號

明熊宗立本《素問》：全二册（《黄帝内經》版本通鑒・第一輯）

主　　編：錢超塵
策劃編輯：侍　偉　吴　丹
責任編輯：吕　艷　周　珊
責任印製：李　茗
責任校對：賈　榮
出 版 人：曾慶宇
出版發行：北京科學技術出版社
社　　址：北京西直門南大街16號
郵政編碼：100035
電話傳真：0086-10-66135495（總編室）
　　　　　0086-10-66113227（發行部）　0086-10-66161952（發行部傳真）
電子信箱：bjkj@bjkjpress.com
網　　址：www.bkydw.cn
經　　銷：新華書店
印　　刷：北京虎彩文化傳播有限公司
開　　本：787mm × 1092mm　1/16
字　　數：546千字
印　　張：45.5
版　　次：2019年3月第1版
印　　次：2019年3月第1次印刷
ISBN 978－7－5714－0096－5/R・2583

定　　價：**1190.00元（全二册）**

京科版圖書，版權所有，侵權必究。
京科版圖書，印裝差錯，負責退換。

《〈黄帝内經〉版本通鑒·第一輯》編纂委員會

主　編　錢超塵

副主編　王育林　劉　陽

前言

中醫是超越時代、跨越國度、具有永恒魅力的中華民族文化瑰寶，是富有當代價值、保護人體健康的生命科學，它將伴隨中華民族而永生。中醫學核心經典《黄帝内經》，包括《素問》和《靈樞》，奠定中醫理論基礎，指導作用歷久彌新，是臨床家登堂入室的津梁，理論家取之不盡的寶藏，是研究中國傳統文化必讀之書。

讀書貴得善本。章太炎先生鍼對中醫讀書不注重善本的問題，指出：『近世治經籍者，皆以得真本爲亟，獨醫家爲藝事，學者往往不尋古始。』認爲這是不好的讀書習慣；又説：『信乎，稽古之士，宜得善本而讀之也！』閲讀《黄帝内經》，必須對它的成書源流、歷史沿革、當代版本存佚狀況有明確的認識，纔能選擇佳善版本，獲取真知。

《黄帝内經》某些篇段出於战國時期，至西漢整理成文，《漢書・藝文志》載有『《黄帝内經》十八卷』。西晋皇甫謐《鍼灸甲乙經》類編其書，序云：『《黄帝内經》十八卷，今《鍼經》九卷，《素問》九卷，即《内經》也。』説明《黄帝内經》一直分爲兩種相對獨立的書籍流傳，一種名《素問》，一種名《鍼經》。《鍼經》即《靈樞》的初名，在流傳過程中也稱《九卷》《九靈》《九墟》，東漢末張仲景、魏太醫令王叔和均引用過《九卷》之名。

《素問》的版本傳承相對明晰。南朝梁全元起作《素問訓解》存亡繼絶，唐初楊上善類編《太素》取之。唐中期乾元三年（七六〇）朝廷詔令《素問》作爲中醫考試教材。唐中期王冰以全元起本爲底本作注，收入『七篇大論』，改爲二十四卷八十一篇，爲《素問》的流行奠定基礎。北宋天聖五年（一〇二七）、景祐二年（一〇三五）兩次以全元起本爲底本雕版刊行。北宋嘉祐年間（一〇五六—一〇六三）校正醫書局林億、孫奇等以王冰注本爲底本，增校勘、訓詁、釋音，仍以二十四卷八十一篇刊行。此後《素問》單行本均以北宋嘉祐本爲原本，歷南宋（金）、元、明、清至今，形成多個版本系統。二十四卷本，以金刻本（存十三卷）、元讀書堂本、明顧從德覆宋本、明無名氏覆宋本、明周曰校本、明《醫統正脉》本爲代表；十二卷本，以元古林書堂本、明熊宗立本、明趙府居敬堂本、明吴悌本爲代表；五十卷本，即道藏本；此外還有明清注家九卷本、日本刻九卷本等。南宋、北宋及更早之本俱已不存。

《靈樞》在魏晋以後至北宋初期的傳承情況，因史料有缺而相對隱晦。唐初楊上善類編《太素》收入《九卷》。唐中期王冰注《素問》引文，始有『靈樞經』之稱。因存本不全，北宋校正醫書局未校《靈樞》。遲至元祐七年（一〇九二），高麗進獻《黃帝鍼經》，始獲全帙，於元祐八年（一〇九三）正月由北宋政府頒行。此後《靈樞》再次沉寂，至南宋紹興乙亥（一一五五），史崧刊出家藏《靈樞》，將原本九卷校正並增修音釋，勒成二十四卷。此本成爲此後所有傳本的祖本，流傳至今形成多個版本系統。其中二十四卷本，以明無名氏仿宋本、明周曰校本爲代表；十二卷本，以元古林書堂本、明熊宗立本、明趙府居敬堂本、明田經本、明吴悌本、明吴勉學本爲代表；二十三卷本，即道藏本；此外還有明詹林所二卷本、道藏《靈樞略》一卷本、日本刻九卷本等。

《素問》《靈樞》各有單行本之外，《黄帝内經》尚有類編本。西晋皇甫謐《鍼灸甲乙經》，將《素問》《九卷》《明堂孔穴鍼灸治要》三書類編，但編輯時『删其浮辭，除其重複』，故與《素問》《靈樞》對勘，《鍼灸甲乙經》文句每不全足。唐代楊上善《黄帝内經太素》三十卷，將《九卷》《素問》全文收入，不加删掇，詳加注釋。《黄帝内經太素》的文獻價值巨大，但南宋之後却沉寂無聞，直到清光緒中葉，學者楊守敬在日本發現仁和寺存有仁和三年（八八七，相當於唐光啓三年）舊鈔卷子本，存二十三卷，遂影寫携歸，一時轟動醫林。嗣後日本國内相繼再發現佚文二卷有奇，至此《太素》現存二十五卷，堪稱《黄帝内經》版本史上的奇迹。

綜觀《黄帝内經》版本歷史，可謂一縷不絶，沉浮聚散；視其存亡現狀，又可謂同源異派，星分飄零。現存《黄帝内經》善本分散保存在國内外諸多藏書機構，此前囿於信息交流、印刷技術，從未有大規模集中最優秀版本出版的先例。當今電子信息技術發展日新月異，互聯網的普及使信息交流具有前所未有的廣泛性、時效性，乘此東風，《黄帝内經》現存的諸多優秀版本得以鳩聚刊印，爲中醫從業者及愛好者、傳統文化學者集中學習、研究提供便利。《〈黄帝内經〉版本通鑒》叢書，是首次對《黄帝内經》精善本的大規模集中解題、影印，目的是保存經典、傳承文明、繼往開來，爲振興中醫奠基，爲中華文化復興增添一份助力。

《〈黃帝内經〉版本通鑒・第一輯》，精選十二部經典版本，包含《素問》八部，《靈樞》二部，《黃帝内經太素》一部，《黃帝内經明堂》一部。列録如下。

①金刻本《素問》；②元古林書堂本《靈樞》；③元古林書堂本《素問》；④明熊宗立本《素問》；⑤明嘉靖無名氏覆宋刻本《素問》；⑥明嘉靖無名氏仿宋刻本《靈樞》；⑦明吴悌本《素問》；⑧明趙府居敬堂本《素問》；⑨明萬曆朝鮮内醫院活字本《素問》；⑩日本摹刻明顧從德本《素問》；⑪仁和寺本《黃帝内經太素》；⑫仁和寺本《黃帝内經明堂》。

這十二部經典版本，其特點如下。

（1）金刻本《素問》，是現存刊刻時代最早的版本，其年代相當於南宋時，版本價值極高。

（2）元古林書堂本《素問》《靈樞》各十二卷，刊刻時代僅次於金刻本，且所據底本爲孫奇家藏本，總體精善，此本已進入聯合國教科文組織《世界記憶亞太地區名録》。

（3）最新發現的『明嘉靖無名氏覆宋刻本《素問》』『明嘉靖無名氏仿宋刻本《靈樞》』各二十四卷合刊本，疑爲明嘉靖前期陸深所刻。此本《素問》各藏書機構多誤録作顧從德覆宋刻本，今考證得實，宇内尚存至少四部，擇品相優者影印推出，屬於史上首次。此本《靈樞》在一九九二年曾由日本經絡學會在版本不明的情況下影印出版，流傳稀少，今考證尚存世至少六部，兹擇品相佳者影印推出，在國内亦屬首次。

（4）《素問》《靈樞》合刊本兩種最具代表性：元古林書堂本是《素問》《靈樞》十二卷本之祖；明

嘉靖無名氏本是現存《靈樞》二十四卷本之祖，同刊《素問》是明周曰校本的底本。

（5）明代其餘四種《素問》均以元古林書堂本爲底本刊刻，而各有特色：熊宗立本爲明代最早摹刻極工，添加句讀；吴悌本是罕見的去注解白文本；趙府居敬堂本品相上佳，是長期流傳廣泛的國内通行本之一；朝鮮内醫院活字本是現存最早《素問》活字本。

（6）日本摹刻明顧從德本《素問》屬『後出轉精』之作。此本爲日本安政三年（一八五六）由度會常珍所刻，所據底本爲澀江全善藏顧從德本，另據《黄帝内經太素》等校改誤字，澀江全善及森立之父子並參校讎。

（7）仁和寺本《黄帝内經太素》，屬類編《黄帝内經》最經典版本。原卷子抄寫時將楊上善撰注的《黄帝内經明堂類成》殘卷列首（因《黄帝内經太素》缺第一卷），今别析分刊。

本套叢書内的仁和寺本《黄帝内經太素》及《黄帝内經明堂》之底本由北京神黄科技股份有限公司總經理王和平先生免費提供，此義舉體現了王先生襄贊中華文化傳承事業的殷殷之念，在此謹致謝忱與敬意。

《〈黄帝内經〉版本通鑒》卷帙浩大，爲出版這套叢書，北京科學技術出版社章健總編、侍偉主任，以及編輯吴丹、吕艷、李兆弟等同仁以極高的使命感和責任心，付出了極大的心血和努力，克服了諸多困難，終成其功，謹此致以崇高敬意。相信這套叢書的推出，必不辜負同仁之望，在促進中醫藥事業發展、深化祖國傳統文化研究、增强國家文化軟實力等諸多方面做出應有的貢獻。

囿於執筆者眼界、學識，諸篇解題必有疏漏及訛誤之處，請方家、讀者不吝指正。

錢超塵

[說明：爲更準確地體現版本、訓詁學研究的學術内涵，撰寫時保留了部分異體字的使用，所選擇字樣如下：欬（欬嗽）、鍼（鍼灸）、並（並且）、併（合併）、嶽（山嶽）、異（異同）。]

目録

明熊宗立本《素問》（上）……一
明熊宗立本《素問》（下）……三五三

《黄帝内經》版本通鑒·第一輯

明熊宗立本《素問》（上）

解題 劉陽

解題

唐代王冰注《素問》，編次爲二十四卷，宋臣校刻因之。自元代後至元五年（一三三九），《素問》經胡氏古林書堂始合併爲十二卷刊行，此爲《素問》十二卷本之原。明成化十年（一四七四），鰲峰熊宗立以家藏古林書堂本翻刻，今該版本仍有多部存世，屬較早的《素問》十二卷本。

熊宗立（一四〇九—一四八二），字道軒，别號勿聽子，建陽崇泰里（今福建建陽莒口鎮）人，出生於醫學世家，自幼習醫，又從劉剡習校書、刻書及陰陽占卜之術。及長，有醫名，並從事刻書之業，自明正統二年（一四三七）至成化十年（一四七四），先後刊刻過二十餘種醫書。

《素問》熊宗立本係高仿的古林書堂本，版式、行款、字體高度一致，惟正文斷句，以每句末字右下角插入符號『○』作句讀標識（注文無之），乃熊宗立所增。題名爲『新刊補注釋文黄帝内經素問』，目録及某些卷次無『新刊』二字。四周雙邊，半葉十三行，行二十三字，注文雙行小字同，細黑口，雙順黑魚尾，上魚尾下刻『素問』二字。

目録葉末有木刻牌記，云：『是書乃醫家至切至要之文，惜乎舊本昏蒙訛舛，漏落不一，讀者憾焉。本堂今將家藏善本，詳明句讀，三復訂正，增入運氣捷要圖局，及經注音釋補遺，重新綉梓，以廣其傳，視諸他本，玉石不侔，衛生君子藻鑒。成化十年歲舍甲午，鰲峰熊氏種德堂識。』内中一些文句與古林書堂本牌記頗同。

卷三末葉牌記，文『成化甲午年熊氏種德堂刊』。

卷十一首葉次行，有『鰲峰勿聽子熊宗立點校重刊』十二字。

書末葉牌記，文『成化甲午年熊氏種德堂』。

以中國國家圖書館藏古林書堂本《素問》校之，發現除上述熊氏種德堂標識及句讀符號之外，其餘文字幾乎完全一致，與覆刻相若，此證熊氏在目録牌記中所云『三復訂正』決非虚言。

總體來看，《素問》熊宗立本可以看作元古林書堂本的覆刻句讀本，風格獨特，在《素問》的衆多版本中亦屬精善之品。

此次影印所用底本，爲海外所傳，惜被删去目録及部分牌記，讀者鑒之。

劉陽

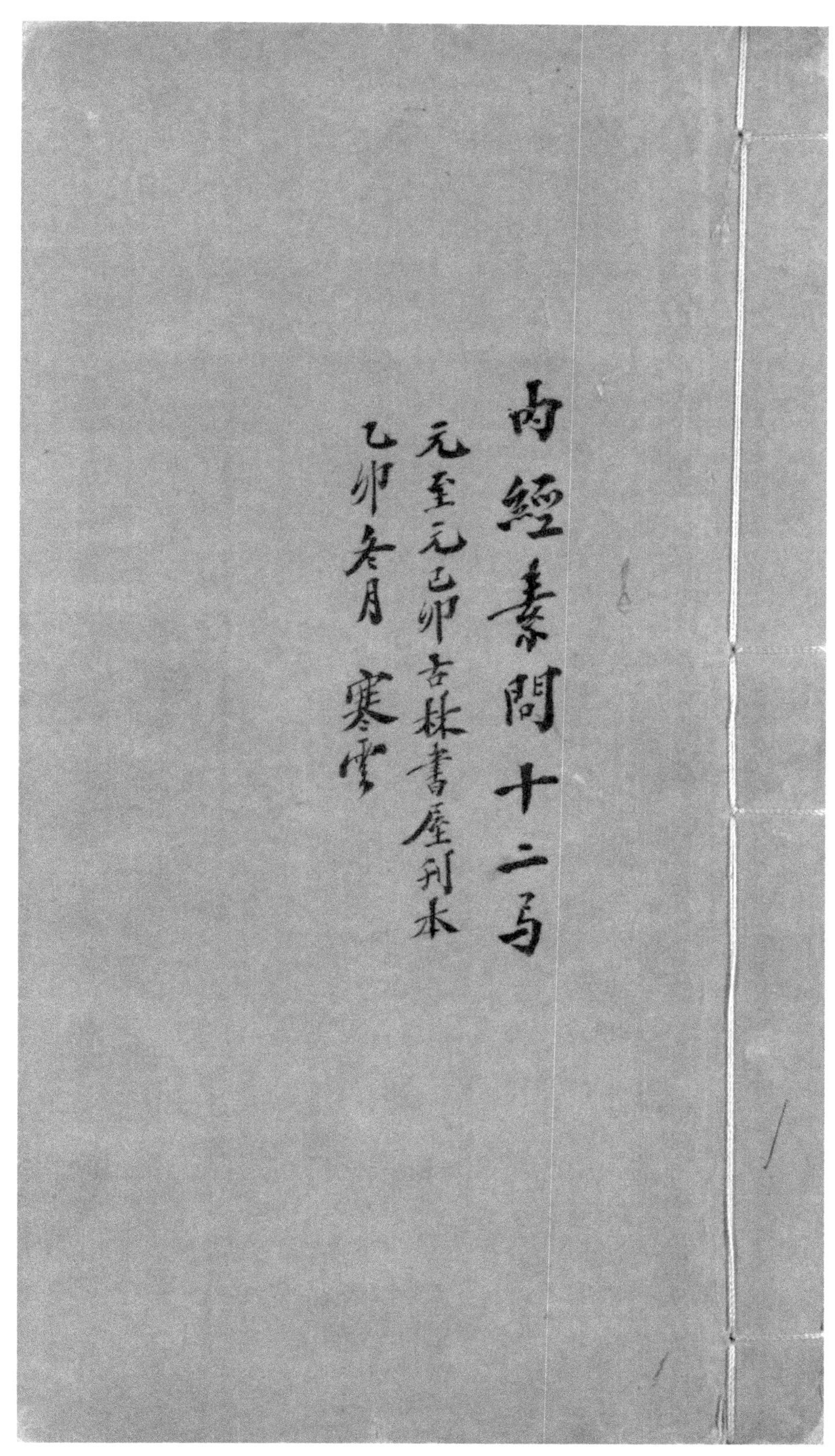

注：“元至元己卯古林書屋刊本”，爲原收藏者袁克文（號雲寒）誤判。明清書商慣有以熊宗立本僞充古林書堂本以邀利者。

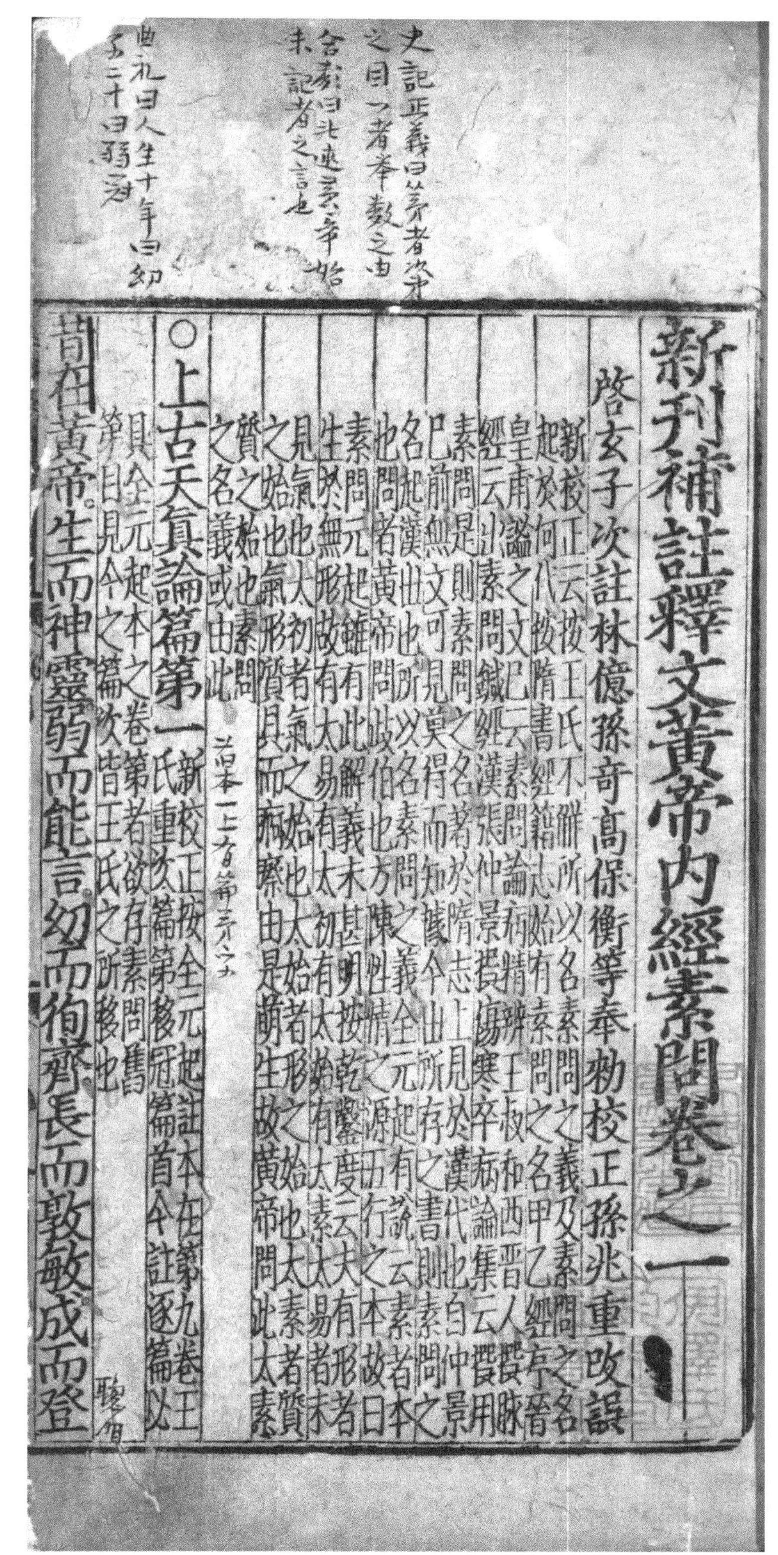

史記正義曰筭者次第之目ㄱ者本數之由

曲礼曰人生十年曰幼学二十曰弱冠

新刊補註釋文黃帝內經素問卷之一

啓玄子次註林億孫奇高保衡等奉勑校正孫兆重改誤

新校正云按王氏不解所以名素問之義及素問之名起於何代按隋書經籍志始有素問之名甲乙經序晉皇甫謐之文已云素問論病精辨王叔和西晉人撰脉經云出素問鍼經漢張仲景撰傷寒卒病論集云撰用素問是則素問之名著於隋志上見於漢代也自仲景已前無文可見莫得而知據今世所存之書則素問之名起漢世也所以名素問之義全元起有說云素者本也問者黃帝問岐伯也方陳性情之源五行之本故曰素問元起雖有此解義未甚明按乾鑿度云夫有形者生於無形故有太易有太初有太始有太素太易者未見氣也太初者氣之始也太始者形之始也太素者質之始也氣形質具而痾瘵由是萌生故黃帝問此太素質之始也素問之名義或由此

若單一上有第三行八字

○上古天眞論篇第一

新校正按全元起註本在第九卷王氏重次篇第移冠篇首今註逐篇必具全元起本之卷第者欲存素問舊第目見今之篇次皆王氏之所移也

昔在黃帝。生而神靈弱而能言幼而徇齊長而敦敏成而登

天年第四百歲五藏皆虛神氣皆去形骸獨居而終矣
集韻度渡也
劉云道者造化之名也
春秋皆 春陽之始秋陰之始故舉二氣該之
劉云天年者天畀之全

天有熊國君少典之子姓公孫徇疾也敦信也敏達也習用干戈以征不享平定天下殄滅蚩尤以土德王都軒轅之
丘故號之曰軒轅黃帝後鑄鼎於鼎湖山鼎成而白日升天羣臣葬衣冠於橋山墓今猶在徇徐閏反廼問於
天師曰余聞上古之人春秋皆度百歲而動作不衰今時之
人年半百而動作皆衰者時世異耶人將失之耶天師岐伯也岐
伯對曰上古之人其知道者法於陰陽和於術數上古謂玄古也知道謂知大
道也謂知修養之道也夫陰陽者天地之常道術數者保生之大倫故修養者必謹先之老子曰萬物負陰而抱陽沖氣以為
和四氣調神大論曰陰陽四時者萬物之終始也死生之本逆之則災害生從之則苛疾不起是謂得道此之謂也食
飲有節起居有常不妄作勞食飲者充虛之滋味起居者動止之綱紀故修養者謹而行之
痺論曰飲食自倍腸胃乃傷生氣通天論曰起居如驚神氣乃浮是惡妄動也廣成子曰必靜必清無勞汝形無搖汝精
乃可以長生故聖人先之也○新校正云按全元起注本云飲食有常節起居有常度不妄不作太素同楊上善云以理
而取聲色芳味不妄視聽也循理而動不爲分外之事[illegible]以至反故能形與神俱而盡終其
形與神俱同臻壽分謹於修養以奉天真故盡得終其天年去謂去離於形骸也靈
天年度百歲乃去
樞經曰人百歲五藏皆虛神氣皆去形骸獨居而終矣以其知道故年長壽延年度百歲謂至一百二十歲也尚書洪範

劉云臣之中惟岐伯之功多云善之為天師

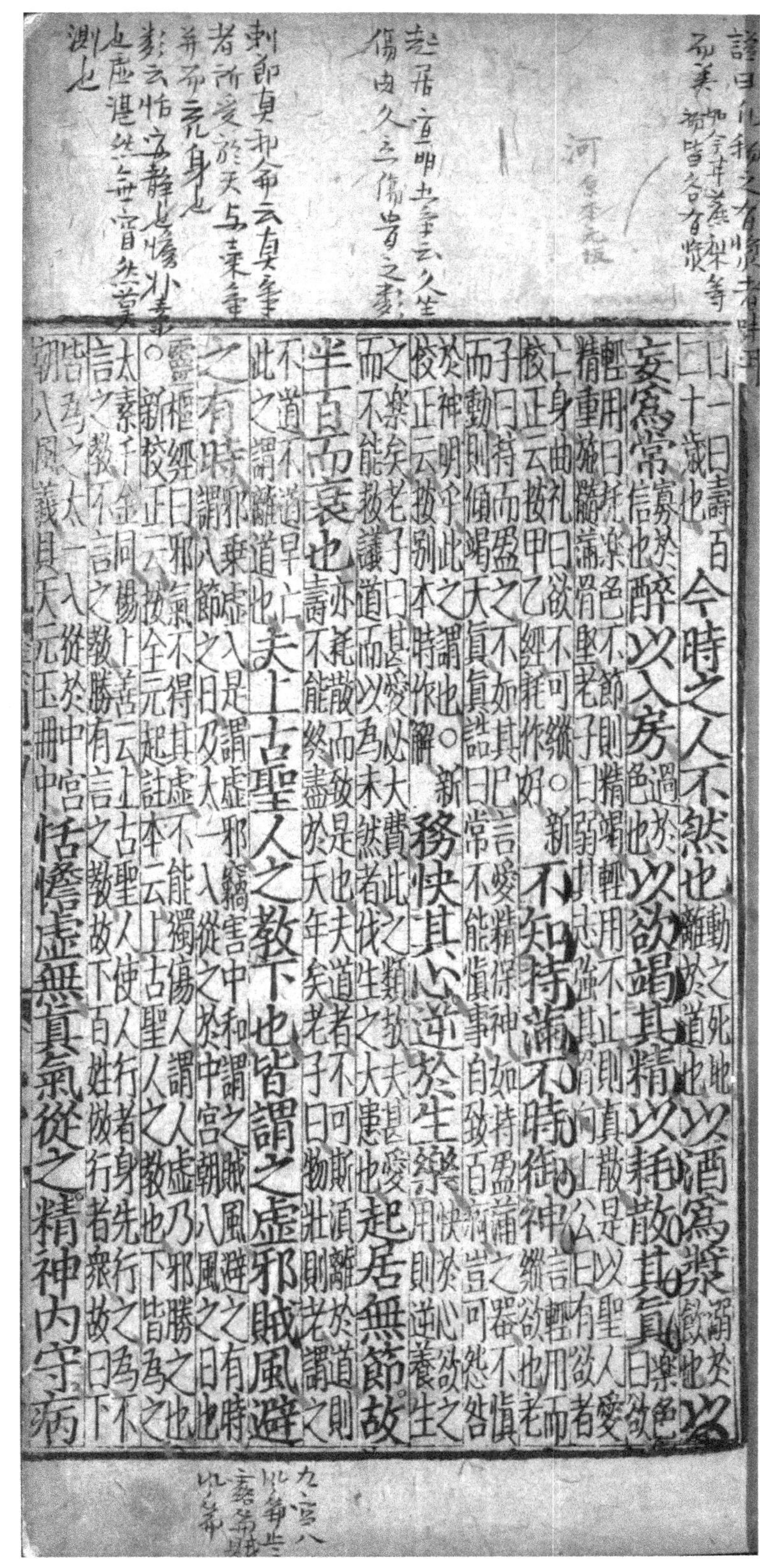

一曰壽百二十歲也今時之人不然也動之死地離於道也以酒為漿溺於飲也以妄為常寡於信也醉以入房過於色也以欲竭其精以耗散其真樂色曰欲輕用曰耗樂色不節則精竭輕用不止則真散是以聖人愛精重施髓滿骨堅老子曰弱其志強其骨河上公曰有欲者亡身曲禮曰欲不可縱○新校正云按甲乙經耗作好不知持滿不時御神言輕用而縱欲也老子曰持而盈之不如其已言愛精保神如持盈滿之器不慎而動則傾竭天真真誥曰常不能慎事自致百痾豈可怨咎於神明乎此之謂也○新校正云按別本時作解務快其心逆於生樂快於心欲之用則逆養生之樂矣老子曰甚愛必大費此之類歟夫甚愛而不能救議道而以為未然者伐生之大患也起居無節故半百而衰也亦耗散而致是也夫道者不可斯須離於道則壽不能終盡於天年矣老子曰物壯則老謂之不道不道早亡此之謂離道也夫上古聖人之教下也皆謂之虛邪賊風避之有時邪乘虛入是謂虛邪竊害中和謂之賊風避之有時謂八節之日及太一入從之於中宮朝八風之日也靈樞經曰邪氣不得其虛不能獨傷人謂人虛乃邪勝之也○新校正云按全元起註本云上古聖人之教也下皆為之太素千金同楊上善云上古聖人使人行者身先行之為不言之教不言之教勝有言之教故下百姓倣行者眾故曰下皆為之太一入從於中宮朝八風義具天元玉冊中恬惔虛無真氣從之精神內守病

高下不相慕上不犯下下不犯慢於上各恨其分

大惑論篇曰目者心使也心者神之舍也

養 京本元板

本

彭云材力精力也天數天賦之限数也

安從來恬惔虛无靜也法道清靜精氣內持故其虛邪不能為害音躁靡反惔音淡是以志閑而少欲心安而不懼形勞而不倦內機息故少欲外紛靜故心安然情欲兩亡是非一貫起居皆適故不倦也氣從以順各從其欲皆得所願志不貪故所欲皆順心易足故所願必從以不異求故无難得也老子曰知足不辱知止不殆可以長久故美其食順精麤也○新校正云按別本美一作甘任其服隨美惡也樂其俗去傾慕也高下不相慕其民故曰朴至无求也是所謂心足也老子曰禍莫大於不知足咎莫大於欲得故知足之足常足矣盖非謂物足者為知足心足者乃為知足矣不恣於欲是則朴同故聖人云我無欲而民自朴○新校正云按別本曰作日是以嗜欲不能勞其目淫邪不能惑其心目不妄視故嗜欲不能勞心与玄同故淫邪不能惑老子曰不見可欲使心不乱又曰聖人為腹不為目愚智賢不肖不懼於物故合於道情計兩亡不為謀府冥心一觀勝負俱捐故心志保安合同於道庚桑楚曰全汝形抱汝生无使汝思慮營營○新校正云按全元起註一云合於道數所以能年皆度百歲而動作不衰者以其德全不危也不涉於危故德全也莊子曰執道者德全德全者形全形全者聖人之道也又曰无為而性命不全者未之有也

帝曰人年老而無子者材力盡邪將天數然也材謂材幹可以立身者

彭云嗜欲人欲也

證曰月事者月經也每月有事故曰月事以其有常故又曰月經經者常也

劉云月事者言女子經水按月而至其蓄脂長應月象經以應月者張之所生也本草時珍之說可考

岐伯曰女子七歲腎氣盛齒更髮長老陽之數極於九少陽之數次於七女子爲少陰之氣故以少陽數偶之明陰陽氣和乃能生成其形体故七歲腎氣盛齒更髮長〔更〕古行反下齒更同二七而天癸至任脉通太衝脉盛月事以時下故有子癸謂壬癸北方水干名也任脉衝脉皆奇經脉也腎氣全盛衝任流通經血漸盈應時而下天真之氣降与之從事故云天癸也然衝爲血海任主胞胎二者相資故能有子所以謂之月事者平和之氣常以三旬而一見也故愆期者謂之有病○新校正云按全元起註本及太素甲乙經俱作伏衝下太衝同〔妊〕如林反三七腎氣平均故真牙生而長極真牙謂牙之最後生者腎氣平而真牙生者表牙齒爲骨之餘也四七筋骨堅髮長極身體盛壯女子天癸之數七七而終年居四七材力之半故身体盛壯長極於斯五七陽明脉衰面始焦髮始墮陽明之脉氣營於面故其衰也髮墮面焦靈樞經曰足陽明之脉起於鼻交頞中下循鼻外入上齒中還出俠口環脣下交承漿却循頤後下廉出大迎循頰車上耳前過客主人循髮際至額顱手陽明之脉上頸貫頰入下齒縫中還出俠口故面焦髮墮也〔頞〕烏葛反〔俠〕胡夾反下同〔顱〕落胡反六七三陽脉衰於上面皆焦髮始白三陽之脉盡上於頭故三陽衰則面皆焦髮始白所以衰者婦人之生也有餘於氣不足於血以其經月數泄脱之故七七任脉虚太衝脉衰少天癸竭地道不通

家語曰男子八月生齒八歲而齔二八十六然後而化
劉云男女真陰皆稱天癸天癸天元精乃後至　天癸天元之水也
陰陽應象論曰男子而消亡半衰
五音五味篇　鑒曰
頒班同

故形壞而無子也〔經水絕止是為地道不通衝任衰微故云形壞无子〕丈夫八歲腎氣實髮長齒更〔老陰之數極於十少陰之數次於八男子為少陽之氣故以少陰數合之易繫辭曰天九地十則其數也〕二八腎氣盛天癸至精氣溢寫陰陽和故能有子〔男女有陰陽之質不同天癸則精血之形亦異陰靜海滿而去血陽動應合而泄精二者通和故能有子易繫辭曰男女構精万物化生此之謂也〕三八腎氣平均筋骨勁強故真牙生而長極〔以其好用故爾〕四八筋骨隆盛肌肉滿壯〔丈夫天癸八八而終年居四八亦材之半也〕五八腎氣衰髮墮齒槁〔腎主於骨齒為骨餘腎氣既衰精无所養故令髮墮齒復乾枯〕六八陽氣衰竭於上面焦髮鬢頒白〔陽氣亦陽明之氣也靈樞經曰足陽明之脉起於鼻交頞中下循鼻外入上齒中還出俠口環脣下交承漿却循頤後下廉出大迎循頰車上耳前過客主人循髮際至額顱故衰於上則面焦髮鬢白也〕七八肝氣衰筋不能動天癸竭精少腎藏衰形體皆極〔肝氣養筋肝衰故筋不能動腎氣養骨腎衰故形體疲極天癸已竭故精少也匪惟材力衰謝固當天數使然〕八八則齒髮去〔陽氣竭精氣衰故齒髮不堅離形骸矣去落也〕腎者主水受五藏六府之精而藏之故五藏盛乃能寫〔五藏六府精氣淫溢而滲灌於腎腎藏乃受而藏之何以明之靈樞

經曰五藏主藏精藏精者不可傷由是則五藏各有精隨用而灌注於腎此乃腎為都會關司之所非腎一藏而獨有精故曰五藏盛乃能寫也今五藏皆衰筋骨解墮天癸盡矣故髮鬢白身體重行步不正而無子耳所謂物壯則老謂之天道者也帝曰有其年已老而有子者何也言似非天癸之數也岐伯曰此其天壽過度氣脉常通而腎氣有餘也所禀天眞之氣本自有餘也此雖有子男不過盡八八女不過盡七七而天地之精氣皆竭矣雖老而生子子壽亦不能過天癸之數帝曰夫道者年皆百數能有子乎岐伯曰夫道者能却老而全形身年雖壽能生子也是所謂得道之人也道成之證如下章云黃帝曰余聞上古有眞人者提挈天地把握陰陽眞人謂成道之人也夫眞人之身隱見莫測其為小也入於無間其為大也徧於空境其變化也出入天地內外莫見迹順至眞以表道成之證凡如此者故能提挈天地把握陰陽也呼吸精氣獨立守神肌肉若一眞人心合於氣氣合於神神合於無故呼吸精氣獨立守神肌膚若冰雪綽約如處子○新校正云按全元起註本云身肌宗一太素同楊上善云眞人身之肌體与太極同質故云宗一故能壽敝天地無有終時体同於道壽与道同故能無有終時而壽盡天

彖云至■道之人動以天行
故神遊宇宙相參無
外故聞視氣
彖云氣同歸於■真人然
但能延壽而不衰量
壽敝天地者矣故曰不
者謂之辭也
不欲離 是聖人去世離
俗者大異唯文聖世不
濟也
彖云適於使也恚怒
也嗔勇也欲氣同俗
自得其道遠愚皆
安設無嗔怒 又曰
五服五章尊德之服
皐陶謨曰天命有

地也■皮際反盡也此其道生惟至道生乃能如是中古之時有至人者淳德全道全其至道故曰至人然至人以此淳朴之德全彼妙用之道。○新校正云詳楊上善云積精全神能至於德故稱至人也和於陰陽調於四時和謂同和調謂調適言至人動靜必適中於四時生長收藏之令參同於陰陽寒暑升降之宜去世離俗積精全神心遠世紛身離俗染故能積精而復全神游行天地之間視聽八達之外神全故也庚桑楚曰神全之人不慮而通不謀而當精照无外志凝宇宙若天地然又曰体合於心心合於氣氣合於神神合於無其有介然之有唯然之音雖遠際八荒之外近在眉睫之內來干我者吾必盡知之夫如是者神全故所以能矣■音接此蓋益其壽命而強者也亦歸於真人同歸於道也其次有聖人者處天地之和從八風之理与天地合德与日月合明与四時合其序与鬼神合其吉凶故曰聖人所以處天地之淳和順八風之正理者欲其養正避彼虛邪適嗜欲於世俗之間無恚嗔之心聖人志深於道故適於嗜欲心全廣愛故不有恚嗔是以常德不離殁身不殆恚於桂反行不欲離於世被服章新校正云詳被服章三字疑衍此三字上下文不屬舉不欲觀於俗聖人舉事行止雖常在時俗之間然其見為則与時俗有異尒何者貴法道之清靜也老子曰我獨異於人而貴求食於母母亦諭道也外不勞形於事內無思想

諺曰至
人者至
極之人

於真八極
第彖云
次真人
至人合
謂之聖
人聖教
而化也

之患聖人為无為事无事是以内无思想外不勞形以恬愉為務以自得為功恬靜也愉悅也法道清靜適性而動故悅而自得也形體不敝精神不散亦可以百數外不勞形内无思想故形体不敝精神保全神守不離故年登百數此皆全性之所致爾庚桑楚曰聖人之於声色滋味也利於性則取之害於性則捐之此全性之道也敝疲敝也其次有賢人者法則天地象似日月次聖人者謂之賢人然自強不息精了百端不慮而通發謀以當志同於天地心燭於洞幽故云法則天地象似日月也辯列星辰逆從陰陽分別四時星衆星也辰北辰也辯列者謂定内外星官座位之所於天三百六十五度遠近之分次也逆從陰陽者謂以六甲等法逆順數而推步吉凶之徵兆也陰陽書曰人中甲子從甲子起以乙丑為次順數之地下甲子從甲戌起以癸酉為次逆數之此之謂逆從也分別四時者謂分其氣序也春溫夏暑熱秋清涼冬冰冽此四時之氣序也將從上古合同於道亦可使益壽而有極時將從上古合同於道謂如上古知道之人法於陰陽和於術數食飲有節起居有常不妄作勞也上古知道之人年度百歲而去故可使益壽而有極時也

○四氣調神大論篇第二新校正云按全元起本在第九卷

春三月此謂發陳春陽上升氣潛發能生育庶物陳其姿容故曰發陳也謂春三月者皆因節候而命

知所云等者顯也發也 謂云被髪而無所束縛而無所拘 緩散也

謂云寒〻變者水來侮火爲寒所變也豈不少氣以逆少氣之故也之氣哉奉之爲言迎也

或云逆不順也奉承也寒〻變者〻變為寒也春生〻長逆承生氣而夏長者少

之夏秋冬亦然天地俱生萬物以榮天氣温地氣發温發相合故万物滋榮夜卧早起廣步於庭温氣生寒氣散故夜卧早起廣步於庭被髮緩形以使志生法象也春氣發生於万物之首故被髮緩形以使志意發生也生而勿殺予而勿奪賞而勿罰春氣發生施无求報故養生者必順於時也予音与此春氣之應養生之道也所謂因時之序也然立春之節初五日東風解凍次五日蟄虫始振後五日魚上氷次雨水氣初五日獺祭魚次五日鴻鴈来後五日草木萌動次仲春驚蟄之節初五日小桃華○新校正云詳小桃華月令作桃始華○次五日倉庚鳴後五日鷹化為鳩次春分氣初五日玄鳥至次五日雷乃發声芍藥榮後五日始電次季春清明之節初五日桐始華次五日田鼠化為鴽牡丹華後五日虹始見次穀雨氣初五日萍始生次五日鳴鳩拂其羽後五日戴勝降于桑凡此六氣一十八候皆春陽布發生之令故養生者必謹奉天時也○新校正云詳芍藥榮牡丹華今月令无獺他達反鴽音如鶉也逆之則傷肝夏爲寒變奉長者少逆謂反行秋令也肝象木王於春故行秋令則肝氣傷夏火王而木廢故病生於夏然四時之氣春生夏長逆春傷肝故少氣以奉於夏長之令也夏三月此謂蕃秀陽自春生至夏洪盛物生以長故蕃秀也蕃茂也盛也秀華也美也天地氣交萬物華實舉夏至也脉要精微論曰夏至四十五日陰氣微上陽氣微下由是則天地氣交也然陽氣施化陰氣結成成合相合故万物華實也陰陽應象大

世本早作蚤爲本謂云作早下同

五常政大論發生之紀是謂蕃茂

論曰陽化氣陰成形夜臥早起無厭於日使志無怒使華英成秀使氣得泄若所愛在外緩陽氣則物化寬志意則氣泄物化則華英成秀氣泄則膚腠宣通時令發陽故所愛亦順陽而在外也此夏氣之應養長之道也立夏之節初五日螻蟈鳴次五日蚯蚓出後五日赤箭生。新校正按月令作王瓜生次小滿氣初五日吳葵華。新校正按月令作苦菜秀次五日靡草死後五日小暑至次仲夏芒種之節初五日螗蜋生次五日鵙始鳴後五日反舌無聲次夏至氣初五日鹿角解次五日蜩始鳴後五日半夏生木菫榮次季夏小暑之節初五日溫風至次五日蟋蟀居壁後五日鷹乃學習次大暑氣初五日腐草化為螢次五日土潤溽暑後五日大雨時行凡此六氣一十八候皆夏氣揚蕃秀之令故養生者必敬順天時也。新校正詳本菫榮今月令無鵙古闃反博勞鳥逆之則傷心秋為痎瘧奉收者少冬至重病逆謂反行冬令也痎瘦之瘧也心象火王於夏故行冬令則心氣傷秋金王而火廢故病發於秋而為痎瘧也然四時之氣秋收冬藏逆夏傷心故少氣以奉於秋收之令也冬水勝火故重病於冬至之時也痎音皆

秋三月此謂容平萬物夏長華實已成容狀至秋平而定也天氣以急地氣以明天氣已急風聲切也地氣以明物色變也早臥早起與雞俱興懼中寒露故早臥欲使安寧故早起使志安寧以緩秋刑志氣躁則不慎其動不慎其動則助秋刑急順殺伐生故使志安寧緩秋刑也收斂神

氣使秋氣平神蕩則欲熾欲熾則傷和氣和氣既傷則秋氣不平調也故收斂神氣使秋氣平也無外
其志使肺氣清亦順秋氣之收斂也此秋氣之應養收之道也立秋之節初五
日涼風至次五日白露降後五日寒蟬鳴次處暑氣初五日
鷹乃祭鳥次五日天地始肅後五日禾乃登次仲秋白露之
節初五日盲風至鴻鴈來次五日玄鳥歸後五日羣鳥養羞
次秋分氣初五日雷乃收声次五日蟄虫坏戶景天華後五
日水始涸次季秋寒露之節初五日鴻鴈來賓次五日雀入
大水為蛤後五日菊有黃華次霜降氣初五日豺乃祭獸次
五日草木黃落後五日蟄虫咸俯凡此六氣一十八候皆秋
氣正收斂之令故養生者必謹奉天時也○新校正云詳景
天華三字今月令无坏步回反逆之則傷肺冬為飧泄奉藏者少逆謂反行夏令也肺
象金王於秋故行夏令則氣傷冬冬水王而金廢故病發於冬冬飧泄者食不化而泄出也逆秋傷肺故少氣以奉於冬藏之
令也飧音孫冬三月此謂閉藏草木凋蟄虫去地戶閉塞陽氣伏藏水冰地坼無擾
乎陽陽氣下沈水冰地坼故宜周密不欲煩勞擾謂煩也勞也早臥晚起必待日光避於寒也
使志若伏若匿今詳匿字當作匿若有私意若已有得皆謂不欲妄出於外觸冒
寒氣也故下文云去寒就溫無泄皮膚使氣亟奪去寒就溫言居深室也靈樞經曰冬
日在骨蟄虫周密君子居室无泄皮膚謂勿汗也汗則陽氣
發泄陽氣發泄則數為寒氣所迫奪之亟數也亟去吏反

諺云此三句乃借人以喻天然在人亦不特兩目不明諸竅皆塞後世止以喻者蓋以天日月之二字而不考大義故耳日月者陰陽之氣精粹然蓋天氣者外發陽之事也

此冬氣之應，養藏之道也。立冬之節，初五日水始冰，次五日地始凍，後五日雉入大水為蜃。次小雪氣，初五日虹藏不見，次五日天氣上騰地氣下降，後五日閉塞而成冬。次仲冬大雪之節，初五日冰益壯地始坼，鶡鳥不鳴，次五日虎始交，後五日芸始生荔挺出。次冬至氣，初五日蚯蚓結，次五日麋角解，後五日水泉動。次季冬小寒之節，初五日鴈北鄉，次五日鷙鳥厲疾，後五日水澤腹堅。凡此六氣一十八候，皆冬氣正養藏之令，故養生者必謹奉天時也。[荔]音利，[挺]大頂反，[鄉]音向。逆之則傷腎，春為痿厥，奉生者少。逆謂反行夏令也。腎象水王於冬，故行夏令則腎氣傷，春木王而水廢，故病發於春也。逆冬傷腎，故少氣以奉於春生之令也。天氣清靜光明者也，言天明不竭，以清靜故致之，人壽延長，亦由順動而得，故言天氣以示於人也。藏德不止，新校正云：按別本止一作上。故不下也。四時成序，七曜周行，天不形言，是藏德也。德隱則應用不屈，故不下也。老子曰：上德不德，是以有德也。言天至尊高，德猶見隱也，況全生之道而不順天乎。天明則日月不明，邪害空竅。天所以藏德者，為其欲隱大明，故大明見則小明滅，故大明之德不可不藏。天若自明，則日月之明隱矣。所諭者何？言人之真氣亦不可泄露，當清淨法道，以保天真，苟離於道，則虛邪入於空竅。[空]音孔。陽氣者閉塞，地氣者冒明。陽謂天氣，亦風熱也。地氣謂濕，亦雲霧也。風熱之害人，則九竅閉塞；霧濕之為病，則掩翳精明。取類者，在天則日月不光，在人則兩目藏曜也。靈樞經曰：天有日月，人有眼目。易曰：喪明于易。豈非

兩目及一身之之竅

失養生之道耶雲霧不精則上應白露不下霧者雲之類露者雨之類夫陽盛則地不上應陰虛則天不下交故雲霧不化精微之氣上應於天而為白露不下之咎矣陰陽應象大論曰地氣上為雲天氣下為雨雨出地氣雲出天氣明二氣交合乃成雨露方盛衰論曰至陰虛天氣絕至陽盛地氣不足明氣不相召亦不能交合也交通不表萬物命故不施不施則名木多死夫雲霧不化其精微雨露不霑於原澤是為天氣不降地氣不騰變化之道既虧生育之源斷泯故万物之命无禀而生然其死者則名木先應故云名木多死也名謂名果珍木表謂表陳其狀也易繫辭曰天地絪縕万物化醇然不表交通則為否也易曰天地不交否否部鄙反惡氣不發風雨不節白露不下則菀稾不榮惡謂害氣也發謂發散也節謂節度也菀謂蘊積也稾謂枯稾也言害氣伏藏而不散發風雨无度折傷復多稾物蘊積春不榮也豈惟其物獨遇是而有之哉人離於道亦有之矣故下文曰□於遠殀菀音鬱稾音搞蘊音尹賊風數至暴雨數起天地四時不相保與道相失則未央絕滅不順四時之和數犯八風之害与道相失則天真之氣未期久遠而致滅亡央久也遠也唯聖人從之故身無奇病萬物不失。生氣不竭道非遠於人人心遠於道惟聖人心合於道故壽命无窮從猶順也謂順四時之令也然四時之令不可逆之逆之則五臓內傷而他疾起逆春氣則少陽不生肝氣內變生謂動出也氣不出內鬱於肝則肝氣混糅變而傷矣逆夏氣則太陽不長心氣內洞長謂外茂也洞謂中空也陽不外茂內薄於心燠熱內消故心中空也燠音郁逆秋氣則太陰不收肺氣焦滿收謂收斂焦謂上焦也太陰行氣主化上焦故肺氣不收上焦滿也。新校正云按焦滿全元起本作進滿甲乙太素作焦滿逆冬氣則少陰不藏腎氣獨沉沉謂沉伏也少陰之氣內通於腎故少陰不伏腎氣獨沉。新校正云詳獨沉太素作沉濁夫四時陰陽者萬物之根本也時序運行陰陽變化天地合氣生育万物故万物之根悉歸於此所以聖人春夏養陽秋冬養陰以從其根陽氣根於陰陰氣根於陽无陰則陽无以生无陽則陰无以化全陰則陽氣不極全陽則陰氣不窮春食凉夏食寒以養於陽秋食温冬食熱以養於陰滋苗者以固其根伐下者以湛其上故以斯調節從順其根二氣常存蓋由根固百刻曉暮食亦宜然故與萬物沉浮於生長之門聖人所以身无奇病生氣不竭者以順其根也逆其根則伐其本壞其真矣是則失四時陰陽之道也故陰陽四時者萬物之終始也死生之本也逆之則災害生從之則苛疾不起是謂得道謂得養生之道苛者重也道者聖人行之愚者佩之聖人心合於道故勤而行之愚者性守於迷故佩服而已老子曰道者同於道德者同於德失者同於失同於道者道亦

逆順篇云上工刺其未生者其次刺其未盛者其次刺其已衰者下工刺其方襲者故曰上工治未病不治已病此之謂也 七十七難云云 彭注云云

得之同於德者德亦得之同於失者失亦行之愚者未同於道德則可謂失道者也從陰陽則生逆之則死從之則治逆之則亂反順為逆是謂內格格拒也謂內性格拒於天道也是故聖人不治已病治未病不治已亂治未亂此之謂也知之至也夫病已成而後藥之亂已成而後治之譬猶渴而穿井鬭而鑄兵不亦晚乎知不及時也備禦虛邪事符握虎噬而後藥雖悔何為

○生氣通天論篇第三新校正云按全元起註本在第四卷

黃帝曰夫自古通天者生之本本於陰陽天地之間六合之內其氣九州九竅五藏十二節皆通乎天氣六合謂四方上下也九州謂冀兗青徐揚荊豫梁雍也外布九州而內應九竅故云九州九竅也五藏謂五神藏也五神藏者肝藏魂心藏神脾藏意肺藏魄腎藏志而此成形矣十二節者十二氣也天之十二節氣人之十二經脈而外應之咸同天紀故云皆通乎天氣也十二經脈者謂手三陰三陽足三陰三陽也○新校正云詳通天者生之本六節藏象論甚詳又按鄭康成云九竅者謂陽竅七陰竅二也其生五其氣三數犯此者則邪氣傷人此壽命之本也言人生之所運為則內依五氣以立然其鎮塞天地之內則氣應三元以成三三謂天氣地氣運氣也犯謂邪氣

本藏第云志意者所以精神收魂魄適寒溫和喜怒者也

觸犯於生氣也邪氣數犯則生氣傾危故宝養天眞以爲壽命之本也庚桑楚曰聖人之制万物也以全其天天全則神全矣靈樞經曰血氣者人之神神不可不謹養此之謂也

蒼天之氣清淨則志意治順之則陽氣固春爲蒼天發生之主也陽氣者天氣也陰陽應象大論曰清陽爲天則其義也本天全神全之理全則形亦全矣雖有賊邪弗能害也此因時之序以因天四時之氣序故賊邪之氣不能害也

故聖人傳精神服天氣而通神明夫精神可傳惟聖人得道者乃能尔久服天眞之氣則妙用自通於神明也失之則內閉九竅外壅肌肉衛氣散解失謂逆蒼天清淨之理也然衛氣者合天之陽氣也上篇曰陽氣者閉塞謂陽氣之病人則竅寫閉塞也靈樞經曰衛氣者所以溫分肉而充皮膚肥腠理而司開闔故失其度則內閉九竅外壅肌肉以衛不營運故言散解也分止声此謂自傷氣之削也夫逆蒼天之氣違清靜之理使正眞之氣如削去之者非天降之人自爲之尔

陽氣者若天與日失其所則折壽而不彰此明前陽氣之用也諭人之有陽若天之有日天失其所則日不明人失其所則陽不固日不明則天暗昧陽不固則人壽夭折故天運當以日光明言火之生固宜藉其陽氣也是故陽因而上衛外者也此所以明陽氣運行之部分輔衛人身之正用也

因於寒欲如運樞起居如驚神氣乃浮欲如運樞謂內動也

諺云若煩燥而動則為喘喝若不煩燥而靜則亦不免于多言

四維者四支也

起居如驚謂暴卒也言因天之寒當深居周密如樞紐之內動不當煩擾筋骨使陽氣發泄於皮膚而傷於寒毒也若起居暴卒馳騁荒佚則神氣浮越无所綏寧矣脉要精微論曰冬日在骨蟄虫周密君子居室四氣調神大論曰冬三月此謂閉藏水冰地坼无擾乎陽又曰使志若伏若匿若有私意若已有得去寒就溫无泄皮膚使氣亟奪此之謂也○新校正云按全元起本作連樞元起云陽氣定如連樞者動繫也卒倉沒反佚音逸 因於暑汗煩則喘喝靜則多言 此則不能靜慎傷於寒毒至夏而變暑病也煩謂煩躁靜謂安靜喝謂大呵出声也言病因於暑則當汗泄不為發表邪熱內攻中外俱熱故煩躁喘數大呵而出其声也若不煩躁內熱外凉瘀熱攻中故多言而不次也喝一為鳴躁則到反喝呼葛反瘀依倨反 體若燔炭汗出而散 此重明可汗之理也然体若燔炭之炎熱者何以救之必以汗出乃熱氣施散燔一為燥非也 因於濕首如裹濕熱不攘大筋緛短小筋弛長緛短為拘弛長為痿 表熱為病當汗泄之反濕其首若濕物裹之望除其熱熱氣不釋兼濕內攻大筋受熱則縮而短小筋得濕則引而長縮短故拘攣而不伸引長故痿弱而无力弛引也攘汝陽反除也緛音軟縮也痿於危反弱也 因於氣為腫四維相代陽氣乃竭 素常氣疾濕熱加之氣濕熱爭故為腫也然邪氣漸盛正氣浸微筋骨血肉互相代負故云四維相代也致邪代正氣不宣通衛无所從便至衰竭故言陽氣乃竭也衛者陽氣也 陽氣者煩勞則張精絕辟積於夏

頭諸陽之會也

猶知人命

使人煎厥此又誡起居暴卒煩擾陽和也然煩擾陽和勞疲筋骨動傷神氣耗竭天真則筋脉䐜張精氣竭絕既傷腎氣又損膀胱故當於夏時使人煎厥以煎迫而氣逆因以煎厥爲名厥謂氣逆也煎厥之狀當如下說○新校正云按脉解云所謂少氣善怒者陽氣不治陽氣不治則陽氣不得出肝氣當治而未得故善怒善怒者名曰煎厥目盲不可以視耳閉不可以聽潰潰乎若壞都汩汩乎不可止既且傷腎又竭膀胱腎經内屬於耳中膀胱脉生於目眥故目盲所視耳閉厥聽大矣哉斯乃房之患也既盲目視又閉耳聰則志意心神筋骨腸胃潰潰乎若壞汩汩乎煩悶而不可止也〔汩〕古沒反〔潰〕在計反又胡計反陽氣者大怒則形氣絕而血菀於上使人薄厥此又誡喜怒不節過用病生也然怒則傷腎甚則氣絕大怒則氣逆而陽不下行陽逆故血積於心胷之內矣上謂心胷也然陰陽相薄氣血奔并因薄厥生故名薄厥舉痛論曰怒則氣逆甚則嘔血靈樞經曰盛怒而不止則傷志陰陽應象大論曰喜怒傷氣由此則怒甚氣逆血積於心胷之內矣菀積也〔菀〕去声有傷於筋縱其若不容怒而過用氣或迫筋筋絡內傷機關縱緩形容痿廢若不容持汗出偏沮使人偏枯夫人之身常偏汗出而潤濕者久久偏枯半身不隨○新校正云按沮千金作祖全元起本作恒〔沮〕子魚反潤也汗出見濕乃生痤疿陽氣發泄寒水制之熱怫內餘鬱於皮裏甚爲痤癤微作疿瘡疿風癮也〔痤〕昨和反〔疿〕方味反〔怫〕符弗反高梁之變足生大丁

彭云陽氣去則神明乱 絕多瘵為危如下文

諺云肺經內主乾白魄外主皮膚故所出之汗亦可謂之魄汗 彭云魄隂

受如持虛高膏也梁粱也不忍之人汗出淋洗則結為痤痱膏粱之人內多滯熱皮厚肉密故內變為丁矣外濕既侵中熱相感如持虛器受此邪毒故曰受如持虛所以丁生於足者四支為諸陽之本也以其甚費於下邪毒襲虛故爾○新校正云按丁生之處不常於足蓋謂膏粱之變饒生大丁非偏著足也勞汗當風寒薄為皶鬱乃痤時月寒涼形勞汗發淒風外薄膚腠居寒脂液遂凝稸於玄府依空滲涸皶刺長於皮中形如米或如鍼久者上黑長分餘色白黃而瘦於玄府中俗曰粉刺解表已玄府謂汗空也痤謂色赤瞋憤內蘊血膿形小而大如酸棗或如按豆此皆陽氣內鬱所為待耎而攻之大甚焫出之皶織加反稸許竹反[illegible]尺制反焫而劣反陽氣者精則養神柔則養筋此又明陽氣之運養也然陽氣者內化精微養於神氣外為柔耎以固於筋動靜失宜則生諸疾開闔不得寒氣從之乃生大僂開謂皮腠發泄闔謂玄府閉封然開闔失宜為寒所襲內深筋絡結固虛寒則筋絡拘緛形容僂俯矣靈樞經曰寒則筋急此其類也僂力主反陷脈為瘻留連肉腠陷脈謂寒氣陷缺其脈也積寒留舍經血稽凝久瘀內攻結於肉理○故發為瘍瘻肉腠相連瘻力鬭反[illegible]俞氣化薄傳為善畏及為驚駭言若寒中於背俞之氣變化入深而薄於藏府者則善為恐畏及發為驚駭也俞音庶營氣不從逆於肉理乃生癰腫營逆則血鬱血鬱則熱聚為膿故為癰腫也正理論云熱之所過則為癰腫魄汗未盡形弱而氣爍

形精交氣命彭注云
庶之工生不精而庸清

穴俞以閉發爲風瘧汗出未止形弱氣消風寒薄之穴俞隨閉熱藏不出以至於秋秋陽復收兩熱相合故令振慄寒熱相移以所起爲風故名風瘧也金匱眞言論曰夏暑汗不出者秋成風瘧蓋論從風而爲是也故下文曰故風者百病之始也清靜則肉腠閉拒雖有大風苛毒弗之能害此因時之序也夫嗜欲不能勞其目淫邪不能惑其心不妄作勞是爲清靜以其清靜故能肉腠閉皮膚密眞正內拒虛邪不侵然大風苛毒不以常賊於人蓋由人之冒犯尒故清靜則肉腠閉陽氣拒大風苛毒弗能害之清靜者謂因循四時氣序養生調節之宜不妄作勞起居有度則生氣不竭永保康寧故病久則傳化上下不并良醫弗爲并謂氣交通也然病之深久變化相傳上下不通陰陽否隔雖醫良法妙亦何以爲之陰陽應象大論曰夫善用鍼者從陰引陽從陽引陰以右治左以左治右若是氣相格拒故良醫弗可爲也■塞也故陽畜積病死而陽氣當隔隔者當寫不亟正治粗乃敗之言三陽畜積怫結不通不急寫之亦病而死何者畜積不已亦上下不并矣何以驗之隔塞不便則其證也若不急寫粗工輕侮必見敗亡也陰陽別論曰三陽結謂之隔又曰剛與剛陽氣破散陰氣乃消亡淖則剛柔不和經氣乃絕■奴數反下並同故陽氣者一日而主外晝則陽氣在外周身行二十五度靈樞經曰目開則氣上行於頭循氣行於陽二十五度也平旦人氣生日中而陽氣隆日西而

并者陽合于陽而并也
此則神爭亂為狂也

陽氣已虛，氣門乃閉。隆猶高也，盛也。夫氣之有者，皆自少而之壯，積暖以成炎，炎極又涼，物之理也。故陽氣平曉生，日中盛，日西而已減，虛也。氣門，謂玄府也，所以發泄經脈營衛之氣，故謂之氣門也。是故暮而收拒，無擾筋骨，無見霧露，反此三時，形乃困薄。皆所以順陽氣也。陽出則出，陽藏則藏，暮陽氣衰，內行陰分，故宜收斂以拒虛邪。擾筋骨則逆陽精耗，見霧露則寒濕具侵，故順此三時，乃天真久遠也。

岐伯曰：新校正云：詳篇首云帝曰，此岐伯曰，非相對問也。陰者，藏精而起亟也；陽者，衛外而為固也。言在人之用也。亟，數也。陰不勝其陽，則脈流薄疾，并乃狂。薄疾，謂極虛而急數也。并，謂盛實也。狂，謂狂走或妄攀登也。陽并於四支則狂。陽明脈解曰：四支者，諸陽之本也。陽盛則四支實，實則能登高而歌；熱盛於身，故棄衣欲走也。夫如是者，皆為陰不勝其陽也。陽不勝其陰，則五藏氣爭，九竅不通。九竅者，內屬於藏，外設為官，故五藏氣爭則九竅不通也。言九竅，謂前陰後陰不通，兼言上七竅也。若兼則目為肝之官，鼻為肺之官，口為脾之官，耳為腎之官，舌為心之官。舌非通竅也。金匱真言論曰：南方赤色，入通於心，開竅於耳；北方黑色，入通於腎，開竅於二陰，故也。是以聖人陳陰陽，筋脈和同，骨髓堅固，氣血皆從。從，順也。言循陰陽法，近養生道，則筋脈骨髓各得其宜，故氣血皆能順時和氣也。如是則內外調和，邪不能害，耳目聰明，氣立如故。

腸中常澼積漸出肛門而為痔　劉云為腸澼為痔而下利膿血

劉云平即靜也秘即固也

邪氣不越故真氣獨立而如常若失聖人之道則致疾於身故下文引曰

風客淫氣精乃亡邪傷肝也

自此巳下四科並謂失聖人之道也風氣應肝故風淫精亡則傷肝也陰陽應象大論曰風氣通於肝也風薄則熱起熱盛則水乾水乾則腎氣不營故精乃无也亡无也○新校正云按全元起云淫氣者陰陽之亂氣因其相亂而風客之則傷精傷精則邪入於肝也

因而飽食筋脉橫解腸澼為痔

甚飽則腸胃橫滿腸胃滿則筋脉解而不屬故腸澼而為痔也痺論曰飲食自倍腸胃乃傷此傷之信也澼普擊反

因而大飲則氣逆

飲多則肺布葉舉故氣逆而上奔也

因而強力腎氣乃傷高骨乃壞

強力謂強力入房也高骨謂腰高之骨也然強力入房則精耗精耗則腎傷腎傷則髓氣內枯故高骨壞而不用也聖人交會則不如此當如下句云

凡陰陽之要陽密乃固

陰陽交會之要者正在於陽氣閉密而不妄泄爾密不妄泄乃生氣強固而能久長此聖人之道也

兩者不和若春無秋若冬無夏

兩謂陰陽和謂和合則交會也若如也言絕陰陽和合之道者如天四時有春无秋有冬无夏也所以然者絕廢於生成也故聖人不絕和合之道但貴於閉密以守固天真法也

因而和之是謂聖度

因陽氣盛發中外相應賈勇有餘乃相交合則聖人交會之制度也

故陽強不能密陰氣乃絕

陽自強而不能閉密則陰泄寫而精氣竭絕矣

陰平陽秘精神乃治

陰氣和平陽氣閉密則精神之用日益治也

陰陽離

劉云強亢也

語云相離而決散
新云決絶也
語云因于露非者正如上文言而不能收非獨節旨見霧露之謂主霧体者非也
新云津謂也

決精氣乃絶若陰不和平陽不閉密强用施寫損耗天真二氣分離經絡决憊則精氣不化乃絶流通也是以春因於露風乃生寒熱因於露体觸冒風邪風氣外侵陽氣内拒風陽相薄故寒熱生傷於風邪氣留連乃爲洞泄風氣通肝春肝木王木勝脾土故洞泄生也○新校正云按陰陽應象大論曰春傷於風夏生飱泄夏傷於暑秋爲痎瘧夏熱已甚秋陽復收陽熱相攻則爲痎瘧痎老也亦日瘦也秋傷於濕上逆而欬濕謂地濕氣也秋濕既勝冬水復王水來乘肺故欬逆病生○新校正按陰陽應象大論云秋傷於濕冬生欬嗽發爲痿厥濕氣内攻於藏府則欬逆外散於筋脉則痿弱也陰陽應象大論曰地之濕气感則害皮肉筋脉故濕气之資發爲痿厥厥謂逆气也冬傷於寒春必温病冬寒且凝春陽气發寒不爲釋陽怫于中寒怫相持故爲温病○新校正云按此与陰陽應象大論重被注甚詳四時之氣更傷五藏寒暑温凉遞相勝負故四時之气更傷五藏之和也陰之所生本在五味陰之五宮傷在五味所謂陰者五神藏也宫者五神之舍也言五神所生本資於五味五味宣化各湊於本宫雖因五味以生亦因五味以損正爲好而過節乃見傷也故下文曰是故味過於酸肝氣以津脾氣乃絶酸多食之令人癃小便不利則肝多津液津液内溢則肝葉舉肝葉舉則脾經之气絶而不行何者木制土也味過於鹹大骨氣勞短肌心氣抑[illegible]

陽應象大論
瘻害也
短肌者肉縮也

彭云沮壞也弛縱也央
殃同央不羊而死
全匡要畧云勝者是之進
通會真言之也爲四季
所注理者是皮膚義府
之分理也舉瑞而後住云
腠謂津液滲泄之所理
謂文理逢會之中

六節藏象論後住云所謂長
夏者六月也土生于火長在
夏中既長而王故曰長夏

食之令人肌膚縮短又令心氣抑滯而不行何者鹹走血也大骨氣勞鹹歸腎也味過於甘心氣喘滿色黑腎氣不衡甘多食之令人心悶甘性滯緩故令氣喘滿而腎不平何者土抑水也衡平也味過於苦脾氣不濡胃氣乃厚苦性堅燥又養脾胃故脾氣不濡胃氣強厚味過於辛筋脉沮弛精神乃央沮潤也弛緩也央久也辛性潤澤散養於筋故令筋緩脉潤精神長久何者辛補肝也藏氣法時論曰肝欲散急食辛以散之用辛補之。新校正云按此論味過所傷難作精神長久之解央乃殃也古文通用如膏粱之作高梁草滋之作草滋之類蓋古文簡畧字多假借用者是故謹和五味骨正筋柔氣血以流湊理以密如是則氣骨以精謹道如法長有天命是所謂修養天眞之至道也

○金匱眞言論篇第四新校正云按全元起注本在第四卷

謹云全匡者[illegible]書之篇名陰陽
有金匡之其權從木善冠也

黄帝問曰天有八風經有五風何謂經謂經脉所以流通營衛血氣者也岐伯對曰八風發邪以爲經風觸五藏邪氣發病原其所起則謂八風發邪經脉受之則循經而觸於五藏以邪干正故發病也所謂得四時之勝者春勝長夏長夏勝冬冬勝夏夏勝秋秋勝春所謂四時之勝也春木夏火長夏土秋金冬

彭云厚
腸胃之
謂

精者謂
之云

三十五人第
真言者
至真之
言也故
名第

註證云夜〻氣者病在意、外為背腰而内藏也
彭云在藏言心〻通夏氣為諸藏之主也
證云冬〻氣者病在四肢者以四肢為末如木之枝得寒凋故不但腰股為病而四枝亦受病也
按蹻四字謂神所謂養莊者導引也彭云按蹻且

水皆以所剋殺而為勝也言五時之相勝者不謂八風中人則病各謂隨其不勝則發病也勝謂制尅之也東風生於春病在肝俞在頸項春氣發榮於万物之上故俞在頸項曆忌曰甲乙不治頸此之謂也南風生於夏病在心俞在胸脅心少陰脉循胸出脅故俞在焉西風生於秋病在肺俞在肩背肺處上焦背為胸府肩背相次故俞在焉北風生於冬病在腎俞在腰股腰為腎府股接次之以氣相連故兼言也中央為土病在脾俞在脊以脊應土言居中尒故春氣者病在頭春氣謂肝氣也各隨其藏氣之所應。新校正云按周礼云春時有痟首疾夏氣者病在藏心之應也秋氣者病在肩背肺之應也冬氣者病在四支四支氣少寒毒善傷隨所受邪則為病處故春善病鼽衄以氣在頭也礼記月令曰季秋行夏令則民多鼽嚏仲夏善病胸脅心之脉循胸脅故也長夏善病洞泄寒中土主於中是為倉廩糟粕水穀故為洞泄寒中也秋善病風瘧以涼折暑乃為是病生氣通天論曰魄汗未尽形弱而氣爍穴俞以閉發為風瘧此謂以涼折暑者之義也礼記月令曰孟秋行夏令則民多瘧疾冬善病痺厥血象於水寒則水凝以氣薄流故為痺厥故冬不按蹻春不鼽衄按謂按摩蹻謂如蹻捷者之舉動手足是所謂導引也然擾動筋骨則陽氣不藏春陽氣上升重熱熏肺肺通於鼻病則形之故冬不按蹻春不鼽

五風入於五經

第十一椎

經脉篇云人始生先成
精〻〻本神篇云生之來
曰之精
劉云脉法者言經脉篇
郝之由然也
又曰故曰三字引辭也

鼽謂鼻中水出衄謂鼻中血出鼽音裘春不病頸項仲夏不病胸脇長夏不病洞泄寒中秋不病風瘧冬不病痺厥飧泄而汗出也此上五句並言冬不按蹻之所致也○新校正云詳飧泄而汗出也六字上文疑剩夫精者身之本也故藏於精者春不病溫此正謂冬不按蹻則精氣伏藏以陽不妄升故春無溫病夏暑汗不出者秋成風瘧此正謂以風涼之氣折暑汗也○新校正云詳此下義与上文不相接此平人脉法也謂平病人之脉法也故曰陰中有陰陽中有陽言其初起与其王也平旦至日中天之陽陽中之陽也日中至黃昏天之陽陽中之陰也日中陽盛故曰陽中之陽黃昏陰盛故曰陽中之陰陽氣主晝故平旦至黃昏皆為天之陽而中復有陰陽之殊也合夜至雞鳴天之陰陰中之陰也雞鳴至平旦天之陰陰中之陽也雞鳴陽氣未出故曰天之陰平旦陽氣已升故曰陰中之陽故人亦應之夫言人之陰陽則外為陽內為陰言人身之陰陽則背為陽腹為陰言人身之藏府中陰陽則藏者為陰府者為陽藏謂五神藏府謂六化府肝心脾肺腎五藏皆為陰膽胃大腸小腸膀胱三焦六府皆為陽

下上陽陰繫日月篇云心為陽中之太陽肺為陽中之少陰肝為陰中之少陽脾為陰中之至陰腎為陰中之太陰

吳註云五方色入通五藏謂之收五藏各藏其精謂之受

靈樞經曰三焦者上合於手心主又曰足三焦者太陽之別名也正理論曰三焦者有名无形上合於手心主下合右腎主謁道諸氣名為使者所以欲知陰中之陰陽中之陽者何也為冬病在陰夏病在陽春病在陰秋病在陽皆視其所在為施鍼石也故背為陽陽中之陽心也心為陽藏位處上焦以陽居陽故為陽中之陽也靈樞經曰心為牡藏牡陽也背為陽陽中之陰肺也肺為陰藏位處上焦以陰居陽故謂陽中之陰也靈樞經曰肺為牝藏牝謂陰也腹為陰陰中之陰腎也腎為陰藏位處下焦以陰居陰故謂陰中之陰也靈樞經曰腎為牝藏牝陰也腹為陰陰中之陽肝也肝為陽藏位處中焦以陽居陰故謂陰中之陽也靈樞經曰肝為牡藏牡陽也腹為陰陰中之至陰脾也脾為陰藏位處中焦以太陰居陰故謂陰中之至陰也靈樞經曰脾為牝藏牝陰也此皆陰陽表裏內外雌雄相輸應也故以應天之陰陽也以其氣象參合故能上應於天帝曰五藏應四時各有收受乎。歧伯曰有東方青色入通於肝開竅於目藏精於肝精謂精氣也木精之氣其神魂陽升之方以目為用故開竅於目其病發驚駭象木屈伸有搖動也○新校正詳東方云病發驚駭餘方各闕者按五常政大論委和之紀其發驚駭疑此文為衍其味酸其

草木性柔脆而曲直其畜雞以雞為畜取巽言之易曰巽為雞其穀麥五穀之長者麥故東方用
之本草曰麥為五穀之長○新校正按五常政大論云其畜犬其穀麻其應四時上為歲星木之
精氣上為歲星十二年一周天是以春氣在頭也万物發榮於上故春氣在頭○新校正詳東方言春
氣在頭不言故病在頭餘方言故病在其不言其氣在其者互文也其音角角木聲也孟春之月律中太蔟林鍾
所生三分益一管率長八寸仲春之月律中夾鍾夷則所生三分益一管率長七寸五分○新校正按鄭康成云七寸二
千一百八十七分之寸千七十五○季春之月律中姑洗南呂所生三分益一管率長七寸又一十分寸之一○新校正
按鄭康成云九分寸之一○凡是三管皆木氣應之其數八木生數三成數八尚書洪範曰三曰木是以
知病之在筋也木之堅柔類筋氣故其臭臊凡氣因木變則為臊○新校正云詳臊月令作羶
南方赤色入通於心開竅於耳藏精於心火精之氣其神神舌為心之官當言
於舌舌用非竅故云耳也繆刺論曰手少陰之絡會於耳中義取此也故病在五藏以夏氣在藏也其
味苦其類火性炎上而燔灼[illegible]音頻其畜羊以羊為畜言其未也以土同王故通而言之○新校
正云按五常政大論云其畜馬其穀黍黍色赤其應四時上為熒惑星火之精氣上為
熒惑星七百四十日一周天是以知病之在脈也火之躁動類於脈氣其音徵徵火聲也

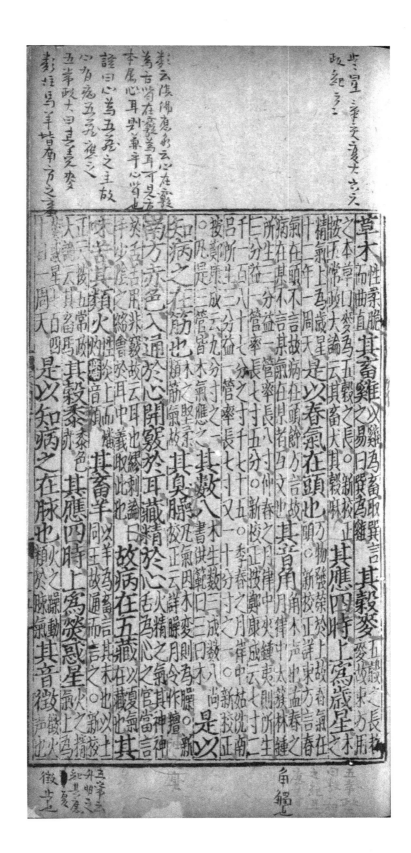

五常政大云備化之紀其ゝ應長夏

五常政大云審平之紀其ゝ應秋

孟夏之月律中仲呂無射所生三分益一管率長六寸七分〇新校正云按鄭康成云六寸万九千六百八十三分寸之万二千九百七十四〇仲夏之月律中蕤賓應鍾所生三分益一管率長六寸三八分〇新校正云按鄭康成云六寸八十一分寸之二十六〇季夏之月律中林鍾黃鍾所生三分減一管率長六寸凡是三管皆火氣應之**其數七**火生數二成數七尚書洪範曰二曰火**其臭焦**凡氣因火變則為焦**中央黃色入通於脾開竅於口藏精於脾**土精之氣其神意脾為化穀口上迎糧故開竅於口**故病在舌本**脾脈上連於舌本故病氣居之**其味甘其類土**性安靜而化造**其畜牛**土王四季故畜取丑牛又以牛色黃也**其穀稷**色黃而味甘也**其應四時上為鎮星**土之精氣上為鎮星二十八年一周天**是以知病之在肉也**土之柔厚類肉氣故**其音宮**宮土声也律書以黃鍾為濁宮林鍾為清宮蓋以林鍾當六月管也五音以宮為主律呂的起於黃鍾為濁宮林鍾為清宮也**其數五**土數五尚書洪範曰五曰土**其臭香**凡氣因土變則為香**西方白色入通於肺開竅於鼻藏精於肺**金精之氣其神魄肺藏氣鼻通息故開竅於鼻**故病在背**以肺在胷中背為胷中之府也**其味辛其類金**性音声而堅勁**其畜馬**畜馬者取乾也易曰乾為馬〇新校正云按五常政大論云其畜雞**其穀稻**稻堅白**其應四時上為太白星**金之精氣上為太白星三百六十五日一

【周天】是以知病之在皮毛也【金之堅密類皮毛也】其音商【商金聲也孟秋之月律中夷則大呂所生三分減一管率長五寸七分仲秋之月律中南呂太簇所生三分減一管率長五寸三分季秋之月律中無射夾鍾所生三分減一管率長五寸凡是三管皆金氣應之】其數九【金生數四成數九尚書洪範曰四曰金】其臭腥【凡氣因金變則為腥羶之氣也】

北方黑色入通於腎開竅於二陰藏精於腎【水精之氣其神志腎藏精陰泄注故開竅於二陰也】故病在谿【谿謂肉之小會也氣穴論曰肉之大會為谷肉之小會為谿】其味鹹其類水【性潤下而滲灌】其畜彘【彘豕也】其穀豆【黑豆】其應四時上為辰星【水之精氣上為辰星三百六十五日一周天】是以知病之在骨也【骨主幽暗骨體內藏以類相同故病居骨也】其音羽【羽水聲也孟冬之月律中應鍾姑洗所生三分減一管率長四寸七分半仲冬之月律中黃鍾仲呂所生三分益一管率長九寸季冬之月律中大呂蕤賓所生三分益一管率長八寸四分凡是三管皆水氣應之】其數六【水生數一成數六尚書洪範曰一曰水】其臭腐【凡氣因水變則為腐朽之氣也】

故善為脈者謹察五藏六府一逆一從陰陽表裏雌雄之紀藏之心意合心於精【心合精微則深知通變】非其人勿教非其真勿授是謂得道【隨其所能而与之是謂得師資教授之道也靈樞經曰明目者】

陰陽繫日月云昊天
陰陽者有名而無形
今匿頰云陰陽者虛
明而已　道者造化
之名也彭云神變
化不測也明三光
象也　府聚也

陽生陰長　天之紀大
云天以陽生陰長地
以陽殺陰藏

可使視色聰耳者可使聽音捷疾辭語者可使論語徐而安靜手巧而心審諦者可使行鍼艾理血氣而調諸逆順察陰陽而兼諸方緩節柔筋而心和調者可使導引行氣痛毒言語輕人者可使唾癰呪病爪苦手毒為事善傷者可使按積抑痺由是則各得其能方乃可行其名乃彰故曰非其人勿教非其真勿授也

○陰陽應象大論篇第五新校正云按全元起本在第九卷

黃帝曰陰陽者天地之道也謂變化生成之道也老子曰万物負陰而抱陽沖氣以為和易繫辭曰一陰一陽之謂道此之謂也萬物之綱紀滋生之用也陽与之正氣以生陰為之主持以立故為万物之綱紀也陰陽離合論曰陽与之正陰為之主則謂此也變化之父母異類之用也何者然鷹化為鳩田鼠化為鴽腐草化為螢雀入大水為蛤雉入大水為蜃如此皆異類因變化而成者也生殺之本始寒暑之用也万物假陽氣溫而生因陰氣寒而死故知生殺本始是陰陽之所運為也神明之府也府宮府言所以生殺變化之多端者何哉以神明居其中也下文曰天地之動靜神明為之綱紀故易繫辭曰陰陽不測之謂神亦謂居其中也○新校正云詳陰陽至神明之府与天元紀大論同註頗異治病必求於本陰陽与万類生殺變化猶然在於人身同相參合故治病之道必先求之故積陽為天積陰為地言陰陽為天地之道者何以然陰靜陽躁言應物類運用之標格也陽生陰長陽殺陰藏明前天地生殺

謹曰由雲而後有雨則雨氣天降而實本之地氣所升之雲也故雨出地氣由雨之降而後有雲之升則雲雖地升而實本之天氣所降之雨也故雲出天氣知要云出通也雨出而通地氣雲出而通天氣也

之殺用也神農曰天以陽生陰長地以陽殺陰藏○新校正云詳陰長陽殺之義或者疑之按周易八卦布四方之義則可見矣坤者陰也位西南隅時在六月七月之交萬物之所盛長也安謂陰無長之理乾者陽也位戌亥之分時在九月十月之交萬物之所收殺也孰謂陽無殺之理以是明之陰長陽殺之理可見矣此語又見天元紀大論其説自異矣

陽化氣陰成形明前万物滋生之綱紀也寒極生熱熱極生寒明前之大体也寒氣生濁熱氣生清言正氣也清氣在下則生飧泄濁氣在上則生䐜脹熱氣在下則穀不化故飧泄寒氣在上則氣不散故䐜脹何者以陰静而陽躁也䐜昌眞切肉脹起也此陰陽反作病之逆從也反謂反覆作謂作務反覆作務則病如是故清陽爲天濁陰爲地地氣上爲雲天氣下爲雨雨出地氣雲出天氣陰凝上結則合以成雲陽散下流則注而爲雨雨從雲以施化故言雨出地雲憑氣以交合故言雲出天天地之理且然人身清濁亦如是也故清陽出上竅濁陰出下竅氣本乎天者親上氣本乎地者親下各從其類也上竅謂耳目鼻口下竅謂前陰後陰清陽發腠理濁陰走五藏腠理謂滲泄之門故清陽可以散發五藏爲包藏之所故濁陰可以走之滲所禁反清陽實四支濁陰歸六府四支外動故清陽實之六府內化故濁陰歸之水爲陰火爲陽水寒而靜故爲陰火熱而躁故爲陽陽爲氣陰

爲味氣惟散布故陽爲之味曰滋形故陰爲之味歸形形歸氣氣歸精精歸化形食味故味歸形氣養形故形歸氣精食氣歸精化生精故精歸化故下文曰精食氣形食味氣化則精生味和則形長故云食之也化生精氣生形精微之液惟血化而成形質之有資氣行營立故斯二者各奉生乎味傷形氣傷精過其節也精化爲氣氣傷於味精承化養則食氣精若化生則不食氣精血内結鬱爲癥瘕則五味倨然不得入也女人重身精化百日皆傷於味也陰味出下竅陽氣出上竅味有質故下流於便寫之竅氣无形故上出於呼吸之門味厚者爲陰薄爲陰之陽氣厚者爲陽薄爲陽之陰陽爲氣氣厚者爲純陽陰爲味味厚者爲純陰故味薄者爲陰中之陽氣薄者爲陽中之陰味厚則泄薄則通氣薄則發泄厚則發熱陰氣潤下故味厚則泄利陽氣炎上故氣厚則發熱味薄爲陰少故通泄氣薄爲陽少故汗出發泄謂汗出也壯火之氣衰少火之氣壯火之壯者壯已必衰火之少者少已則壯壯火食氣氣食少火壯火散氣少火生氣氣生壯火故云壯火食氣少火滋氣故云氣食少火以壯火食氣故氣得壯火則耗散以少火益氣故氣得少火則生長人之陽氣壯少亦然氣味辛甘發散爲陽酸苦涌泄爲陰非惟氣味分正陰陽然辛甘酸苦之中復有陰陽之殊氣尒何者辛散甘緩故發散爲陽酸收

六元正紀注云濡泄而利也
天元紀大論云黃帝問曰天有五行御五位以生寒暑燥濕風人有五藏化五氣以生喜怒思憂恐
心喜肝怒脾思肺憂腎恐 故悲當作思

苦泄故涌泄為陰之也陰勝則陽病陽勝則陰病勝則不病不勝則病陽勝則熱陰勝則寒是則大過而致也○新校正云按甲乙經作陰病則熱陽病則寒文異意同重寒則熱重熱則寒物極則反亦猶壯火之氣衰少火之氣壯也寒傷形熱傷氣寒則衛氣不利故傷形熱則榮氣內消故傷氣雖陰成形陽化氣一過其節則形氣破蕩氣傷痛形傷腫氣傷則熱結於肉分故痛形傷則寒薄於皮腠故腫故先痛而後腫者氣傷形也先腫而後痛者形傷氣也先氣證而病形故曰氣傷形先形證而病氣故曰形傷氣風勝則動風勝則庶物皆搖故為動○新校正云按左傳曰風淫末疾即此義也熱勝則腫熱勝則陽氣內鬱故洪腫暴作甚則榮氣逆於肉理聚為癰膿之腫燥勝則乾燥勝則津液竭涸故皮膚乾燥寒勝則浮寒勝則陰氣結於玄府玄府閉密陽氣內攻故為浮濕勝則濡寫濕勝則內攻於脾胃脾胃受濕則水穀不分水穀相和故大腸傳道而注寫也以濕內盛而寫故謂之濡寫○新校正按左傳曰雨淫腹疾則其義也風勝則動至此五句與六元正紀大論文重彼註頗詳天有四時五行以長生收藏以生寒暑燥濕風春生夏長秋收冬藏謂四時之生長收藏冬水寒夏火暑秋金燥春木風長夏土濕謂五行之寒暑濕燥風也然四時之氣土雖寄王原其所主則濕屬中央故云五行以生寒暑燥濕風五氣也人有五藏化五氣以生喜怒

七情者傷氣六氣傷形
彭云厥。逆也。言寒暑喜怒之氣暴逆於上則陽獨實故滿脈陽亢則陰離故去形此孤陽
濟洄集

悲憂恐五藏謂肝心脾肺腎五氣謂喜怒悲憂恐然是五氣更傷五藏之和氣矣○新校正云按天元紀大論悲作思又本篇下文肝在志為怒心在志為喜脾在志為思肺在志為憂腎在志為恐王注玉機真藏論作悲諸論不同皇甫士安甲乙經精神五藏篇具有其說蓋言悲者以悲能勝怒取五志迭相勝而為言也舉思者以思為脾之志也各舉一則義俱不足兩見之則互相成義也故喜怒傷氣寒暑傷形喜怒之所生皆生於氣故云喜怒傷氣寒暑之所勝皆勝於形故云寒暑傷形近取諸身則如斯矣細而言者則熱傷於氣寒傷於形暴怒傷陰暴喜傷陽怒則氣上喜則氣下故暴卒氣上則傷陰暴卒氣下則傷陽厥氣上行滿脈去形厥氣逆也逆氣上行滿於經絡則神氣浮越去離形骸也喜怒不節寒暑過度生乃不固靈樞經曰智者之養生也必順四時而適寒暑和喜怒而安居處然喜怒不常寒暑過度天真之氣何可久長故重陰必陽重陽必陰言傷寒暑亦如是故曰冬傷於寒春必病溫夫傷於四時之氣皆能為病以傷寒為毒者最為殺厲之氣中而即病故曰傷寒不即病者寒毒藏於肌膚至春變為溫病至夏變為暑病故養生者必慎傷於邪也春傷於風夏生飧泄風中於表則內應於肝肝氣乘脾故飧泄○新校正云按生氣通天論云春傷於風邪氣留連乃為洞泄夏傷於暑秋必痎瘧夏暑已甚秋熱復收兩熱相攻故為痎瘧痎瘦也秋傷於濕冬生欬嗽秋濕既多冬水復王水濕相得肺氣

謂之通十二經之表裏謂之六合分部逆從十二經脈所主之方部分又經脈逆從善惡逆從肥瘦多

五運行大論曰帝曰寒暑燥濕風火在人合之奈何其於萬物何以生化

又衰故冬寒〻甚則為欬。新校正云按生氣通天論云秋傷於濕上逆而欬發為痿厥帝曰余聞上古聖人論理人形列別藏府端絡經脉會通六合各從其經氣穴所發各有處名谿谷屬骨皆有所起分部逆從各有條理四時陰陽盡有經紀外內之應皆有表裏其信然乎六合謂十二經脉之合也靈樞經曰太陰陽明為一合少陰大陽為一合厥陰少陽為一合手足之脉各三則為六合也手厥陰則心包胳脉也氣穴論曰肉之大會為谷肉之小會為谿肉分之間谿谷之會以行榮衛以會大氣屬骨者為骨相連屬處表裏者諸陽經脉皆為表諸陰經脉皆為裏。新校正云詳帝曰至信其然乎全元起本及大素在上古聖人之教也上岐伯對曰東方生風陽氣上騰散為風也風者天之號令風為教始故生自東方風生木風鼓木榮則風生木也木生酸凡物之味酸者皆木氣之所生也尚書洪範曰曲直作酸酸生肝生謂生長也凡芽之酸者皆先生長於肝肝生筋肝之精氣生養筋也筋生心陰陽書曰木生火然肝之木氣內養筋已乃生心火肝主目目見曰明類齊同也其在天為玄玄謂玄冥言天色高遠尚未盛明也在人為道道謂道化以道而化人則歸從在地為化化謂造化也庶類時育皆造化者也化生五味方物生五味具皆變化為母而使生成化道生智智從正化而有故曰道生智玄生神玄冥之內

彰云握同搤搦節之病也　方考曰搤者四支屈曲之名搦者十開握之義

馬本改大心其主古

(神處其中故曰玄生神)神在天為風(飛揚散拆風之用也然發而周遠無所不通信乎神化而能尔)在地為木(柔軟曲直木之性也○新校正云詳其在天至為木与天元紀大論同註頗異)在體為筋(束絡連綴而為力也)在藏為肝(其神魂也道經義曰魂居肝魂靜則至道不亂)在色為蒼(蒼謂薄青色象木色也)在音為角(角謂木音調而直也樂記曰角亂則憂其民怨)在聲為呼(呼謂叫呼亦謂之嘯)在變動為握(握所以牽就也○新校正云按楊上善云握憂噦欬慄五者改志而有名曰變動也)在竅為目(目所以司見形色)在味為酸(酸可用收斂也)在志為怒(怒所以禁非也)怒傷肝(雖志為怒甚則自傷)悲勝怒(悲則肺金并於肝木故勝怒也宣明五藏氣篇曰精氣并於肺則悲○新校正云詳五志云怒喜思憂恐悲當云憂今變憂為悲者蓋以恚憂而不解則傷意悲哀而動中則傷魂故不云憂也)風傷筋(風勝則筋絡拘急○新校正云按五運行大論曰風傷肝)燥勝風(燥為金氣故勝木風)酸傷筋(過節也)辛勝酸(辛金味故勝木酸)南方生熱(陽氣炎燥故生熱)熱生火(鑽燧改火惟熱是生)火生苦(凡物之味苦者皆火氣之所生也尚書洪範曰炎上作苦)苦生心(凡味之苦者皆先生長於心)心生血(心之精氣生養血也)血生脾(陰陽書曰火生土然心火之氣內養血已乃生脾土○新校正云按太素血作脈)心主舌(心別是非舌以言事故主舌)其在天為熱(暄暑熾燠熱之用也)在地

衛云心為神神有餘則笑不止故憂

曰火亢而傷肺氣火克金之意又肺主聲也

為火炎上翕赩火之性也赩許極反在體為脈通行榮衛而養血也在藏為心其神神也道經義曰神處心神守則血氣流通在色為赤象火在音為徵徵謂火音和而美也樂記曰徵亂則哀其事勤在聲為笑笑喜声也在變動為憂憂可以成務○新校正云按楊上善云心之憂在心變動肺之憂在肺之志是則肺主於秋憂為正也而心主於夏變而生憂也在竅為舌舌所以司辨五味也金匱真言論曰南方赤色入通於心開竅於耳尋其為竅則舌義便乎以其主味故云舌也在味為苦苦可用燥泄也在志為喜喜所以和樂也喜傷心雖志為喜甚則自傷恐勝喜恐則腎水并於心火故勝喜也宣明五氣篇曰精氣并於腎則恐熱傷氣熱勝則喘息促急寒勝熱寒為水氣故勝火熱苦傷氣以火生也○新校正云詳此篇論所傷之旨其例有三東方云風傷筋酸傷筋中央云濕傷肉甘傷肉是自傷者也南方云熱傷氣苦傷氣北方云寒傷血鹹傷血是傷己所勝西方云熱傷皮毛是被勝傷己辛傷皮毛是自傷者也凡此五方所傷有此三例不同大素則俱云自傷鹹勝苦鹹水味故勝火苦中央生濕陽氣上薄陰氣固升升薄相合故生溼也易義曰陽上薄陰陰能固之然後蒸而為雨明溼生於固陰之氣也○新校正云按楊上善云六月四陽二陰合蒸以生溼氣也溼生土土溼則固明溼生也○新校正云按楊上善云四陽二陰合而為溼蒸腐萬物成土也土生甘凡物之味甘者皆土氣之所生也尚書洪範曰稼穡作甘甘生脾

五聲政大其音徵

舌心苗也

五常政大論其主口
方云其音宮
中焦調則生歌

凡味之甘者皆先生長於脾脾生肉脾之精氣生養肉也肉生肺陰陽書曰土生金然脾土之氣內養肉已乃生肺金脾主口脾受水穀口納五味故主口其在天為濕霧露雲雨濕之用也在地為土安靜稼穡土之德也在體為肉覆裹筋骨充其形也在藏為脾其神意也道經義曰意託脾意寧則智自沉散越在色為黃象土色在音為宮宮謂土音大而和也樂記曰宮亂則荒其君驕在聲為歌歌嘆聲也在變動為噦噦謂噦噫胃寒所生○新校正云詳王謂噦為噦噫非噦也故楊上善云噦氣忤也噦乙劣反噫烏界反在竅為口口所以司納水穀在味為甘甘可用寬緩也在志為思思所以知遠也思傷脾雖志為思甚則自傷怒勝思怒則不思勝可知矣濕傷肉脾主肉而惡濕故濕勝則肉傷風勝濕風為木氣故勝土濕甘傷肉亦過節也新校正云按五運行大論云甘傷脾酸勝甘酸木味故勝土甘西方生燥天氣急切故生燥燥生金金燥有声則生金也金生辛凡物之味辛者皆金氣之所生也尚書洪範曰從革作辛辛生肺凡味之辛者皆先生長於肺肺生皮毛肺之精氣生養皮毛皮毛生腎陰陽書曰金生水然肺金之氣養皮毛已乃生腎水肺主鼻肺藏氣鼻通息故主鼻其在天為燥輕急勁強燥之用也在地為金堅勁從革金之性也在體為皮毛包藏膚腠捍其邪也在藏為肺其神魄也道經義曰[illegible]

新云其音商

五常政大論其主二陰 新云其音羽

呻声出於臍下故羞消

（魄安則德修壽延）在色爲白（象金色）在音爲商（商謂金声輕而勁也禮記曰商乱則陂其官壞）在聲爲哭（哭哀声也）在變動爲欬（欬謂欬嗽所以抑咽喉也）在竅爲鼻（鼻所以司嗅呼吸）在味爲辛（辛可用散潤也）在志爲憂（憂深慮也）憂傷肺（雖志爲憂過則損也）喜勝憂（喜則心火并於肺金故勝憂也宣明五氣篇曰精氣并於心則喜）熱傷皮毛（熱從火生耗津液故）寒勝熱（陰制陽也○新校正云按大素作燥傷皮毛熱勝燥又按王注五運行大論云火有二別故此再舉熱傷之形證）辛傷皮毛（過而招損）苦勝辛（苦火味故勝金辛）北方生寒（陰氣凝冽故生寒也）寒生水（寒氣盛凝變爲水）水生鹹（凡物之味鹹者皆水氣之所生也尚書洪範曰潤下作鹹）鹹生腎（凡味之鹹者皆先生長於腎）腎生骨髓（腎之精氣生養骨髓）髓生肝（陰陽書曰水生木然腎水之氣養骨髓已乃生肝木）腎主耳（腎屬北方位居幽暗声入故主耳）其在天爲寒（凝清慘冽寒之用也）在地爲水（清絜潤下水之用也）在體爲骨（端直貞幹以立身也）在藏爲腎（其神志也道經義曰志藏腎志營則骨髓滿實）在色爲黑（象水色）在音爲羽（羽謂水音沉而深也樂記曰羽乱則危其財匱）在聲爲呻（呻吟声也）在變動爲慄（慄謂戰慄甚寒大恐而悉有之）在竅爲耳（耳所以司聽五音○新校正云按金匱真言論云開竅於二陰蓋以心寄竅於耳故与此不同）在味爲鹹（鹹可

故曰者曰天元紀大
五運行大論也

用象要也在志為恐恐所以懼惡也恐傷腎恐而不已則內感於腎故傷也靈樞經曰恐懼而不解則
傷精明感腎也思勝恐思深慮遠則見事源故勝恐也寒傷血寒則血凝傷可知也新校正云按大素
血作骨燥勝寒燥從熱生故勝寒也○新校正云按大素燥作濕鹹傷血食鹹而渴傷血可知○新
校正云按大素血作骨甘勝鹹甘土味故勝水鹹○新校正云詳自前岐伯對曰至此与五運行論同兩注頗
異當並用之故曰天地者萬物之上下也觀其覆載而万物之上下可知矣陰陽
者血氣之男女也陰主血陽主氣陰生女陽生男左右者陰陽之道路也陰陽
間氣左右循環故左右為陰陽之道路也○新校正云詳間氣之說具六微旨大論中楊上善云陰气右行陽气左行謂
此也水火者陰陽之徵兆也觀水火之气則陰陽徵兆可明矣陰陽者萬物之
能始也謂能為變化生成之元始○新校正云詳天地者至万物之能始与大元紀大論同注頗異彼无陰陽者
血气之男女一句又以金木者生成之終始代陰陽者乃物之能始故曰陰在內陽之守也陽
在外陰之使也陰靜故為陽之鎮守陽動故為陰之役使帝曰法陰陽柰何岐伯
曰陽勝則身熱腠理閉喘麤為之俛仰汗不出而熱齒乾以
煩冤腹滿死能冬不能夏陽勝故能冬熱甚故不能夏奴代反下能夏形能並同上陰

謂云此陰陽更勝之形狀耐受者如此

彭云七為少陽之數八為少陰之數七損者言陽消之漸八益者言陰長之由也夫陰陽者生殺之本始也生從于陽陽不不宜消也死從于陰陰不可宜長也

彭云同出者人生同此陰陽也而知與不知則智愚之名異矣智者知本末愚者知強老之異不知本然同

一說不足有餘以智待之言愚不與其同故不足智知其同故有餘

勝則身寒汗出身常清數慄而寒寒則厥厥則腹滿死厥謂氣逆能夏不能冬陰勝故能夏寒甚故不能冬此陰陽更勝之變病之形能也

帝曰調此二者奈何調謂順天癸性而治身之血氣精氣也岐伯曰能知七損八益則二者可調不知用此則早衰之節也用謂房色也女子以七七為天癸之終丈夫以八八為天癸之極然知八可益知七可損則各隨氣分脩養天真終其天年以度百歲上古天真論曰女子二七天癸至月事以時下丈夫二八天癸至精氣溢寫然陰七可損則海滿而血自下陽八宜益交會而泄精由此則七損八益理可知矣年四十而陰氣自半也起居衰矣內耗故陰減中乾故氣力始衰年五十體重耳目靈樞經曰人年四十腠理始踈榮華稍落髮斑白由此之節言之亦起居衰之次也不聰明矣衰之漸也年六十陰痿氣大衰九竅不利下虛上實涕泣俱出矣衰之甚矣故曰知之則強不知則老知謂知七損八益全形保性之道也故同出而名異耳同謂同於好欲異謂異其老壯之名智者察同愚者察異智者察同欲之間而能性道愚者見形容別異方乃効之自性則道益有餘放効則治生不足故下文曰放妃兩反愚者不足智者有餘先行故有餘後學故不足有餘則耳目聰明身體輕強老

恬憺者内外静質
朴自然生也

五運行大論云夫變化
之用天垂象地成形七
曜緯虛五行麗地地者
所以載生成之形類也
虛者所以列應天之精
[illegible]

者復壯壯者益治夫保性全形蓋由知道之所致也故曰道者不可斯須離可離非道此之謂也是
以聖人爲無爲之事樂恬憺之能從欲快志於虛無之守故
壽命無窮與天地終此聖人之治身也聖人不爲无益以害有益不爲害性而順
性故壽命長遠与天地終庚桑楚曰聖人之於声色滋味也利於性則取之害於性則損之此全性之道也書曰不作无
益害有益也天不足西北故西北方陰也而人右耳目不如左明
也在上故法天地不滿東南故東南方陽也而人左手足不如右
強也在下故法地帝曰何以然歧伯曰東方陽也陽者其精并於
上并於上則上明而下虛故使耳目聰明而手足不便也西
方陰也陰者其精并於下并於下則下盛而上虛故其耳目
不聰明而手足便也故俱感於邪其在上則右甚在下則左
甚此天地陰陽所不能全也故邪居之夫陰陽之應天地猶水之在器也器圓則
水圓器曲則水曲人之血氣亦如是故隨不足則邪氣留居之并去声故天有精地有形天有
八紀地有五里陽爲天降精氣以施化陰爲地布和氣以成形五行爲生育之井里八風爲變化之綱紀

入胃嗌咽也大陰傍俱氣喉主天氣咽主地氣也奏云水性之氣言水氣之性也如目之淚鼻之涕口之津二陰之尿糞皆是也虽耳若無水而耳中津氣濕而成垢是即水氣所致氣至水必至水至氣必至故水性之氣思格陰陽合一之妙於氣水而見人之害之請以釜穀得其宜矣夫水在釜中下得陽火則水乾非水乾也水化氣而去也上加覆闭則水生非水生也氣化水而流也故無水則氣從何來無氣則水從何至水氣一体於是見矣而人之精氣亦然是也故言氣性之水亦

八紀為八歲之紀五里謂五行化育之里故能為萬物之父母陽天化氣陰地成形五里運行八風鼓坼收藏生長无替時宜夫如是故能為万物變化之父母也清陽上天濁陰歸地所以能為万物之父母者何以有是之升降也是故天地之動靜神明為之綱紀清陽上天濁陰歸地然其動靜誰所主司蓋由神明之綱紀尔上文曰神明之府此之謂也故能以生長收藏終而復始神明之運為乃能如是惟賢人上配天以養頭下象地以養足中傍人事以養五藏頭圓故配天足方故象地人事更易五藏遞任故從而養也天氣通於肺居高故地氣通於嗌以下故伊昔反嗌風氣通於肝風生木故雷氣通於心雷象火之有声故谷氣通於脾谷空虛脾受納故雨氣通於腎腎主水故○新校正云按千金方云風氣應於肝雷氣動於心穀氣感於脾雨氣潤於腎六經為川流注不息故腸胃為海以皆受納也靈樞經曰胃為水穀之海九竅為水注之氣清明者象水之內明流注者象水之流注以天地為之陰陽以人事配象則近指天地以為陰陽陽之汗以天地之雨名之夫人汗泄於皮膚者是陽氣之發泄尔然其取類於天地之間則雲騰雨降而相似也故曰陽之汗以天地之雨名之陽之氣以天地之疾風名之陽氣散發疾風飛揚故以應之舊經无名之一字尋

可水性之氣亦可然不
曰氣性之水曰水性之氣
者至於神明此神聖所
微之妙於鍼倒中而
見其有矣。○謹云暴
風一本作暴氣似于
氣字不通宜從氣字
大陰陽論云犯賊風
虚邪者陽受之食飲
不節起居不時者陰
受之
藥回集外傷內傷所
受經旨異同論
○從陰引陽者處陽
分刺陰分引絕陰道
脉要精微論云夫
五色者氣之華也
脉者血之府也
部分 五色爲三部九候分部

前類例故加之暴風象雷暴風鼓擊鳴轉有声故逆氣象陽逆氣陵上陽氣亦然故治不法天之紀不用地之理則災害至矣背天之紀違地之理則六經反作五氣更傷真氣既傷則災害之至可知矣○新校正云按上文天有八紀地有五里此文注中理字當作里故邪風之至疾如風雨至謂至於身形故善治者治皮毛止於萌也其次治肌膚救其已生其次治筋脉攻其已病其次治六府治其已甚其次治五藏治五藏者半死半生也治其已成神農曰病勢已成可得半愈然初成者獲愈固久者伐形故治五藏者半生半死也故天之邪氣感則害人五藏四時之氣八正之風皆天邪也金匱真言論曰八風發邪以為經風觸五藏邪氣發病故天之邪氣感則害人五藏水穀之寒熱感則害於六府熱傷胃及膀胱寒傷腸及膽氣地之濕氣感則害皮肉筋脉濕氣勝則榮衛之行不行故感則害於皮肉筋脉故善用鍼者從陰引陽從陽引陰以右治左以左治右以我知彼以表知裏以觀過與不及之理見微則過用之不殆深明故也善診者察色按脉先別陰陽別於陽者則知病處別於陰者則知死生之期審清濁而知部分謂察色之青赤黃白黑也部分謂藏府之位可占候也視喘息聽音聲

本草云杲云香薷既神之其实衛氣与桂同功特此桂耳筆不宜熱氣異耳但桂則通血脉能破血而実衛氣香薷則益氣也又云肾胃一處肺氣失絕以用香薷合肉蓋皮毛實腠理是也

而知所苦謂聽声之宮商角徵羽也視喘息謂候呼吸之長短也觀權衡規矩而知病所主權謂秤權衡謂星衡規謂圓形矩謂方象然權也者所以察中外衡也者所以定高卑規也者所以表柔虛矩也者所以明強盛脉要精微論曰以春應中規言陽氣柔軟以夏應中矩言陽氣盛強以秋應中衡言陰升陽降氣有高下以冬應中權言陽氣居下也故善診之用必備見焉所主者謂應四時之氣所主生病之在高下中外也按尺寸觀浮沈滑濇而知病所生以治浮沈滑濇皆脉象也浮脉者浮於手下也沈脉者按之乃得也滑脉者往來易濇脉者往來難故審尺寸觀浮沈而知病之所生以治之也○新校正云按甲乙經作知病所在以治則无過下无過二字續此為句濇音色無過以診則不失矣有過无過皆以診之則所主治无誤失也故曰病之始起也可刺而已以輕微也其盛可待衰而已病盛取之毀傷真氣故其盛者必可待衰故因其輕而揚之輕者發揚則邪去因其重而減之重者即減去之因其衰而彰之因病氣衰攻令邪去則真氣堅固血色彰明形不足者溫之以氣精不足者補之以味氣謂衛氣味謂五衛之味也靈樞經曰衛氣者所以溫分肉而充皮膚肥腠理而司開闔故衛氣溫則形分足矣上古天真論曰腎者主水受五藏六府之精而藏之故五藏盛乃能寫由此則精不足者補五藏之味也其高者因而越之越謂揚也其下者引而

竭之引謂泄引也中滿者寫之於內內謂腹內其有邪者漬形以爲汗邪謂風邪之氣風中於表則汗而發之其在皮者汗而發之在外故汗發泄也其慓悍者按而收之慓疾也悍利也氣候疾利則按之以收斂也慓音漂悍音汗其實者散而寫之陽實則發散陰實則宣寫故下文云審其陰陽以別柔剛陰曰柔陽曰剛陽病治陰陰病治陽所謂從陰引陽從陽引陰以右治左以左治右者也定其血氣各守其鄉鄉謂本經之氣位血實宜決之決謂決破其血氣虛宜掣引之掣讀爲導導引則氣行條暢○新校正云按甲乙經掣作擊

○陰陽離合論篇第六新校正云按全元起本在第三卷

黃帝問曰余聞天爲陽地爲陰日爲陽月爲陰大小月三百六十日成一歲人亦應之以四時五行運用於內故人亦應之○新校正云詳天爲陽至成一歲與六節藏象篇重今三陰三陽不應陰陽其故何也岐伯對曰陰陽者數之可十推之可百數之可千推之可萬萬之大不可勝數然其要一也一謂離合也雖不可勝數然其妙用以離合推步悉可知之天覆地載萬

彭云陽主其气条万物乃生陰主其質万形乃成

根結篇可考也

陽方生未出地者命曰陰處名曰陰中之陰處陰之中故曰陰處形未動出者是為陰以陰居陰故曰陰中之陰則出地者命曰陰中之陽形動出者是則為陽以陽居陰故曰陰中之陽陽予之正陰為之主陽施正氣万物方生陰為主持揫形乃立[illegible]音[illegible]故生因春長因夏收因秋藏因冬〻失常則天地四塞春夏為陽故生長也秋冬〻為陰故收藏也若失其常道則春不生夏不長秋不收冬〻不藏夫如是則四時之氣閉塞陰陽之氣无所運行矣陰陽之變其在人者亦數之可數天地陰陽雖不可勝數在於人形之用者則數可知之

帝曰願聞三陰三陽之離合也岐伯曰聖人南面而立前曰廣明後曰大衝廣大也南方丙丁火位主之陽氣盛明故曰大明也嚮明治物故聖人南面而立易曰相見乎離蓋謂此也然在人身中則心藏在南故謂前曰廣明衝脉在北故謂後曰大衝然太衝者腎脉與衝脉合而盛大故曰太衝是以下文云太衝之地名曰少陰此正明兩脉相合而為表裏也少陰之上名曰太陽腎藏為陰膀胱府為陽陰氣在下陽氣在上此為一合之經氣也靈樞經曰足少陰之脉者腎脉也起於小指之下斜趣足心又曰足太陽之脉者膀胱脉也循京骨至小指外側由此[illegible]少陰之上名太陽也是以下文曰太陽根起於至陰結於命門名曰陰中之陽至陰穴名在足小指外側命門

彭云地上者位也上者指言其也

是謂根不謂結
結弟五云結顙大顙
大者鉗耳也
根
又云結於窻籠窻籠
者耳中也

者藏精光照之所則兩目也太陽之脈起於目而下至於足
故根於指端結於目也靈樞經曰命門者目也此与靈樞義
合以太陽居少陰之地故曰陰中之陽○新校正
云按素問太陽言根結於經不言結甲乙令具中身而上
名曰廣明廣明之下名曰太陰靈樞經曰天為陽地為陰腰
以上為天腰以下為地分身
之旨則中身之上屬於廣明廣明之下屬
太陰也又心廣明藏下則太陰脾藏也太陰之前名曰陽
明人身之中胃為陽明脈行在脾脈之前脾為太陰脈行於
胃脈之後靈樞經曰足太陰之脈者脾脈也起於大指之
端循指內側白肉際過核骨後上內踝前廉上踹內循胻骨
之後足陽明之脈者胃脈也下膝三寸而別以下入中指外
間由此故太陰之前名陽明
也是以下文曰［兌］市兌反陽明根起於厲兌名曰陰中之
陽厲兌穴名在足大指次指之端以
陽明居太陰之前故曰陰中之陽厥陰之表名曰少陽人
身
之中膽少陽脈行肝脈之分外肝厥陰脈行膽脈之位內靈
樞經曰足厥陰脈者肝脈也起於足大指聚毛之際上循足
跗上廉足少陽之脈者膽脈也循足跗上出小指次指
之端由此則厥陰之表名少陽也故下文曰［竅］甬无反少陽
根起於竅陰名曰陰中之少陽竅陰穴名在足小指次指之
端以少陽居厥陰之表故曰
陰中之
少陽是故三陽之離合也太陽為開陽明為闔少陽為樞
離謂別離應用合謂配合於陰別離則正位於三陽配合則
表裏而為藏府矣開闔樞者言三陽之氣多少不等動用殊

也夫脈者所以司動靜之基闔者所以執禁固之權樞者所以主動轉之微由斯殊氣之用故此三變之也。新校正云
按九墟太陽為關陽明為闔少陽為樞故關折則肉節潰緩而暴病起矣故候暴病者取之太陽闔折則氣无所止息悸
病起故悸者皆取之陽明樞折則骨搖而不能安於地故骨繇者取之少陽甲乙經同三經者不得相
失也搏而勿浮命曰一陽三經之至搏擊於手而无輕重之異則正可謂一陽之氣无後有三
陽差降之為用也搏音傳帝曰願聞三陰岐伯曰外者為陽內者為陰言三
陽為外運之離合三陰為內用之離合也然則中為陰其衝在下名曰太陰衝脈在脾
之下故言其衝在下也靈樞經曰衝脈者与足少陰之絡皆起於腎下上行者過於胞中由此則其衝之上太陰位也
太陰根起於隱白名曰陰中之陰隱白穴名在足大指端以太陰居陰故曰陰中之陰
太陰之後名曰少陰藏位及經脈之次也太陰脾也少陰腎也脾藏之下近後則腎之位也靈樞經
曰足太陰之脈起於大指之端循指內側及上內踝前廉上腨內循胻骨後足少陰之脈起於小指下斜趨足心出於
然骨之下循內踝後以上腨內出此則太陰之下名少陰也胻音行少陰根起於涌泉名曰陰
中之少陰涌泉穴名在足心下蹠指宛宛中蹠音摭少陰之前名曰厥陰亦藏位及經脈
之次也少陰腎也厥陰肝也腎藏之前近上則肝之位也靈樞經曰足少陰脈循內踝之後上腨內廉足厥陰脈循足跗

上廉去內踝一寸上踝八寸交出太陰之後上膕內由此故少陰之前名厥陰也厥陰根起於大敦陰之絕陽名曰陰之絕陰大敦穴名在足大指之端三毛之中也兩陰相合故曰陰之絕陽厥盡也陰氣至此而盡故名曰陰之絕陰是故三陰之離合也太陰為開厥陰為闔少陰為樞亦氣之不等也○新校正云按九墟云關折則倉廩无所輸膈洞者取之太陰闔折則氣弛而善悲悲者取之厥陰樞折則脈有所結而不通不通者取之少陰甲乙經同三經者不得相失也搏而勿沈名曰一陰沈言殊見也陽浮亦然若經氣應至无沈浮之異則悉可謂入陰之氣非復有三陰差降之殊用也陰陽𩟨𩟨積傳為一周氣裏形表而為相成也𩟨音衝言氣之往來積謂積脈之動也傳謂陰陽之氣流傳也夫脈氣往來動而不止積其所動氣血循環應水下二刻而一周於身故曰積傳為一周也然榮衛之氣因息遊布周流形表拒捍虛邪中外主司互相成立故言氣裏形表而為相成也○新校正云按別本𩟨𩟨作衝衝

○陰陽別論篇第七新校正云按全元起本在第四卷

黃帝問曰人有四經十二從何謂經謂經脈從謂順從岐伯對曰經應四時十二從應十二月十二月應十二脈春脈弦夏脈洪秋脈浮冬脈沉謂四

古注之法六府陽經者以人迎候之五藏陰經者以氣口候之

特之紀脉也從謂大氣順行十二辰之分故應十二月也十二月謂春建寅卯辰夏建巳午未秋建申酉戌冬建亥子丑
之月也十二脉謂手三陰三陽足三陰三陽之脉也以氣數相應故參合之脉有陰陽知陽者知
陰知陰者知陽深知則備識其變易凡陽有五五五二十五陽五陽謂五藏之
陽氣也五藏應時各形一脉一脉之内包總五藏之陽五五相乘故二十五陽也○新校正云按玉機真藏論云故病有
五變五五二十五變義与此通所謂陰者真藏也見則為敗敗必死也五藏為陰
故曰陰者真藏也然見者謂肝脉至中外急如循刀刃責責然如按琴瑟絃心脉至堅而搏如循薏苡子累累然肺脉至
大而虛如以毛羽中人膚腎脉至搏而絶如以指彈石辟辟然脾脉至弱而乍數乍踈夫如是脉見者皆為藏敗神去故
必死也【累】力追反所謂陽者胃脘之陽也胃脘之陽謂人迎之氣也察其氣脉動靜小大与脉
口應否也胃為水穀之海故候其氣而知病處人迎在結喉兩傍脉動應手其脉之動常左小而右大左小常以候藏右
大常以候府一云胃脘之陽非也【脘】音管別於陽者知病處也別於陰者知死生
之期陽者衛外而為固然外邪所中別於陽則知病處藏神而内守若考真正成敗別於陰則知病者死生之
期○新校正云按玉機真藏論云別於陽者知病從來別於陰者知死生之期三陽在頭三陰在手
所謂一也頭謂人迎手謂氣口兩者相應俱往俱來若引繩小大齊等者名曰平人故言所謂一也氣口在手

知病忌時譬肝病者日暮肺金王則重也見真藏知其死之日不時十八日金九木八合十七余一九日水一火七合八余一一水火二水六合八余二十二日火二金九合十一余一金四火七合十一余共一七日土五水一合六余余一四日木生數之一也滑汪集云陽胃有病心脾受之故心脾從言延及於心脾也然脾胃為合胃病而及脾理固宜矣大腸與心本非合也今大腸而及心

魚際之後一寸人迎在結喉兩傍一寸五分皆可以候藏府之氣別於陽者知病忌時別於陰者知死生之期識氣定期故知病忌審明成敗故知死生之期謹熟陰陽無與衆謀謹量氣候精熟陰陽病忌之準可知生死之疑自決正行无惑何用衆謀議也所謂陰陽者去者爲陰至者爲陽靜者爲陰動者爲陽遲者爲陰數者爲陽言脉動之中也凡持真脉之藏脉者肝至懸絶急十八日死心至懸絶九日死肺至懸絶十二日死腎至懸絶七日死脾至懸絶四日死真脉之藏脉者謂真藏之脉也十八日者金木成數之餘也九日者水火生成數之餘也十二日者金火生成數之餘也七日者水土生數之餘也四日者木生數之餘也故平人氣象論曰肝見庚辛死心見壬癸死肺見丙丁死腎見戊己死脾見甲乙死者以此如是者皆至所期不勝而死也何者以不勝剋賊之氣也曰二陽之病發心脾有不得隱曲女子不月二陽謂陽明大腸及胃之脉也隱曲謂隱蔽委曲之事也夫腸胃發病心脾受之心受之則血不流脾受之則味不化血不流故女子不月味不化則男子少精是以隱蔽委曲之事不能爲也陰陽應象大論曰精不足者補之以味由是則味不化而精氣少也奇病論曰胞胎者繫於腎又評熱病論曰月事不來者胞脉閉胞脉者屬於心而絡於胞中今氣上迫肺心氣不得下通故月事不來則其義也又上古天真論曰女

○診云北孝五藏之脈侍言之也一陽者微陽也指下鼓動一陽而脈即來去裏者曰鈞乃微鈞也心之脈也陰者微陰也指下鼓動一陽而脈即來去裏者曰鈞乃微鈞也心脈也一陰者微陰也指下鼓動一陰而脈來輕虛以浮者曰毛乃微毛也肺之脈也鼓動陽脈而其勢勝急不至於大急者曰弦乃微弦也肝之脈也鼓動陽脈而陽脈似絕曰石乃微石也腎之脈也陰陽二脈相遇無能勝負正當和之脈其名曰溜如水之後流悍之脈也

子二七天癸至任脈通太衝脈盛月事以時下丈夫二八天癸至精氣溢瀉由此則在女子為不月在男子為少精其傳為風消其傳為息賁者死不治言其深久者也胃病深久傳入於脾故為風熱以消削大腸病甚傳入於肺為喘息而上賁然腸胃脾肺兼及於心三藏二府互相剋薄故死不治賁音奔曰三陽為病發寒熱下為癰腫及為痿厥腨痟三陽謂太陽小腸及膀胱之脈也小腸之脈起於手循臂繞肩髆上頭膀胱之脈從頭別下背貫臋入膕中循腨故在上為病則發寒熱在下為病則為癰腫腨痟及為痿厥痠疼也痿無力也厥足冷即氣逆也腨時兗反痟烏兗反膕古獲反其傳為索澤其傳為頹疝熱甚則精血枯涸故皮膚潤澤之氣皆散盡也然陽氣下墜陰脈上爭上爭則寒多下墜則筋緩故睪垂縱緩內作頹疝睪音睾曰一陽發病少氣善欬善泄一陽謂少陽膽及三焦之脈也膽氣乘胃故善泄三焦內病故少氣陽上熏肺故善欬何故心火內應而然其傳為心掣其傳為膈膈氣乘心心熱故陽氣內掣三焦內結中熱故膈塞不便掣尺制反曳也二陽一陰發病主驚駭背痛善噫善欠名曰風厥一陰謂厥陰心主及肝之脈也心主之脈起於胸中出屬心經云心病膺背肩胛間痛又在氣為噫故背痛善噫心氣不足則腎氣乘之肝主驚駭故驚駭善欠夫肝氣為風腎氣陵逆既風又厥故名風厥二陰一陽發病善脹心滿善氣二陰謂少陰心腎之脈也腎膽同逆三焦不行

氣搖於上故心涌下虛上盛故氣泄出也三陽三陰發病爲偏枯痿易四支不舉三陰不足則發偏枯三陽有餘則為痿易易謂變易常用而痿弱無力也鼓一陽曰鈎鼓一陰曰毛鼓陽勝急曰弦鼓陽至而絕曰石陰陽相過曰溜言何以知陰陽之病脉耶一陽鼓動脉見鈎也何以然一陽謂三焦心脉之府然一陽鼓動者則鈎脉當之鈎脉則心脉也此言正見者也一陰謂厥陰肝木氣也毛肺金脉也金來鼓木其脉則毛金氣內乘木陽尚勝急而內見脉則為弦也若陽氣至而急脉名曰弦為肝陽氣至而或如斷絕脉名曰石為腎陰陽之氣相過無能勝負則脉如水之溜也陰爭於內陽擾於外魄汗未藏四逆而起起則熏肺使人喘鳴若金鼓不尸陽氣大勝內氣相持內爭外擾則流汗不止手足反寒甚則陽氣內燔流汗不藏則熱攻於肺故起則熏肺使人喘鳴也陰之所生和本曰和陰謂五神藏也言五藏之所以能生而全天真和氣者以各得自從其和性而安靜不苟和所適則為他氣所乘百端之病由斯而起奉生之道可不慎哉是故剛與剛陽氣破散陰氣乃消亡剛謂陽也言陽氣內蒸外為流汗內而不已則陽勝又陽故盛不久存而陽氣自散陽已破敗陰不獨存故陽氣破散陰氣亦消亡此乃爭勝招敗也淖則剛柔不和經氣乃絕血淖者陽常勝視人之血淖者宜謹和其義常度流通若不能深思寡欲使氣停乘衰陽為重陽內燔藏府則死且可待生其能以

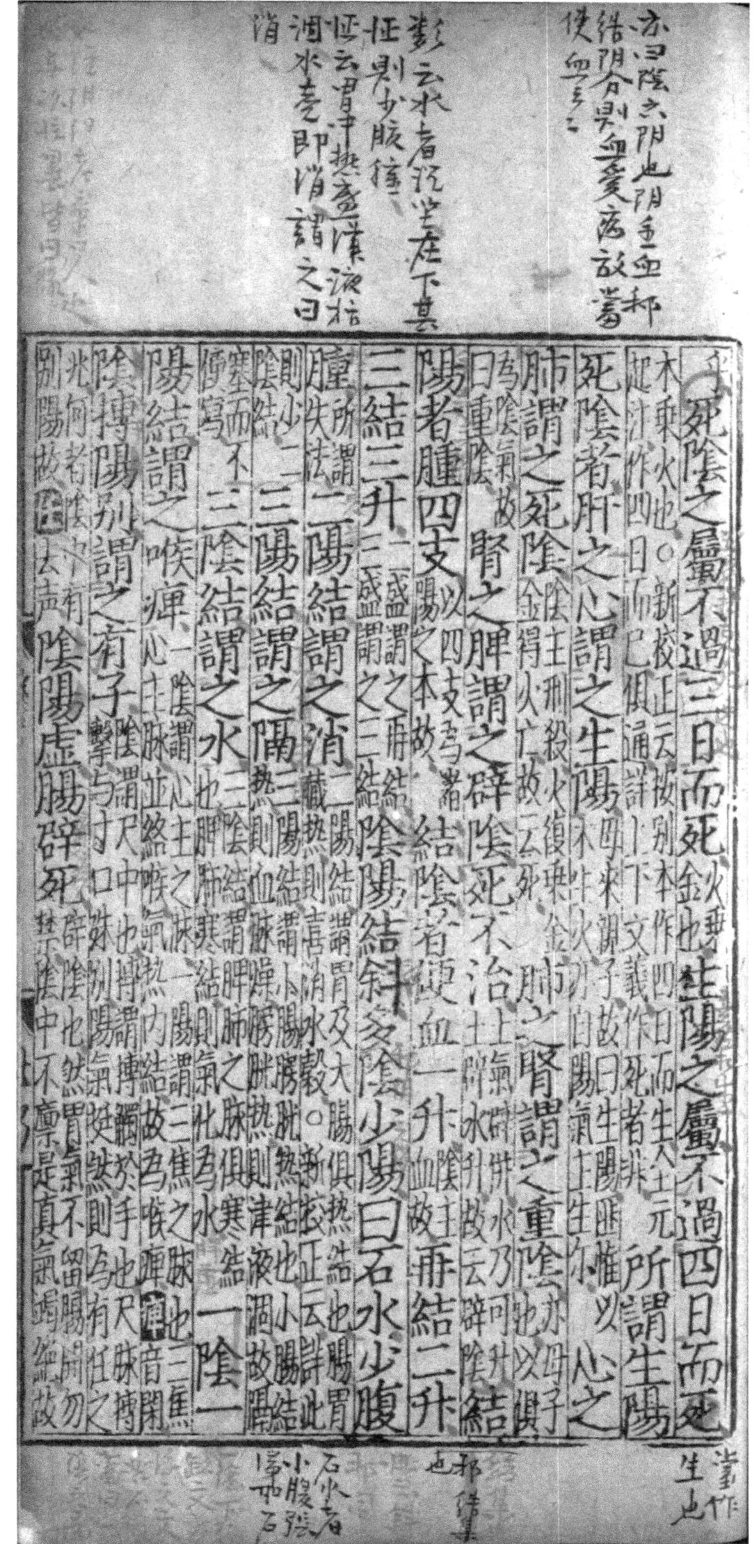

死陰之屬，不過三日而死（火乘金也）；生陽之屬，不過四日而死（木乘火也。○新校正云：按別本作四日而生，全元起注本作四日而已，俱通。詳上下文義，作死者非）。所謂生陽死陰者，肝之心謂之生陽（母來親子，故曰生陽，匪惟以木生火，亦自陽氣主生爾），心之肺謂之死陰（陰主刑殺，火復乘金，金得火亡，故云死陰），肺之腎謂之重陰（亦母子也，以俱為陰氣，故曰重陰），腎之脾謂之辟陰，死不治（土氣辟併，水乃可升，故云辟陰）。結陽者，腫四支（以四支為諸陽之本故）。結陰者，便血一升（陰主血故），再結二升，三結三升（一盛謂之再結，二盛謂之三結）。陰陽結斜，多陰少陽曰石水，少腹腫（所謂失法）。二陽結謂之消（二陽結謂胃及大腸俱熱結也，腸胃藏熱則喜消水穀。○新校正云：詳此則少二陰結）。三陽結謂之隔（三陽結謂小腸膀胱熱結也，小腸結熱則血脈燥，膀胱熱則津液涸，故鬲塞而不便寫）。三陰結謂之水（三陰結謂脾肺之脈俱寒結也，脾肺寒結則氣化為水）。一陰一陽結謂之喉痹（一陰謂心主之脈，一陽謂三焦之脈也，三焦心主脈並絡喉，氣熱內結，故為喉痹。痹音閉）。陰搏陽別謂之有子（陰謂尺中也，搏謂搏觸於手也，尺脈搏擊與寸口殊別，陽氣挺然，則為有任之兆，何者？陰中有別陽故。任去声）。陰陽虛腸辟死（辟，陰也。然胃氣不留，腸開勿禁，陰中不廩，是真氣竭絕，故

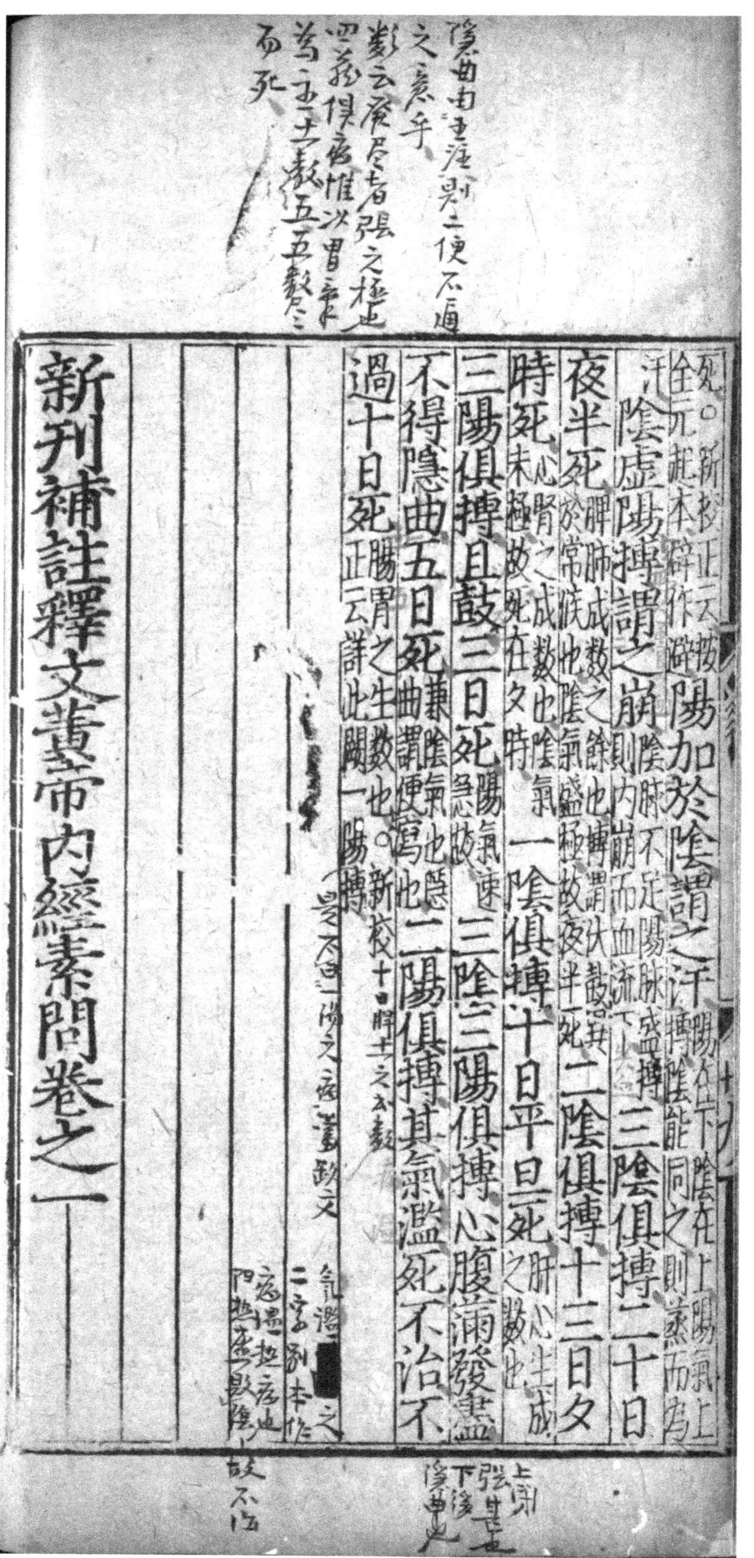

死○新校正云按全元起本辟作澼陽加於陰謂之汗陽在下陰在上陽氣上搏陰能固之則蒸而為汗陰虛陽搏謂之崩陰脉不足陽脉盛搏則內崩而血流下三陰俱搏二十日夜半死脾肺成數之餘也搏謂伏鼓異於常候也陰氣盛極故夜半死二陰俱搏十三日夕時死心腎之成數也陰氣未極故死在夕時一陰俱搏十日平旦死肝心生成之數也三陽俱搏且鼓三日死陽氣速急故三陰三陽俱搏心腹滿發盡不得隱曲五日死兼陰氣也隱曲謂便瀉也二陽俱搏其氣澁死不治不過十日死腸胃之生數也○新校正云詳此闕一陽搏

新刊補註釋文黃帝內經素問卷之一

瘳命云肺者氣之本也為心之蓋也
四十二難曰膽在肝之短葉間盛精汁三合云云
刺法論云膻中者臣使之官喜樂出焉不刺心包絡所流
亦云脾為諫議之官知周出焉胃為倉廩之官五味出焉
腎……云使校司肖屬水而藏精精為有形之本精盛形成則用強

新刊補註釋文黃帝內經素問卷之三

篇名按云以篇末之意名也言秘之

○靈蘭秘典論篇第八 新校正按全元起本名十二藏相使在第三卷 至也

黃帝問曰：願聞十二藏之相使，貴賤何如？藏，藏也。言腹中之所藏者，非復有十二形神之藏也。岐伯對曰：悉乎哉問也！請遂言之。心者，君主之官也，神明出焉。任治於物，故為君主之官；清靜栖靈，故曰神明出焉。肺者，相傅之官，治節出焉。位高非君，故官為相傅；主行榮衛，故治節由之。肝者，將軍之官，謀慮出焉。勇而能斷，故曰將軍；潛發未萌，故謀慮出焉。膽者，中正之官，決斷出焉。剛正果決，故官為中正；直而不疑，故決斷出焉。膻中者，臣使之官，喜樂出焉。膻中者，在胸中兩乳間，為氣之海。然心主為君，以敷宣教令，膻中主氣，以氣布陰陽，氣和志適，則喜樂由生。分布陰陽，故官為臣使也。膻，徒亶反。脾胃者，倉廩之官，五味出焉。包容五穀，是為倉廩之官；營養四傍，故云五味出焉。廩，力稔反。大腸者，傳道之官，變化出焉。傳道，謂傳不潔之道；變化，謂變化物之形。故云傳道之官，變化出焉。小腸者，受盛之官，化物出焉。承奉胃司，受盛糟粕，受已復化，傳入大腸，故云受盛之官，化物出焉。腎者，作

甚詳盡 也 遂盡也 亦告也 從志也 也字……也 慈術也 詁云道 導同

故為作強之官水能化生
百物精妙莫測故曰伎
巧出焉
亦曰決遍也瀆水道也
上焦不治則水泛高原
中焦不治則水留中脘
下焦不治則水亂二便
三焦氣治則脈絡通而
水道利故曰決瀆之官
新云膀胱有下口而無
上口津液之入者為水
水之化者由氣有化而
入而後有出是謂氣化
則能出焉

強之官伎巧出焉強於作用故曰作強造化形容故云伎巧在女則當其伎巧在男則正曰作強三
焦者決瀆之官水道出焉引導陰陽開通閉塞故官司決瀆水道出焉膀胱者州
都之官津液藏焉氣化則能出矣位當孤府故謂都官居下內空故藏津液若得氣海之氣施化則溲便注泄氣海之氣不及則閟隱不通故曰氣化則能出矣靈樞經曰腎上連肺故將兩藏膀胱是孤府則此之謂也溲所鳩反小便也凡此十二官者不得相失也失則災害至故不得相失○新校正云詳此乃十一官脾胃二藏共一官故也故主明則下安以此養生則壽歿世
不殆以為天下則大昌主謂君主心之官也夫主賢明則刑賞一刑賞一則吏奉法吏奉法則民不獲罪於枉濫矣故主明則天下安也夫心內明則銓善惡銓善惡則察安危察安危則身不夭傷於非道矣故以此養生則壽歿世不至於危殆矣然施之於養生歿世不殆施之於君主天下獲安以其為天下主則國祚昌盛矣主不
明則十二官危使道閉塞而不通形乃大傷以此養生則殃
以為天下者其宗大危戒之戒之使道謂神氣行使之道也夫心不明則邪正一邪正一則損益不分損益不分則動之凶咎陷身於羸瘠矣故形乃大傷以此養生則殃也夫主不明則委於左右委於左右則權勢妄行權勢妄行則吏不得奉法吏不得奉法則人民失所而皆受枉曲矣且人惟邦本本固邦寧本不獲安國將

何有宗廟之立，安有不至於傾危乎。故曰戒之戒之者，言深慎也。窘音郡。至道在微，變化無窮，孰知其原！孰，誰也。言至道之用也，小之則微妙而細无不入，大之則廣遠而變化无窮，然其淵源誰所知察。窘乎哉，消者瞿瞿，新校正云：按《太素》作"肖者濯濯"。瞿音劬。孰知其要！閔閔之當，孰者為良！窘，要也。瞿瞿，勤勤也。人身之要者，道也。然以消息異同，求諸物理，而欲以此知變化之原本者，雖瞿瞿勤勤以求明悟，然其要妙誰得知乎？既未得知，轉成深遠，閔閔玄妙，復不知誰者為善，知其要妙哉？玄妙深遠，固不以理求而可得，近取諸身，則十二官粗可探尋，而為治身之道爾。閔閔，深遠也。良，善也。○新校正云：詳此四句與《氣交變大論》文重意同，彼消字作肖字。恍惚之數，生於毫氂，恍惚者，謂似有似无也。忽，亦數也。似无似有，而毫氂之數生其中。老子曰：恍恍惚惚，其中有物。此之謂也。《筭書》曰：似有似无為忽。毫氂之數，起於度量。千之萬之，可以益大，推之大之，其形乃制。毫氂雖小，積而不已，命數乘之，則起至於尺度斗量之繩準。千之万之，亦可增益而至載之大數，推引其大，則應通人形之制度也。黃帝曰：善哉！余聞精光之道，大聖之業，而宣明大道，非齋戒擇吉日，不敢受也。深敬故也。韓康伯曰：洗心曰齋，防患曰戒。黃帝乃擇吉日良兆，而藏靈蘭之室，以傳保焉。祕之至也。

○六節藏象論篇第九 新校正云按全元起注本在第三卷

黃帝問曰余聞天以六六之節以成一歲人以九九制會 新校正云詳下文云地以九九制會 計人亦有三百六十五節以爲天地久矣不知其所謂也 六六之節謂六竟於六甲之日以成一歲之節限九九制會謂九周於九野之數以制人形之會通也言人之三百六十五節以應天之六六之節久矣若復以九九爲紀法則兩歲大半乃日一周不知其法眞原安謂也○新校正云詳王注云兩歲大半乃日一周按九九制會當云兩歲四分歲之一乃日一周也 岐伯對曰昭乎哉問也請遂言之夫六六之節九九制會者所以正天之度氣之數也 六六之節天之度也九九制會天之數也所謂氣數者生成之氣也周天之分凡三百六十五度四分度之一以十二節氣均之則氣有三百六十日而終兼之小月日又不足其數矣是以六十四氣而常置閏焉何者以其積差分故也天地之生育本阯於陰陽人神之運爲始終於九氣然九之爲用豈不大哉律書曰黃鍾之律管長九寸冬至之日氣應灰飛由此則万物之生咸因於九氣矣古之九寸即今之七寸三分大小不同以其先秬黍之制而有異也○新校正云按別本三分一作二分 天度者所以制日月之行也氣數者所以紀化生之用也 制謂準度紀謂綱紀準日月之行度者所以明日月之行遲速也紀化生

凡此篇中皆專以運氣之原說由之則下運氣之義明詳也

之爲用者所以彰氣至而斯應也氣應无差則生成之理不
替遲速以度大小之月生焉故日異長短月移寒暑收藏生
長无失
時宜也天爲陽地爲陰日爲陽月爲陰行有分紀周有道理
日行一度月行十三度而有奇焉故大小月三百六十五日
而成歲積氣餘而盈閏矣日行遲故晝夜行天之一度而三
百六十五日一周天而猶有度之
奇分矣月行速故晝夜行天之十三度餘而二十九日一周
天也言有奇者謂十三度外復行十九分度之七故云月行
十三度而有奇也禮義及漢律曆志云二十八宿及諸星皆
從東而循天西行日月及五星皆從西而循天東行今太史
說云並循天而東行從東而西轉也諸曆家說月一日至四
日月行最疾日夜行十四度餘自五日至八日行次疾日夜
行十三度餘自九日至十九日其行遲日夜行十二度餘二
十日至二十三日行又小疾日夜行十三度餘二十四日至
晦日行又大疾日夜行十四度餘今太史說月行之率不如
此矣月行有十五日前疾有十五日後遲者有十五日前遲
有十五日後疾者大率一月四分之而皆有遲疾遲速之度
固無常準矣雖爾終以二十七日月行一周天凡行三百六
十一度二十九日日行二十九度月行三百八十七度少七
度而不及日也至三十日日復迁計率至十三分日之八月
方及日矣此大盡之月也大率其計率至十二分日之半者
亦大盡法也其計率至十三分日之五之六而及日者小盡
之月也故云大小月三百六十五日而成歲也正言之者三
百六十五日四分日之一乃一歲法以奇不成日故舉六以

九竅者皆神氣之所通也

言之若通以六小為法則歲止有三百五十四日歲少十一日日餘矣取月所少之辰加歲外餘之日故從閏後三十二日而盈閏焉尚書曰朞三百有六旬有六日以閏月定四時成歲則其義也積餘盈閏者盡以月之大小不盡天度故也

立端於始表正於中推餘於終而天度畢矣端首也始初也表彰示也正斗建也中月半也推退位也言立首氣於初節之日示斗建於月半之辰退餘閏於相望之後是以閏之前則氣不及月閏之後則月不及氣故常月之制建初立中閏月之紀无初无中縱曆有之皆他節氣也故曆无云其候閏某月節閏某月中也推終之義斷可知乎故曰立端於始表正於中推餘於終也由斷推日成閏故能令天度畢焉帝曰余已

聞天度矣願聞氣數何以合之岐伯曰天以六六為節地以九九制會新校正云詳篇首云人以九九制會天有十日日六竟而周甲甲六復而終歲三百六十日法也十日謂甲乙丙丁戊己庚辛壬癸之日也十者天地之至數也易繫辭曰天九地十則其義也六十日而周甲子之數甲子六周而復始則終一歲之日是三百六十日之歲法非天度之數也此盖十二月各三十日者若除小月其日又差也夫自古通天者生之本本於陰

陽其氣九州九竅皆通乎天氣通天謂元氣即天真也然形假地生命惟天賦故奉生之氣通繫於天禀於陰陽而為根本也宝命全形論曰人生於地懸命於天天地合氣命之曰人四氣調神大論曰陰陽四

通天者生之本者即陰陽之二氣耳

天右陰陽交之三[illegible]而陽中有陰以陽相交爲三地陰然陰中有陽初相交故亦三也人天地之具而於三數有三真全体依之立凡數之在物皆然

時者万物之終始也死生之本也又曰逆其根則伐其本壞其眞矣此其義也九州謂兾兖青徐揚荆豫梁雍也然地列九州人施九竅精神往復氣与參同故曰九州九竅也靈樞經曰地有九州人有九竅則其義也先言其氣者謂天真之氣常繫屬於中也天氣不絕真靈內屬行藏動靜悉与天通故曰皆通乎天氣也

故其生五其氣三

形之所存假五行而運用徵其本始從三氣以生成故云其生五其氣三也氣之三者亦副三元故下文曰○新校正云詳夫自古通天者至此与生氣通天論同注頗異當兩觀之

三而成天三而成地三而成人

非惟人獨由三氣以生天地之道亦如是矣故易乾坤諸卦皆必三矣

三而三之合則爲九九分爲九野九野爲九藏

九野者應九藏而爲義也爾雅曰邑外爲郊郊外爲甸甸外爲牧牧外爲林林外爲坰坰外爲野則此之謂也○新校正云按今爾雅云邑外謂之郊郊外謂之牧牧外謂之野野外謂之林林外謂之坰与王氏所引有異

故形藏四神藏五合爲九藏以應之也

形藏四者一頭角二耳目三口齒四胷中也形分於外故以名焉神藏五者一肝二心三脾四肺五腎也神藏於內故以名焉所謂神藏者肝藏魂心藏神脾藏意肺藏魄腎藏志也故此二別爾○新校正云詳此乃宣明五氣篇文与生氣通天注重又与三部九候論注重所以名神藏形藏之說具三部九候論注

帝曰余已聞六六九九之會也夫子言積氣盈閏願聞何謂氣請夫子發蒙解惑焉

請宣揚旨

由五行生合形生亦上中下三

要啓所未聞解疑惑者之心開蒙昧者之耳令其曉諳咸使深明岐伯曰此上帝所祕先師傳之也上帝則上古帝君也先師岐伯祖之師僦貸季上古之理色脉者也移精變氣論曰上古使僦貸季理色脉而通神明八素經序云天師對黃帝曰我於僦貸季理色脉已三世矣言可知乎○新校正云詳素一作索或以八爲大素今大素无此文僦即就反帝曰請遂聞之遂盡也岐伯曰五日謂之候三候謂之氣六氣謂之時四時謂之歲而各從其主治焉日行天之五度則五日也三候正十五日也六氣凡九十日正三月也設其多之矣故十八候爲六氣六氣謂之時也四時凡三百六十日故曰四時謂之歲也各從主治謂一歲之日各歸從五行之一氣而爲之主以王也故下文曰五運相襲而皆治之終朞之日周而復始時立氣布如環無端候亦同法故曰不知年之所加氣之盛衰虛實之所起不可以爲工矣五運謂五行之氣應天之運而主化者也襲謂承襲如嫡之承襲也言五行之氣父子相承主統一周之日常如是无已周而復始也時謂立春之前當至時也氣謂當主之脉氣也春前氣至脉氣亦至故曰時立氣布也候謂日行五度之候也言一候之日亦五氣相生而直之差則病矣移精變氣論曰上古使僦貸季理色脉而通神明合之金木水火土四時八風六合不離其常此之謂也工謂工於脩養者也言必明於此乃可横行天下矣○新校正云詳王註時立

氣布謂立春前當至時當王之脉氣也故此正謂歲立四時時布六氣如環之无端故又曰候亦同法帝曰五運之始如環無端其太過不及何如岐伯曰五氣更立各有所勝盛虛之變此其常也言盛虛之變見此乃天之常道尔帝曰平氣何如岐伯曰無過者也不衍常候則无過也帝曰太過不及奈何岐伯曰在經有也言玉機真藏論篇具言五氣平和太過不及之旨也新校正云詳王注言玉機真藏論已具按本篇言脉之大過不及即不論運氣之大過不及与平氣當云氣交變大論五常政大論篇已具言也帝曰何謂所勝岐伯曰春勝長夏長夏勝冬冬勝夏夏勝秋秋勝春所謂得五行時之勝各以氣命其藏春應木木勝土長夏應土土勝水冬應水水勝火夏應火火勝金秋應金金勝木常如是矣四時之中加之長夏故謂得五行時之勝也所謂長夏者六月也土生於火長在夏中既長而王故云長夏也以氣命藏者春之木內合肝長夏土內合脾冬之水內合腎夏之火內合心秋之金內合肺故曰各以氣命其藏也命名也帝曰何以知其勝岐伯曰求其至也皆歸始春始春謂立春之日也春為四時之長故候氣皆歸於立春前之日也未至而至此謂太過則薄所不勝而乘所勝也命曰氣淫不分邪僻內生工不能禁此上

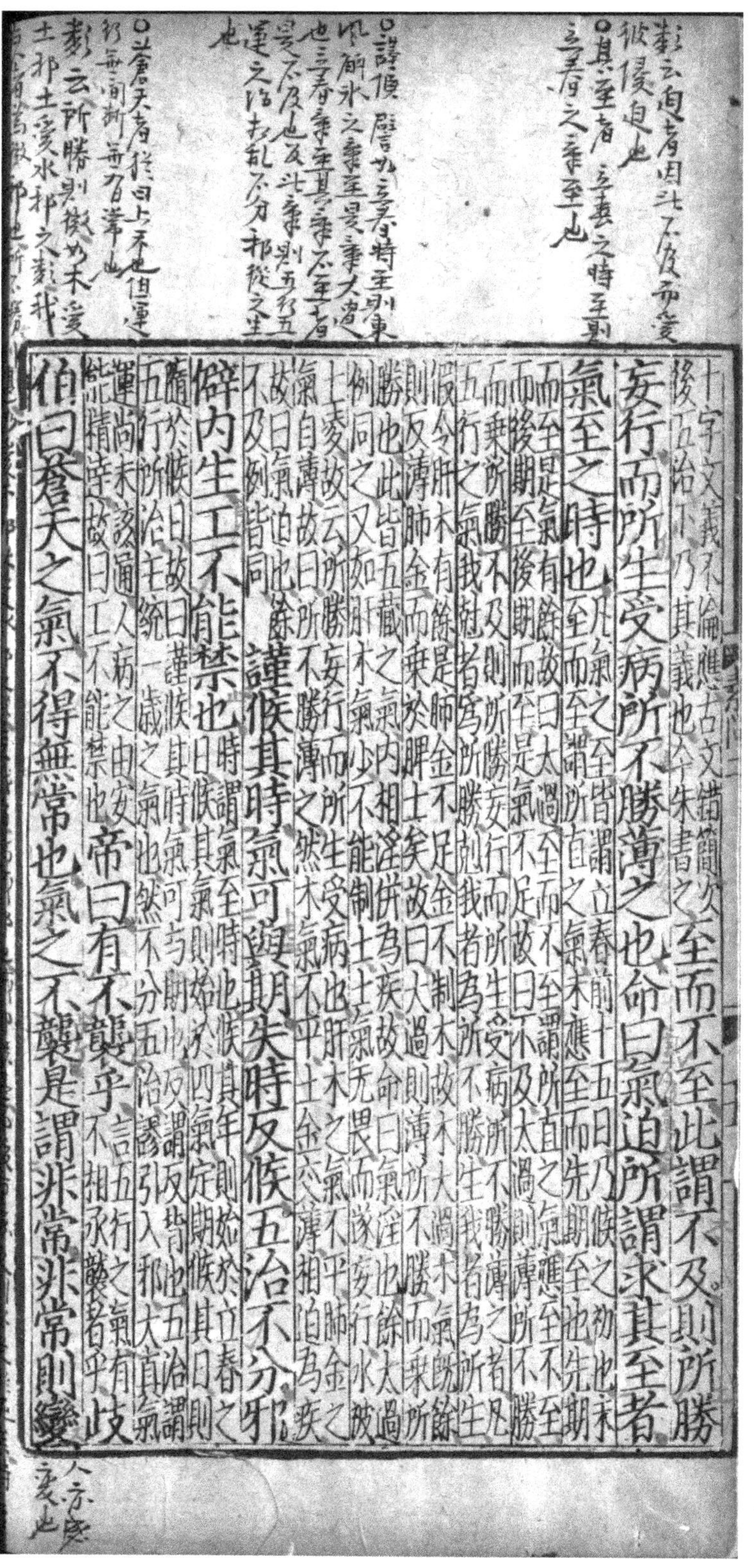

十字文義不倫應古文錯簡次後五治下乃其義也今朱書之至而不至此謂不及則所勝妄行而所生受病所不勝薄之也命曰氣迫所謂求其至者氣至之時也凡氣之至皆謂立春前十五日乃候之初也未至而至謂所直之氣未應至而先期至也先期而至是氣有餘故曰太過至而不至謂所直之氣應至不至而後期至後期而至是氣不足故曰不及太過則薄所不勝而乘所勝不及則所勝妄行而所生受病所不勝薄之者凡五行之氣我剋者為所勝剋我者為所不勝生我者為所生假令肝木有餘是肺金不足金不制木故木太過木氣既餘則反薄肺金而乘於脾土矣故曰太過則薄所不勝而乘所勝也此皆五藏之氣內相淫併為疾故命曰氣淫也餘太過例同之又如肝木氣少不能制土土氣无畏而遂妄行水被土凌故云所勝妄行而所生受病也肝木之氣不平肺金之氣自薄故曰所不勝薄之然木氣不平土金交薄相迫為疾故曰氣迫也餘不及例皆同謹候其時氣可與期失時反候五治不分邪僻內生工不能禁也時謂氣至時也候其年則始於立春之日候其氣則始於四氣定期候其日則隨於候日故曰謹候其時氣可與期也反謂反背也五治謂五行所治主統一歲之氣也然不分五治謬引入邪大眞氣運尚未該遍人病之由安能精達故曰工不能禁也帝曰有不襲乎言五行之氣有不相承襲者乎岐伯曰蒼天之氣不得無常也氣之不襲是謂非常非常則變

矣（變謂變易天常也）帝曰非常而變柰何岐伯曰變至則病所勝則微所不勝則甚因而重感於邪則死矣故非其時則微當其時則甚也（言蒼天布氣尚不越於五行人在氣中豈不應於天道夫人之氣亂不順天常故有病死之微矣左傳曰違天不祥此其類也假令木直之年有火氣至後二歲病矣土氣至後三歲病矣金氣至後四歲病矣水氣至後五歲病矣真氣不足復重感邪真氣內微故重感於邪則死也假令非王直年而氣相干者且為微病不以內傷於神藏故非其時則微而且持也若當所直之歲則易中邪氣故當其直時則病疾甚也諸氣當其王者皆以受邪故云非其時則微當其時則甚也通評虛實論曰非其時則生當其時則死當謂正直之年也）帝曰善余聞氣合而有形因變以正名天地之運陰陽之化其於萬物孰少孰多可得聞乎（新校正云詳從前岐伯曰昭乎哉問也至此全元起註本及太素並無疑王氏之所補也）岐伯曰悉乎哉問也天至廣不可度地至大不可量大神靈問請陳其方（言天地廣大不可度量而得之造化玄微豈可以人心而遍悉大神靈問贊聖深明舉大說凡粗言綱紀故曰請陳其方）草生五色五色之變不可勝視草生五味五味之美不可勝極（言物生之眾稟化各殊目視口味尚无能盡之況於人心乃能包括耶）嗜欲不同各

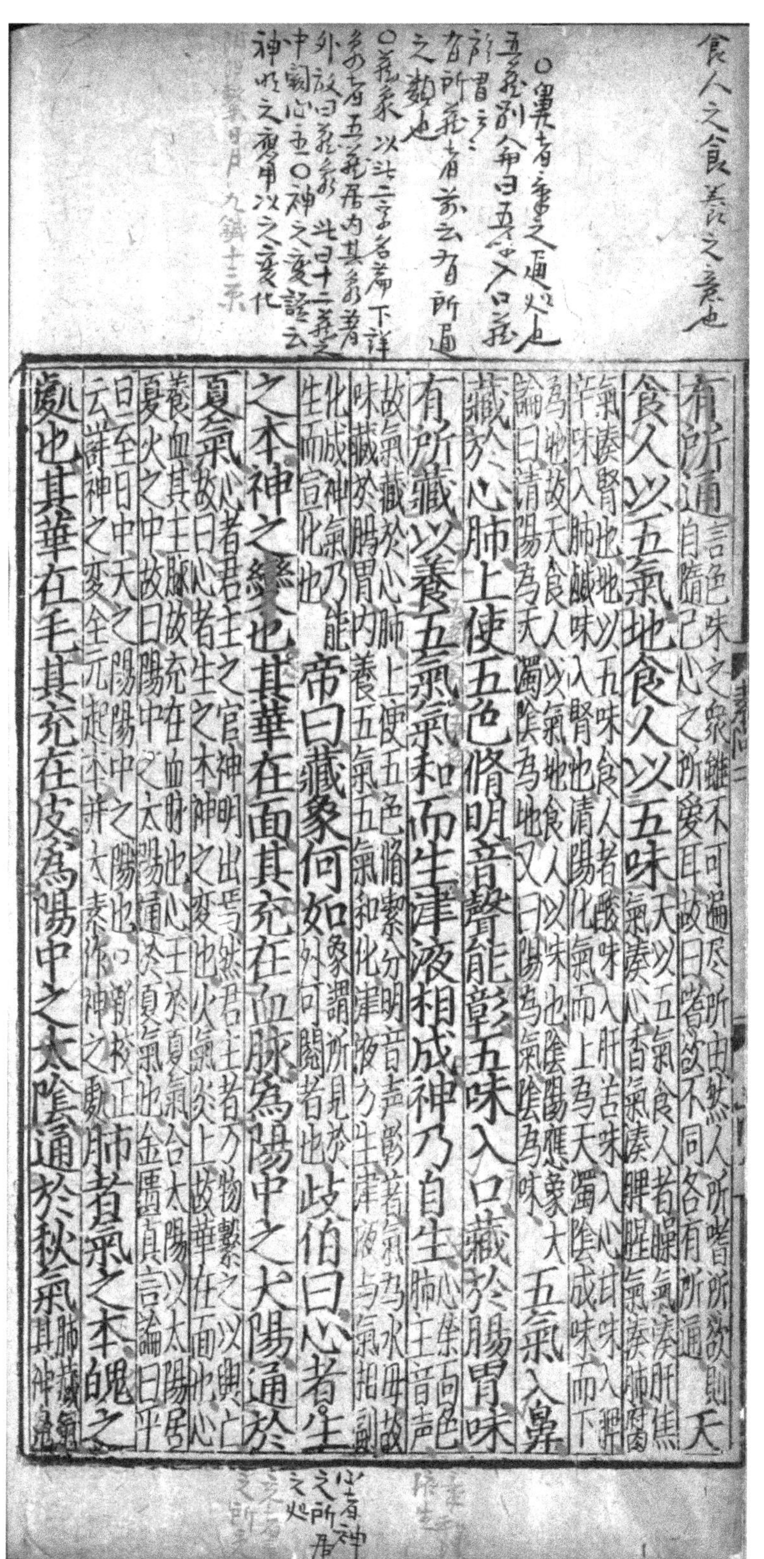

食人之食養之意也

有所通言色味之衆雖不可遍盡所由然人所嗜所欲則自隨己心之所愛耳故曰嗜欲不同各有所通天食人以五氣地食人以五味天以五氣食人者臊氣湊肝焦氣湊心香氣湊脾腥氣湊肺腐氣湊腎也地以五味食人者酸味入肝苦味入心甘味入脾辛味入肺鹹味入腎也清陽化氣而上爲天濁陰成味而下爲地故天食人以氣地食人以味也陰陽應象大論曰清陽爲天濁陰爲地又曰陽爲氣陰爲味五氣入鼻藏於心肺上使五色脩明音聲能彰五味入口藏於腸胃味有所藏以養五氣氣和而生津液相成神乃自生心榮面色肺主音聲故氣藏於心肺上使五色脩絜分明音聲彰著氣爲水母故味藏於腸胃内養五氣五氣和化津液乃生津液與氣相副化成神氣乃能生而宣化也帝曰藏象何如象謂所見於外可閱者也岐伯曰心者生之本神之變也其華在面其充在血脈爲陽中之太陽通於夏氣心者君主之官神明出焉然君主者萬物繫之以興亡故曰心者生之本神之變也火氣炎上故華在面也心養血其主脈故充在血脈也心王於夏氣合太陽以太陽居夏火之中故曰陽中之太陽通於夏氣也金匱真言論曰平旦至日中天之陽陽中之陽也○新校正云詳神之變全元起本并太素作神之處肺者氣之本魄之處也其華在毛其充在皮爲陽中之太陰通於秋氣肺藏氣其神魄

心者神之所居之處

其養皮毛故曰肺者氣之本魄之處華在毛充在皮也肺藏為太陰之氣上王於秋晝日為陽氣所行位非陰處以太陰居於陽分故曰陽中之太陰通於秋氣也金匱真言論曰日中至黃昏天之陽陽中之陰也○新校正云按太陰甲乙經并太素作少陰當作少陰肺在十二經雖為太陰然在陽分之中當為少陰也**腎者主蟄封藏之本精之處也其華在髮其充在骨為陰中之少陰通於冬氣**地戶封閉蟄虫深藏腎又主水受五藏六府之精而藏之故曰腎者主蟄封藏之本精之處也腦者髓之海腎主骨髓髮者腦之所養故華在髮充在骨也以盛陰居冬陰之分故曰陰中之少陰通於冬氣也金匱真言論曰合夜至雞鳴天之陰陰中之陰也○新校正云按全元起本并甲乙經太素少陰作太陰當作太陰腎在十二經雖為少陰然在陰分之中當為太陰**肝者罷極之本魂之居也其華在爪其充在筋以生血氣其味酸其色蒼**新校正云詳此六字當去按太素心其味苦其色赤肺其味辛其色白腎其味鹹其色黑今惟肝脾二藏載其味其色陰陽應象大論已著色味詳矣此不當出之今更不添心肺腎三藏之色味只去肝脾二藏之色味可矣其注中所引陰陽應象大論文門十一字亦當去之罷音疲**此為陽中之少陽通於春氣**夫人之運動者皆筋力之所為也肝主筋其神魂故曰肝者罷極之本魂之居也爪者筋之餘筋者肝之養故華在爪充在筋也東方為發生之始故以生血氣也陰陽應象大論曰東方生風風生木木生酸酸生肝合木故其味酸也又

日神在藏為肝在色為蒼故其色蒼也以少陽居於陽而王於春故曰陽中之少陽通於春氣也金匱真言論曰平旦至日中天之陽陽中之陽也○新校正云按全元起本并甲乙經太素作陰中之少陽當作陰中之少陽詳王氏引金匱真言論云平旦至日中天之陽陽中之陽也以為陽則王意以為陽中之少陽也再詳上文心藏為陽中之太陽王氏以引平旦至日中之說為證今肝藏又引為證反不引雞鳴至平旦天之陰陰中之陽為證則王注之失可見當從全元起本及甲乙經太素作陰中之少陽為得脾胃大腸小腸三焦膀胱者倉廩之本營之居也名曰器能化糟粕轉味而入出者也皆可受盛轉運不息故為倉廩之本名曰器也營起於中焦中焦為脾胃之位故云營之居也然水穀滋味入於脾胃脾胃糟粕轉化其味出於三焦膀胱故曰轉味而入出者也其華在脣四白其充在肌其味甘其色黃新校正云詳此六字當去并注中引陰陽應象大論文四十字亦當去已解在前條此至陰之類通於土氣口為脾官脾主肌肉故曰華在脣四白充在肌也四白謂脣四際之白色肉也陰陽應象大論曰中央生濕濕生土土生甘脾合土故其味甘也又曰在藏為脾在色為黃故其色黃也脾藏土氣上合至陰故曰此至陰之類通於土氣也金匱真言論曰陰中之至陰脾也凡十一藏取決於膽也上從心藏下至於膽為十一也然膽者中正剛斷無私偏故十一藏取決於膽也故人迎一盛病在少陽二盛病在太

陽三盛病在陽明，四盛已上為格陽。陽脈法也。少陽，膽脈也；太陽，膀胱脈也；陽明，胃脈也。靈樞經曰：一盛而躁在手少陽，二盛而躁在手太陽，三盛而躁在手陽明。手少陽三焦脈，手太陽小腸脈，手陽明大腸脈也。一盛者，謂人迎之脈大於寸口一倍也。餘盛同法。四倍已上，陽盛之極，故格拒而食不得入也。正理論曰：格則吐逆。寸口一盛病在厥陰，二盛病在少陰，三盛病在太陰，四盛已上為關陰。陰脈法也。厥陰，肝脈也；少陰，腎脈也；太陰，脾脈也。靈樞經曰：一盛而躁在手厥陰，二盛而躁在手少陰，三盛而躁在手太陰。手厥陰心包脈也，手少陰心脈也，手太陰肺脈也。盛法同陽。四倍已上，陰盛之極，故關閉而溲不得通也。正理論曰：閉則不得溺。溲，小便也。人迎與寸口俱盛四倍已上為關格。關格之脈羸，不能極於天地之精氣，則死矣。俱盛，謂俱大於平常之脈四倍也。物不可以久盛，盛極則衰敗，故不能極於天地之精氣則死矣。靈樞經曰：陰陽俱盛，不得相營，故曰關格。關格者，不得盡期而死矣。此之謂也。○新校正云：詳羸當作盈。脈盛四倍已上，非羸也，乃盛極也。古文羸與盈通用。

○五藏生成篇第十

新校正云：詳全元起本在第九卷。按此篇云五藏生成篇而不云論者，蓋此篇直記五藏生成之事，而无問荅論議之辭，故不云論。後不言論者，義皆倣此。

心之合脈也，火氣動躁，脈類齊同，心藏應火，故合脈也。其榮色也，火炎上而色赤，故榮美於面而

注謂云猶君主乃人所畏故次主名之下做之六節藏象曰心其華在面其充在血脈肺其華在毛其充在皮余三藏做之

新云胝皮厚也手足駢胝之謂字書胼胝也乾肉為脯

赤色○新校正云詳王以赤色為面榮美未通大抵發見於面之色皆心之榮也豈專為赤哉其主腎也主謂主与腎相畏也火畏於水水与為官故畏於腎肺之合皮也金氣堅定皮象亦然肺藏應金故合皮也其榮毛也毛附皮革故外榮其主心也金畏於火火与為官故主畏於心也肝之合筋也木性曲直筋体亦然肝藏應木故合筋也其榮爪也爪者筋之餘故外榮也其主肺也木畏於金金与為官故主畏於肺也脾之合肉也土性柔厚肉体亦然脾藏應土故合肉也其榮脣也口為脾之官故榮於脣脣謂四際白色之處非赤色也其主肝也土畏於木木与為官故主畏於肝也腎之合骨也水性流湿精氣亦然骨通精髓故合骨也其榮髮也腦為髓海腎氣主之故外榮髮也其主脾也水畏於土土与為官故主畏於脾也是故多食鹹則脉凝泣而變色心合脉其榮色鹹益腎勝於心心不勝故脉凝泣而顏色變易也多食苦則皮槁而毛拔肺合皮其榮毛苦益心勝於肺肺不勝故皮枯槁而毛拔去也多食辛則筋急而爪枯肝合筋其榮爪辛益肺勝於肝肝不勝故筋急而爪乾枯也多食酸則肉胝䐢而脣揭脾合肉其榮脣酸益肝勝於脾脾不勝故肉胝䐢而脣皮揭舉也胝丁尼反䐢側救反多食甘則骨痛而髮落腎合骨其榮髮甘益脾勝於腎腎不勝故骨痛而髮墮落此五味之所傷也五味入口輸於腸胃而內養五藏各

也然以三百六十五小絡言之者除十二俞外則當三百五十三名經言三百五十四者傳寫行書誤以三為四也○新校正云按别本及全元起本太素俞作關此皆衛氣之所留止邪氣之所客也衛氣蒲填以行邪氣不得居止衛氣虧缺留止則為邪氣所客故言邪氣所客也鍼石緣而去之緣謂夤緣行去之貌言邪氣所客衛氣留止鍼其谿谷則邪氣夤緣隨脉而行去也診病之始五決為紀五決謂以五藏之脉為決生死之綱紀也欲知其始先建其母建立也母謂應時之王氣也先立應時王氣而後乃求邪正之氣也所謂五決者五脉也謂五藏脉也是以頭痛巔疾下虛上實過在足少陰巨陽甚則入腎足少陰腎脉巨陽膀胱脉膀胱之脉者起於目內眥上額交巔上其支別者從巔至耳上角其直行者從巔入絡腦還出別下項循肩髆內俠脊抵腰中入循膂絡腎屬膀胱然腎虛而不能引巨陽之氣故頭痛而為上巔之疾也經病甚已則入於藏矣徇蒙招尤目冥耳聾下實上虛過在足少陽厥陰甚則入肝徇疾也蒙不明也言目暴疾而不明招謂掉也搖掉不定也尤甚也目疾不明首掉尤甚謂暴病也目冥耳聾謂漸病也足少陽膽脉厥陰肝脉也厥陰之脉從少腹上俠胃屬肝絡膽貫鬲布脅肋循喉嚨之後入頏顙上出額与督脉會於巔其支別者從目系下頰裏足少陽之脉起於目銳眥上抵頭角下耳後循頸入缺盆其支別者從耳後入耳中又支別者別目銳眥下顴加頰車下頸合缺盆以下

三節皆決甚則入三字

指別 此詳以指可

候診以言推尽也

邪氣藏府病形篇

緩急小大滑濇

四難曰

浮沉長短滑濇

滑氏曰

浮沉遲數滑濇

張氏曰

肖中賁鬲絡肝屬膽令氣不足故為是病。新校正云按王註徇蒙言目暴疾而不明義未甚顯徇蒙者蓋謂目瞼瞤動疾數而蒙瞀又少陽之脉下顴甲乙經作下頗顑胡浪反瞀蘇朗反系奚帝反顴音權**腹滿䐜脹支鬲胠脇下厥上冒過在足太陰陽明**胠謂脅上也下厥上冒者謂氣從下逆上而冒於目也足太陰脾脉陽明胃脉也足太陰脉自股內前廉入腹屬脾絡胃上鬲足陽明脉起於鼻交頞中下循鼻外下絡顱頷從喉嚨入缺盆屬胃絡脾其直行者從缺盆下乳內廉下俠齊入氣街中其支別者起胃下口循腹裏至氣街中而合以下髀故為是病胠去魚反䐜音真**欬嗽上氣厥在胷中過在手陽明太陰**手陽明大腸脉太陰肺脉也手陽明脉自肩髃前廉上出於柱骨之會上下入缺盆絡肺下鬲屬大腸手太陰脉起於中焦下絡大腸還循胃口上鬲屬肺從肺系橫出腋下故為欬嗽上氣厥在胷中也。新校正云按甲乙經厥在病**心煩頭痛病在鬲中過在手巨陽少陰**手巨陽小腸脉少陰心脉也巨陽之脉從肩上入缺盆絡心循咽下鬲抵胃屬小腸其支別者從缺盆循頸上頰至目銳眥手少陰之脉起於心中出屬心系下鬲絡小腸故心煩頭痛病在胷中也。新校正云按甲乙經云胷中痛支滿腰背相引而痛過在手少陰太陽也**夫脉之小、大滑濇浮沈可以指別**夫脉小者細小大者滿大滑者往來流利濇者往來蹇難浮者浮於手下沈者按之乃得也如是雖衆狀不同然手巧心諦而指可分別也**五藏之象可以類推**象謂氣象

二十五人篇所謂木形之人比於上角之類云云

五色 此言明以類色五藏六府之虛實徵妙診候形以五色篇可考也

如何不得此証乎 然此得外疾、外疾感心何乎 然思慮而心虛也 本神篇可考 下文同意 以此意可見

也言五藏雖隱而不見然其氣象性用猶可以物類推之何者肝象木而曲直心象火而炎上脾象土而安靜肺象金而剛決腎象水而潤下夫如是皆大争宗兆其中 五藏相音可隨事變化象法傍通者可以同類而推之尔

以意識音謂五音也夫肝音角心音徵脾音宮肺音商腎音羽此其常應也然其互相勝負声見否臧則耳聰心敏者猶可以音識而知之 五色微診可以目察色謂顏色也夫肝色青心色赤脾色黄肺色白腎色黑此其常色也然其氣象交互微見吉凶則目明智鑒者可以占視而知之 能合脈色可以萬全色青者其脈弦色赤者其脈鈎色黄者其脈代色白者其脈毛色黑者其脈堅此其常色脈也然其參校異同斷言成敗則審而不惑万举万全色脈之病例如下說

赤脈之至也喘而堅診曰有積氣在中時害於食名曰心痺喘謂脈至如卒喘狀也藏居高病則脈為喘狀故心肺二藏而獨言之尔喘為心氣不足堅則病氣有餘心脈起於心胷之中故積氣在中時害於食也積謂病氣積聚痺謂藏氣不宣行也 得之外疾思慮而心虛故邪從之思慮心虛故外邪因之而居止矣

白脈之至也喘而浮上虛下實驚有積氣在胷中喘而虛名曰肺痺寒熱喘為不足浮者肺虛肺不足是謂心虛上虛則下當滿实矣以其不足故善驚而氣積胷中矣然脈喘而浮是肺自不足喘而虛者是心氣上乘肺受熱而氣不得營故名肺痺而外為寒熱也 得之醉而使內也酒味

舊本 足清頭痛 世本同
馬氏一本次注作足清頭痛
脈緊 予云旧本說當然

上堅 上字一說衍字也
新云上言尺之上即尺外
以候腎也
沐浴 醉後血氣盛時
或浴冷水或卧濕地之
類也 相見也
之奇脈三字從甲乙經
凡有胃氣而見五藏之
色者生無胃氣而見之死

苦燥内益於心醉甚入房故心氣上勝於肺矣青脈之至也長而左右彈有積氣在心下支胠名曰肝痺脈長而彈是為弦緊ㄑ為寒氣中濕乃弦肝主胠脇近於心故曰氣積心下又支法也王注論脈名例曰緊脈者如切繩狀言左右彈人手也得之寒濕與疝同法腰痛足清頭脈緊為寒脈長為濕疝之為病亦寒濕所生故言與疝同法也寒濕在下故腰痛也肝脈者起於足上行至頭出額與督脈會於巔故病則足冷而頭痛也清亦冷也凊所晏反黃脈之至也大而虛有積氣在腹中有厥氣名曰厥疝脈大為氣脈虛為虛既氣又虛故脾氣積於腹中也若腎氣逆上則是蹶疝腎氣不上則俱虛而脾氣積也女子同法得之疾使四支汗出當風女子同法言同其候也風氣通於肝故汗出當風則脾氣積滿於腹中黑脈之至也上堅而大有積氣在小腹與陰名曰腎痺上謂寸口也腎主下焦故氣積聚於小腹與陰也得之沐浴清水而卧濕氣傷下自歸於腎况沐浴而卧得无病乎靈樞經曰身半以下濕之中也凡相五色之奇脈面黃目青面黃目赤面黃目白面黃目黑者皆不死也奇脈謂與色不相偶合也凡色見黃皆為有胃氣故不死也○新校正云按甲乙經無之奇脈二字面青目青面赤目白面青目黑面黑目白面赤目青皆死

也无黄色而皆死者以无胃氣也五藏以胃氣為本故无黄色皆曰死焉

○五藏別論篇第十一

新校正云按全元起本在第五卷

黄帝問曰余聞方士或以腦髓為藏或以腸胃為藏或以為府敢問更相反皆自謂是不知其道願聞其說方士謂明悟方術之士也言互為藏府之差異者經中猶有之矣靈蘭秘典論以腸胃為十二藏相使之次六節藏象論云十一藏取決於膽五藏生成篇云五藏之象可以類推五藏相音可以意識此則互相矛楯尔腦髓為藏應在別經髓音遂堅久反岐伯對曰腦髓骨脈膽女子胞此六者地氣之所生也皆藏於陰而象於地故藏而不寫名曰奇恒之府腦髓骨脈雖名為府不正与神藏為表裏膽与肝合而不同六府之傳寫胞雖出納納則受納精氣出則化出形容形容之出謂化極而生然出納之用有殊於六府故言藏而不寫名曰奇恒之府也夫胃大腸小腸三焦膀胱此五者天氣之所生也其氣象天故寫而不藏此受五藏濁氣名曰傳化之府此不能久留輸寫者也言水穀入已糟粕變化而泄出不能久久留住於中但當化已輸寫令去而已傳寫諸化故曰傳化之府也魄門亦為五藏使水穀不得久藏謂肛之門也內

通於肺故曰魄門受已化物則為五藏行使然水穀亦不得久藏於中所謂五藏者藏精氣而不寫也故滿而不能實精氣為滿水穀為實但藏精氣故滿而不能實。新校正云按全元起本及甲乙經太素精氣作精神六府者傳化物而不藏故實而不能滿也以不藏精氣但受水穀故也所以然者水穀入口則胃實而腸虛以未下也食下則腸實而胃虛水穀下也故曰實而不滿滿而不實也帝曰氣口何以獨為五藏主氣口則寸口也亦謂脉口以寸口可候氣之盛衰故云氣口可以切脉之動靜故云脉口皆同取於手魚際之後同身寸之一寸是則寸口也岐伯曰胃者水穀之海六府之大源也人有四海水穀之海則其一也受水穀已榮養四傍以其當運化之源故為六府之大源也五味入口藏於胃以養五藏氣氣口亦太陰也氣口在手魚際之後同身寸之一寸氣口之所候脉動者是手太陰脉氣所行故言氣口亦太陰也是以五藏六府之氣味皆出於胃變見於氣口榮氣之道內穀為實。新校正云詳此注出靈樞實作寶。穀入於胃氣傳与肺精專者循肺氣行於氣口故云變見於氣口也。新校正云按全元起本出作入故五氣入鼻藏於心肺心肺有病而鼻為之不利也凡治病必察其下適其脉觀其志意與其病也。下謂目下所見可否也。調適其脉之盈虛，觀量志意之邪正，及病深淺成敗之宜，乃守法以治之也。○新校正云：按《太素》作必察其上下，適其脉候，觀其志意與其病能。拘於鬼神者，不可與言至德。志意邪則好祈禱，言至德則事必違，故不可與言至德也。惡於鍼石者，不可與言至巧。惡於鍼石則巧不得施，故不可與言至巧。病不許治者，病必不治，治之無功矣。心不許人治之，是其必死，強為治者，功亦不成，故曰治之無功矣。

○異法方宜論篇第十二 新校正云：按全元起本在第九卷。

黃帝問曰：醫之治病也，一病而治各不同，皆愈，何也？不同謂鍼石灸焫毒藥導引按蹻也。岐伯對曰：地勢使然也。謂法天地生長收藏及高下燥濕之勢。故東方之域，天地之所始生也，法春氣也。魚鹽之地，海濱傍水，魚鹽之地，海之利也。濱，水際也。隨業近之。其民食魚而嗜鹹，皆安其處，美其食。豐其利，故居安；恣其味，故食美。魚者使人熱中，鹽者勝血，魚發瘡則熱中之信，鹽發渴則勝血之徵。故其民皆黑色踈理，其病皆為癰瘍，血弱而熱，故喜為癰瘍。其治宜砭石。砭石謂以石為鍼也。《山海經》曰：高氏之山，有石如玉，可以為鍼，則砭石也。○新校正云：按氏一作伐。故砭石者，亦從

劉云地之剛在西方故金
玉砂石多　又云陵居高
處也故多風金氣肅殺
故水土剛強　水土水字
重見於高山出水有其勢
則強異地水也
劉云薦草菌也　按褐
薦者賤衣也褐以毛織
爲布薦以草織爲布
華食者肉食也山邊五
畜多故常食肉多也
劉云野处乳食北人之性
胡地至今猶然
○乳食　常歠血酥酪之類也
性寒涼居山野常食之
故爲寒脹滿　東垣歎脹
因寒生云云蓋依本經乎
○南方者大陽之地暖
事常行五極空諸虫

東方來東人今用之西方者金玉之域沙石之處天地之所收引也法秋氣也引謂牽引使收斂也其民陵居而多風水土剛強居室如陵故曰陵居金氣肅殺故水土剛強也○新校正云詳大抵西方地高民居高陵故多風也不必室如陵矣其民不衣而褐薦其民華食而脂肥不衣絲綿故曰不衣褐謂毛布也薦謂細草也華謂鮮美酥酪骨肉之類也以食鮮美故人体脂肥故邪不能傷其形體其病生於內水土剛強飲食脂肥膚腠閉封血氣充实故邪不能傷也內謂喜怒悲憂恐及飲食男女之過甚也○新校正云詳悲一作思當作思已具陰陽應象大論注中其治宜毒藥能攻其病則謂之毒藥以其血氣盛肌肉堅飲食華水土強故病宜毒藥方制御之藥謂草木虫魚鳥獸之類皆能除病者也故毒藥者亦從西方來西人方術今奉之北方者天地所閉藏之域也其地高陵居風寒冰冽法冬氣也其民樂野處而乳食藏寒生滿病水寒冰冽故生病於藏寒也○新校正云按甲乙經无滿字其治宜灸焫火艾燒灼謂之灸焫故灸焫者亦從北方來北人正行其法南方者天地所長養陽之所盛處也其地下水土弱霧露之所聚也法夏氣也地下則水流歸之水多故土弱而霧露聚其民嗜酸而食胕言其所食不芳香○新校正云

北方者大陰
之地水寒
常生冱海
夏涼也
皆涼寒
常浩

也況俗嗜酸味之過

一説九字當作微

謹日衆字無素問抄同

手按有不害

手足痿厥者痿病也亦雜食而不勞寒熱之所行

道引示不必放開節血之靈治如此

新云上古以全德之世邪不能侵故凡有疾病惟用祝由而已其病以不甚而治亦易

又云祝咒同由病所從生也故曰祝由巽齋道者陸日即今爲咒禳禱道教是也

按全元起云食魚也故其民皆緻理而赤色其病攣痺酸味收斂故人皆肉理密緻陽盛之所故色赤濕氣內滿熱氣外薄故筋攣脉痺也其治宜微鍼微細小也細小之鍼調脉衰盛也故九鍼者亦從南方來南人盛崇之中央者其地平以濕天地所以生萬物也衆法土德之用故生物衆然東方海南方下西方北方高中央之地平以濕則地形斯異生病殊焉其民食雜而不勞四方輻輳而萬物交歸故人食紛雜而不勞也故其病多痿厥寒熱濕氣在下故多病痿弱氣逆及寒熱也陰陽應象大論曰地之濕氣感則害皮肉筋脉居近於濕故爾其治宜導引按蹻導引謂搖筋骨動支節按謂抑按皮肉蹻謂捷舉手足故導引按蹻者亦從中央出也中央用為養神調氣之正道也故聖人雜合以治各得其所宜隨方而用各得其宜惟聖人法乃能然矣故治所以異而病皆愈者得病之情知治之大體也達性懷故然

移精變氣論篇第十三

新校正云按全元起本在第二卷

謹云篇內有移精變氣故名之

黃帝問曰余聞古之治病惟其移精變氣可祝由而已今世治病毒藥治其內鍼石治其外或愈或不愈何也移謂移易變謂變改也

皆使邪不傷正精神復強而內守也生氣通天論曰聖人傳精神服天氣上古天眞論曰精神內守病安從來岐伯

對曰往古人居禽獸之間動作以避寒陰居以避暑內無眷

慕之累外無伸宦之形新校正云按全元起本伸作臾此恬憺之世邪不能

深入也故毒藥不能治其內鍼石不能治其外故可移精祝

由而已古者巢居穴處夕隱朝游禽獸之間斷可知矣然動躁陽盛故身熱足以禦寒涼氣生寒故陰居可以避暑矣夫志捐思想則內無眷慕之累心亡願欲故外無伸宦之形靜保天眞自無邪勝是以移精變氣無假毒藥祝說病由不勞鍼石而已。新校正云按全元起云祝由南方神今之世不然情慕云爲遠於道也憂患緣

其內苦形傷其外又失四時之從逆寒暑之宜賊風數至虛

邪朝夕內至五藏骨髓外傷空竅肌膚所以小病必甚大病

必死故祝由不能已也帝曰善余欲臨病人觀死生決嫌疑

欲知其要如日月光可得聞乎岐伯曰色脉者上帝之所貴

也先師之所傳也上帝謂上古之帝先師謂岐伯祖世之師僦貸季也上古使僦貸季

理色脉而通神明合之金木水火土四時八風六合不離其

色 吳[illegible]命[?]疾診尺
常詳也
四時之脉
色青黄赤白黑
脉弦代鈎毛石
生道 天地之道即生
也万物生生者天德
也即其生者生道也
故曰生道亦識聖王
之道也

注先師以色白脉毛而合金應秋以色青脉弦而合木應春以色黑脉石而合水應冬以色赤脉洪而合火應夏以色黄脉代而合土應長夏及四季然以是色脉下合五行之休王上副四時之往來故六合之間八風鼓折不離常候尽可與期何者以見其變化而知之也故下文曰變化相移以觀其妙以知其要欲知其要則色脉是矣言所以知四時五行之氣變化相移之要妙者何以色脉故也色以應日脉以應月常求其要則其要也言脉應月色應日者占候之期準也常求色脉之差忒是則平人之診要也夫色之變化以應四時之脉此上帝之所貴以合於神明也所以遠死近生觀色脉之藏否曉死生之徵兆故能常遠於死而近於生也生道以長命曰聖王上帝聞道勤而行之生道以長惟聖王乃尔而常用也中古之治病至而治之湯液十日以去八風五痺之病八風謂八方之風五痺謂皮肉筋骨脉之痺也靈樞經曰風從東方來名曰嬰兒風其傷人也外在於筋紐內舍於肝風從東南來名曰弱風其傷人也外在於肌內舍於胃風從南方來名曰大弱風其傷人也外在於脉內舍於心風從西南來名曰謀風其傷人也外在於肉內舍於脾風從西方來名曰剛風其傷人也外在於皮內舍於肺風從西北來名曰折風其傷人也外在於手太陽之脉內舍於小腸風從北方來名曰大剛風其傷人也外在於骨內舍於腎風從東北來名曰凶風其傷人也外在於腋脇內舍

死下也
本而字
在旧本

經云藏者常也

有病而有逆故病為本逆為標也

逆從可屬者有四時逆從有色……脉有……病有……治有……

於大腸又痺論曰以春甲乙傷於風者為筋痺以夏丙丁傷於風者為脉痺以秋庚辛傷於風者為皮痺以冬壬癸傷於邪者為骨痺以至陰遇此者為肉痺是所謂八風五痺之病也○新校正云按此註引痺論今經中痺論不如此當云風論曰以春甲乙傷於風者為肝風以夏丙丁傷於風者為心風季夏戊己傷於邪者為脾風以秋庚辛中於邪者為肺風以冬壬癸中於邪者為腎風痺論曰風寒濕三氣雜至合而為痺以冬遇此者為骨痺以春遇此者為筋痺以夏遇此者為脉痺以至陰遇此者為肌痺以秋遇此者為皮痺十日不已治以草蘇草荄之枝本末為助標本已得邪氣乃服草蘇謂藥煎也草荄謂草根也枝謂莖也言以諸藥根苗合成其煎俾相佐助而以服之凡藥有用根者有用莖者有用枝者有用華實者有用根莖枝華實者湯液不去則盡用之故云本末為助也標本已得邪氣乃服者言工人與病主療相應則邪氣率服而隨時順也湯液醪醴論曰病為本工為標標本不得邪氣不服此之謂主療不相應也或謂取標本論末云鍼論○新校正云按全元起本又云得其標本邪氣乃散矣暮世之治病也則不然治不本四時不知日月不審逆從四時之氣各有所在不本其處而即妄攻是反古也四時刺逆從論曰春氣在經脉夏氣在孫絡長夏氣在肌肉秋氣在皮膚冬氣在骨髓工當各隨所在而辟伏其邪爾不知日月者謂日有寒溫明暗月有空滿虧盈也八正神明論曰凡刺之法必候日月星辰四時八正之氣氣定乃刺之是故天溫日明則人血淖液而衛氣浮故血易寫氣易行天寒日陰則

也字王氏馬氏加此是新校作五味所合五藏之氣也今從之元起太素同故色以下因前之色論五藏胃氣之有無之候

張云縞素練也新云縞素帛也又曰朱与紅皆赤朱言其深紅言其淺也紺青而含赤也

有所養有所欲欲則五有所復故下文曰故心欲苦合火故也肺欲辛合金故也肝欲酸合木故也脾欲甘合土故也腎欲鹹合水故也此五味之所合也各隨其欲而歸湊之五藏之氣新校正云按全元起本云此五味之合五藏之氣也連上文太素同故色見青如草茲者死茲滋也言如草初生之青色也黃如枳實者死色青黃也黑如炲者死炲謂炲煤也炲音臺赤如衃血者死衃血謂敗惡凝聚之血色赤黑也衃芳杯反白如枯骨者死白而枯槁如乾骨之白也此五色之見死也藏敗故見死色也三部九候論曰五藏已敗其色必夭夭必死矣此之謂也青如翠羽者生赤如雞冠者生黃如蟹腹者生白如豕膏者生黑如烏羽者生此五色之見生也皆謂光潤也色雖可愛若見朦朧尤善矣故下文曰生於心如以縞裹朱生於肺如以縞裹紅生於肝如以縞裹紺生於脾如以縞裹栝樓實生於腎如以縞裹紫是乃真見生色也縞白色紺薄青色此五藏所生之外榮也榮美色也色味當五藏白當肺辛赤當心苦青當肝酸黃當脾甘黑當腎鹹各當其所應而為色味也故白當皮赤當脈青當筋黃當肉黑當骨各當其所養之藏氣

肺露精微希　新云當合也

也諸脉者皆屬於目脉者血之府宣明五氣篇曰久視傷血由此明諸脉皆屬於目也○新校正云按皇甫士安云九卷曰心藏脉脉舍神神明通体故云屬目諸髓者皆屬於腦腦為髓海故諸髓屬之諸筋者皆屬於節筋氣之堅結者皆絡於骨節之間也宣明五氣篇曰久行傷筋由此明諸筋皆屬節也諸血者皆屬於心血居脉内屬於心也八正神明論曰血氣者人之神然神者心之主由此故諸血皆屬於心也諸氣者皆屬於肺肺藏主氣故也此四支八谿之朝夕也谿者肉之小會名也八谿謂肘膝腕也如是氣血筋脉互有盛衰故為朝夕矣故人臥血歸於肝肝藏血心行之人動則血運於諸經人靜則血歸於肝藏何者肝主血海故也肝受血而能視言其用也目為肝之官故肝受血而能視足受血而能步氣行乃血流故足受血而能行步也掌受血而能握以當把握之用指受血而能攝以當攝受之用也血氣者人之神故所以受血者皆能運用出而風吹之血凝於膚者為痺謂𤸷痺也𤸷音頑又音君凝於脉者為泣泣謂血行不利凝於足者為厥厥謂足逆冷也此三者血行而不得反其空故為痺厥也空者血流之道大經隧也隧音遂人有大谷十二分大經所會謂之大谷也十二分者謂十二經脉之部分小谿三百五十四名少十二俞小絡所會謂之小谿

人血凝泣而衛氣沉月始生則血氣始精衛氣始行月郭滿則血氣盛肌肉堅月郭空則肌肉減經絡虛衛氣去形獨居是以因天時而調血氣也是故天寒无刺天溫无疑月生无寫月滿无補月郭空无治是謂得時而調之因天之序盛虛之時移光定位正立而待之故曰月生而寫是謂藏虛月滿而補血氣盈溢絡有流血命曰重實月郭空而治是謂亂經陰陽相錯真邪不別沉以留止外虛內亂淫邪乃起此之謂也不審逆從者謂不審量其病可治與不可治也故下文曰

病形已成乃欲微鍼治其外湯液治其內言心意粗略不精審也粗工兇兇以為可攻故病未已新病復起粗謂粗略也兇兇謂不料事宜之可否也何以言之假令飢人形氣羸劣食令極飽能不霍乎豈其與食而為惡耶蓋為失時復過節也非病逆鍼石湯液失時過節則其害反增矣○新校正云按別本霍一作害

帝曰願聞要道岐伯曰治之要極無失色脉用之不惑治之大則惑謂惑亂則謂法則也言色脉之應昭然不欺但順用而不亂紀綱則治病審當之大法也逆從到行標本不得亡神失國逆從到行謂反順為逆標本不得謂工病失宜夫以反理到行所為非順豈惟治人而神氣受害若使之輔佐君主亦令國祚不保康寧矣去故就新乃得真人標本不得工病失宜則當去故逆理之人就新明悟之士乃得全真精曉之人以全已也

帝曰余聞其要於夫子矣夫子言不離色脉此余之所知

劉云湯液醪醴皆酒之屬韻會曰醅酒濁酒曰醪詩曰酒之有濁而不涑者曰醴然則醪液有其即酒清之類以字世本之證曰之旧本以稻新至堅故

類云聖人之作湯液者先事預防所以備不虞耳蓋上古之世道全德畜性不嗜酒邪亦不能害故但為而不服也

也岐伯曰治之極於一帝曰何謂一岐伯曰一者因得之因問而得之也帝曰奈何岐伯曰閉户塞牖繫之病者數問其情以從其意問其所欲而察是非也得神者昌失神者亡帝曰善

○湯液醪醴論篇第十四新校正云按全元起本在第五卷

黃帝問曰為五穀湯液及醪醴奈何液謂清液醪醴謂酒之屬也岐伯對曰必以稻米炊之稻薪稻米者完稻薪者堅堅謂資其堅勁完謂取其完全完全則酒清冷堅勁則氣迅疾而效速也帝曰何以然言何以能完堅邪岐伯曰此得天地之和高下之宜故能至完伐取得時故能至堅也夫稻者生於陰水之精首戴天陽之氣二者和合然乃化成故云得天地之和而能至完秋氣勁切霜露凝結稻以冬採故云伐取得時而能至堅帝曰上古聖人作湯液醪醴為而不用何也岐伯曰自古聖人之作湯液醪醴者以為備耳言聖人愍念生靈先防萌漸陳其法制以備不虞夫上古作湯液故為而弗服也聖人不治已病治未病故但為備用而不服也中古之世道德稍衰邪氣時至服之萬全雖道德稍衰邪氣時至以心猶近道故服

劉云有其全堅其氣

類云齊劑同
於始前類注曰某曰某劑
鍼曰砭劑鑱鈹也
類云治施於外則神應於中使之外則外使之降則降是其神之可使也
類云道治病之道也不進不治者欲其進而不進欲其治而不治也故病不可已
又曰極微者言輕識未深極精者言專一未亂
神去之八正神明論曰養神者必知形之肥瘦營衛血氣之盛衰血氣人之神不可不謹養
○法者道法則數者針灸湯液之術數
舊云暇言慢事也
古本早作蚤

（用乃全也）帝曰今之世不必已何也（言不必如中古之世用也）岐伯曰當今之世必齊毒藥攻其中鑱石鍼艾治其外也（言法殊於往古也）帝曰形弊血盡而功不立者何岐伯曰神不使也帝曰何謂神不使岐伯曰鍼石道也（言神不能使鍼石之妙用也何者志意違背於師亦故也）精神不進志意不治故病不可愈（動離於道耗散天真故爾○新校正云按全元起本云精神進志意定故病可愈太素云精神越志意散故病不可愈）今精壞神去榮衛不可復收何者嗜欲無窮而憂患不止精氣弛壞榮泣衛除故神去之而病不愈也（精神者生之源榮衛者氣之主氣主不輔生源復消神不內居病何能愈哉）帝曰夫病之始生也極微極精必先入結於皮膚今良工皆稱曰病成名曰逆則鍼石不能治良藥不能及也今良工皆得其法守其數親戚兄弟遠近音聲日聞於耳五色日見於目而病不愈者亦何暇不早乎（新校正云按別本暇一作謂）岐伯曰病爲本工爲標標本不得邪氣不服此之謂也（言醫與病不相得也然工人或親戚兄弟該明情疑勿用工先備識不謂

澁曰泣　泣同

類云魄者陰之屬形虽充而
氣則去故其魄獨居也
以字旧本 諸 同 世本作已
類注云宛積也陳久也莝
斬草也謂去其水氣之陳
積欲如斬草而漸除之
玉機微義曰鬼門者遍玄
之謂有毛竅而不見其
竅穴：：
開鬼門潔淨府此治方
于今存用如此則其邪水
去元陽水也
溫衣 邪水充溢而形不

知方鍼文之妙擬容藥石之攻頑如是則道雖昭著方寧
万全病不許治欲忽矣為療五藏別論曰拘於鬼神者不可与
言至德惡於鍼石者不可与言至巧病不許治者病不必治
治之无功此皆謂工病不相得邪氣不賓服也豈唯鍼艾之
有惡哉藥石亦有之矣○新校正云按
移精變氣論曰標本已得邪氣乃服
帝曰其有不從毫毛生而五藏陽以竭也新校正云按全元起本
及太素陽作傷義亦通津液充郭其魄獨居孤精於內氣耗於外形不可與衣相保此四極急而動中是氣拒於內而形施於外治之奈何不從毫毛言生於內
也陰氣內盛陽氣竭
絕不得入於腹中故言五藏陽以竭也津液者水也充滿也
郭皮也陰稸於中水氣脹滿上攻於肺肺氣孤危魄者肺神
腎為水害子不救母故云其魄獨居也夫陰精損削於內陽
氣耗減於外則三焦閉溢水道不通水滿皮膚身体否腫故
云形不可与衣相保也凡此之類皆四支脉數急而內鼓動
於肺中也肺動者謂氣急而欬也言如是者皆水氣格拒於
腹膜之內浮腫施張於身形之外欲窮標本其可得乎四極
言四末則四支也左傳曰風淫末疾靈樞經曰陽受氣於四
末○新校正云詳形施於外施字疑誤岐伯曰平治於權衡去宛陳莝新校正云按太
素莝作莝是以微動四極溫衣繆刺其處以復其形開鬼門潔淨
府精以時服五陽已布疎滌五藏故精自生形自盛骨肉相

玉版論數往之至數之義詳包有廣蓋天人之道有象則有至至則有數人之五色五脈無非隨象以至故其太過不及亦皆有至數存焉能知天地之至數即可知人之至數色脈奇恒其變雖多其道則一○有如下文所謂神而已矣云五色脈變揆度奇恒但言經篇名玉機真藏論帝曰吾得脈之大要天下至數五色脈變揆度奇恒道在於一神轉不回回則不轉乃失其機至數之要迫近以微著之玉版藏之藏府每旦讀之名曰玉機類云回逆而郄也

保巨氣乃平。平治權衡，謂察脈浮沉也。脈浮為在表，脈沉為在裏。在裏者泄之，在外者汗之。故下文云：開鬼門，潔淨府也。去宛陳莝，謂去積久之水物，猶如草莝之不可久留於身中也。全本作草莝。微動四極，謂微動四支，令陽氣漸以宣行。故又曰溫衣也。經脈滿則絡脈溢，絡脈溢則繆刺之，以調其絡脈，使形容如舊而不腫，故云繆刺其處，以復其形也。開鬼門，是啟玄府遺氣也。五陽，是五藏之陽氣也。潔淨府，謂寫膀胱水去也。脈和則五精之氣以時賓於五藏也。然五藏之陽漸而宣布，五藏之外氣穢復除也。如是故精髓自生，形肉自盛，藏府既和，則骨肉之氣更相保抱，大經脈氣然乃平復行。帝曰：善。

○玉版論要篇第十五新校正云：按全元起本在第一卷。○淫云篇內有著之玉版及至數之要其末云命曰合玉機故名篇也

黃帝問曰：余聞揆度奇恒，所指不同，用之奈何？岐伯對曰：揆度者，度病之淺深也。奇恒者，言奇病也。請言道之至數，五色脈變，揆度奇恒，道在於一。一謂色脈之應也。知色脈之應，則可以揆度奇恒矣。○新校正云：按全元起本請作謂。神轉不回，回則不轉，乃失其機。血氣者，神氣也。八正神明論曰：血氣者，人之神，不可不謹養也。夫血氣應順四時，遞迁囚王，循環五氣，無相奪倫，是則神轉不回也。回，謂却行也。然血氣隨王，不合却行，却行則反常，反常則回而不轉也。回而不轉，乃失生氣之機矣。何以明之？夫木衰則火王，火衰則土王，土衰則

湯劑者如移精變氣論治以草蘇草荄之枝者是也醪酒者入藥于酒中加服中命有雞矢醴之謂

金王金衰則水王水衰則木王終而復始循環此之謂神轉不回也若木衰水王水衰金王金衰土王土衰火王火衰木
王此之謂回而不轉也然反天常軌生之何有耶至數之要迫近以微言五色五脉變化之要道
迫近於天常而又微妙著之玉版命曰合玉機玉機篇名也言以此回轉之要旨著之玉版合
同於玉機論文也○新校正云詳道之至數至此與玉機真藏論文相重注頗不同容色見上下左右
各在其要容色者他氣也如肝木部內見赤黃白黑色皆謂他氣也餘藏率此加此例所見皆在明堂上下左右
要察候如故云各在其要○新校正云按全元起本容作客視色之法具在甲乙經中其色見淺者湯
液主治十日已色淺則病微故十日乃已其見深者必齊主治二十一日
已色深則病甚故必終齊乃已其見大深者醪酒主治百日已病深甚故日多色
夭面脫不治色見大深兼之夭惡面肉又脫不可治也百日盡已色不夭面不脫治之百日盡可
已○新校正云詳色夭面脫雖不治然期當百日乃已盡也脉短氣絕死脉短已虛加之漸絕真氣將竭
故必死病溫虛甚死甚虛而病溫溫氣內涸其精血故死色見上下左右各在其
要上為逆下為從色見於下者病生之氣也故從色見於上者傷神之兆也故逆女子右為
逆左為從男子左為逆右為從左為陽故男子右為從而左為逆右為陰故女子右為逆

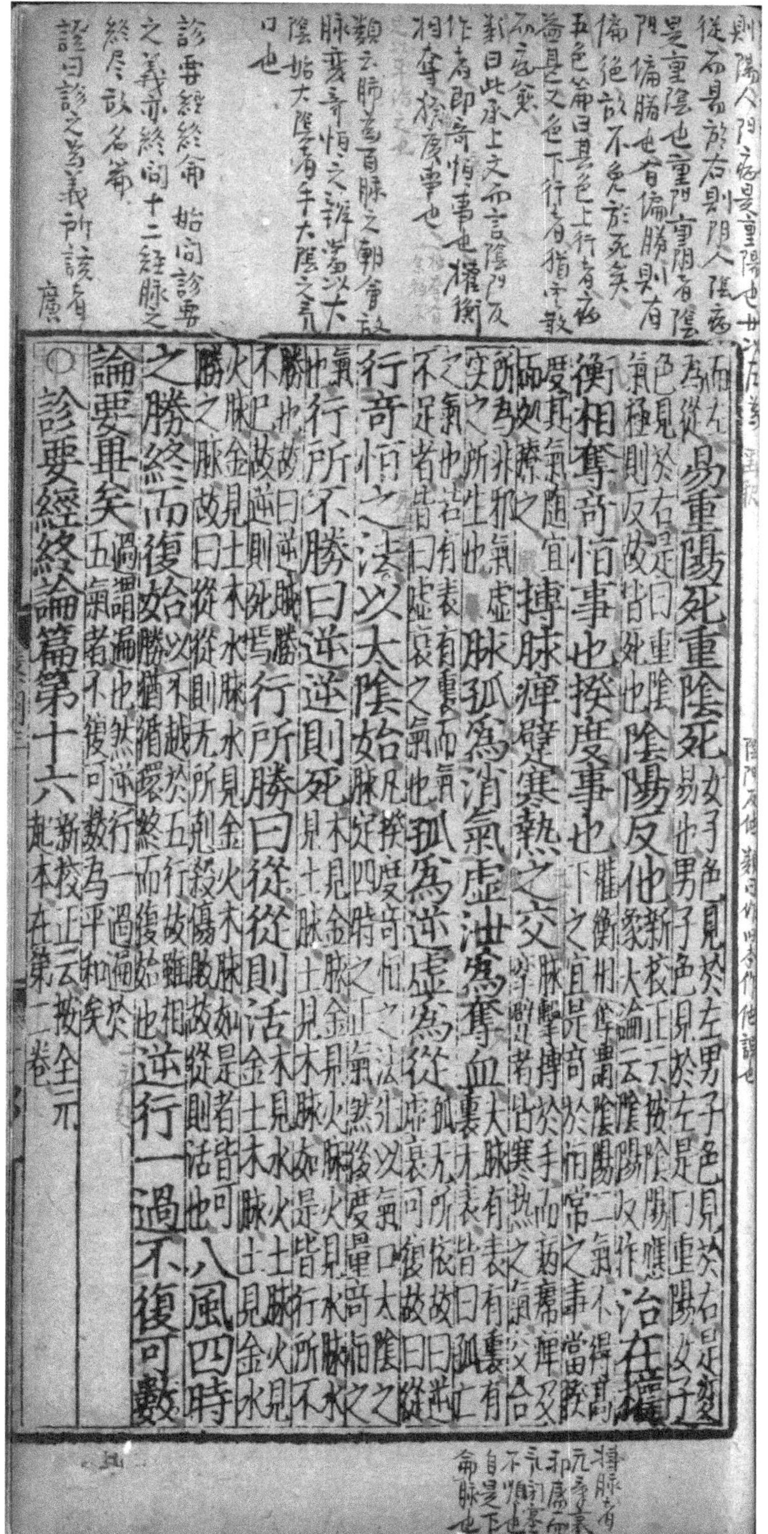

而右為從易重陽死重陰死女子色見於左男子色見於右是變易也男子色見於左是曰重陽女子色見於右是曰重陰氣極則反故皆死也陰陽反他新校正云按陰陽應象大論云陰陽反作治在權衡相奪奇恒事也揆度事也權衡相奪謂陰陽二氣不得高下之宜是奇於恒常之事當揆度其氣隨宜而處療之搏脈痹躄寒熱之交脈擊搏於手而病瘴躄及寒熱者皆寒熱之氣交合所為非邪氣虛實之所生也脈孤為消氣虛泄為奪血夫脈有表無裏有裏無表皆曰孤亡之氣也若有表有裏而氣不足者皆曰虛衰之氣也孤為逆虛為從孤無所依故曰逆虛衰可復故曰從行奇恒之法以太陰始凡揆度奇恒之法先以氣口太陰之脈定四時之正氣然後度量奇恒之氣也行所不勝曰逆逆則死木見金脈金見火脈火見水脈水見土脈土見木脈如是皆行所不勝也故曰逆逆則死焉行所勝曰從從則活木見水火土脈火見金土木脈土見金水火脈金見土木水脈水見金火木脈如是者皆可勝之脈故曰從從則活也八風四時之勝終而復始以不越於五行故雖相勝猶循環終而復始也逆行一過不復可數過謂遍也然逆行一過遍於五氣者不復可數為平和矣論要畢矣

◎診要經終論篇第十六新校正云按全元起本在第二卷

類云方謂氣方升也乎云方首也人事方興也又云正方謂時事正此言復正新也宜發事於發生也

或曰脾當作心亦下心字當作脾心脾字未分明可考也然諸注未發

類云復言其重實凝之甚

分俞諸經所分散之俞也春發達之時故血出而止

日類云春宣疏達故欲血出而止

又云傳而散也環周也病甚者針宜久留故少待之其傳字猶猶間者候其氣行一周於身約二刻許可止鍼

黃帝問曰診要何如岐伯對曰正月二月天氣始方地氣始發人氣在肝方正也言天地氣正發生其萬物也木治東方王七十二日猶當三月節後一十二日是木之用事以月而取則正月二月人氣在肝三月四月天氣正方地氣定發人氣在脾天氣正方以陽氣明盛地氣定發為萬物華而欲實也然季終土寄而王土又生於丙故人氣在脾五月六月天氣盛地氣高人氣在頭天陽赫盛地焰高升故言天氣盛地氣高火性炎上故人氣在頭七月八月陰氣始殺人氣在肺七月三陰爻生八月陰始肅殺故云陰氣始殺也然陰氣肅殺類合於金肺氣象金故人氣在肺九月十月陰氣始冰地氣始閉人氣在心陰氣始凝地氣始閉隨陽而入故人氣在心十一月十二月冰復地氣合人氣在腎陽氣深伏故氣在腎也夫氣之變也故發生於木長茂於土盛高而上肅殺於金避寒於火伏藏於水斯皆隨順陰陽氣之升沈也五藏生成篇曰五藏之象可以類推此之謂也故春刺散俞及與分理血出而止散俞謂間穴分理謂肌肉分理○新校正云按四時刺逆從論云春氣在經脈此散俞即經脈之俞也又水熱穴論云春取絡脈分肉甚者傳氣間者環也辨疾氣之間甚也傳謂相傳環謂循環也相傳則傳所不勝循環則周迴於五氣也○新校正云按太素環作環夏刺絡俞見血而

正月三 二月三 參伍之文意 十雅六 三陽三 上之意 義手

自是四時之事所在合刺法示依答有異同

凡刺四時依邪所在有淺深之異然皆為以害也

類云孔穴之深者曰竅

類云逆氣者肝氣上逆也環周也非應肺故氣周及肺為咳嗽也

○凡病不在於內故閉塞為脹○亦塞甚則欲閉為言語也

止盡氣閉環痛病必下盡氣謂出血而盡鍼下取所病脉盛邪之氣也邪氣盡已穴俞閉密則經脉循環而痛病之氣必下去矣以陽氣人盛故為是法刺之○新校正云按四時刺逆從論云夏氣在孫絡此絡即孫絡之俞也又水熱穴論云夏取盛經分腠秋刺皮膚循理上下同法神變而止循理謂循肌肉之分理也上謂手脉下謂足脉神變謂脉氣變易与未刺時異也脉者神之用故爾言之○新校正云按四時刺逆從論云秋氣在皮膚義与此合又水熱穴論云取俞以寫陰邪取合以虛陽邪皇甫士安云是始秋之治變冬刺俞竅於分理甚者直下間者散下直下謂直爾下之散下謂散布下之○新校正云按四時刺逆從論云冬氣在骨髓中此分理即骨髓之俞竅也又水熱穴論云冬取井滎皇甫士安云是末冬之治變也春夏秋冬各有所刺法其所在春刺夏分脉亂氣微入淫骨髓病不能愈令人不嗜食又且少氣心主脉故脉乱氣微水受氣於夏腎主骨故入淫於骨髓也心火微則胃土不足故不嗜食而少氣也○新校正云按四時刺逆從論云春刺絡脉血氣外溢令人少氣春刺秋分筋攣逆氣環為欬嗽病不愈令人時驚又且哭木受氣於秋肝主筋故刺秋分則筋攣也若氣逆環周則為欬嗽肝主驚故時驚肺主氣故氣逆又且哭也○新校正云按四時刺逆從論云春刺肌肉血氣環逆令人上氣也春刺冬分邪氣著藏令人脹病不

在病者欲為何事起而忘然忘者是肝發生裏魂是疲神不足故也
洒〻陰分傷也憯皇達如注水也
眠而有見 彰云諸怪異等物也
諸云而益作如

愈安且欲言語冬〻主陽氣伏藏故邪氣著藏腎實則脹故刺冬〻分則令人脹也火受氣於冬〻心主言故欲言語也。新校正云按四時刺逆從論云春刺筋骨血氣內著令人腹痛夏刺春〻分病不愈令人解墮肝養筋肝氣不足故筋力解墮。新校正云按四時刺逆從論云夏刺經脈血氣乃竭令人解㑊夏刺秋分病不愈令人心中欲無言惕惕如人將捕之肝木為語惕秋分則肝木虛故恐如人將捕之肝不足故欲无言而復恐也。新校正云按四時刺逆從論云夏刺肌肉血氣內却令人善恐甲乙經作悶夏刺冬〻分病不愈令人少氣時欲怒夏傷於腎肝脉數之志內不足故令人少氣時欲怒也。新校正云按四時刺逆從論云夏刺筋骨血氣上逆令人善怒秋刺春〻分病不、已令人惕然欲有所為起而忘之肝虛故也刺不當也。新校正云按四時刺逆從論云秋刺經脈血氣上逆令人善忘秋刺夏〻分病不、已令人益嗜臥又且善夢心氣少則脾氣孤故令嗜臥心主夢神為之故令善夢。新校正云按四時刺逆從論云秋刺絡脈氣不外行令人臥不欲動秋刺冬〻分病不、已令人洒洒時寒陰氣上干故時寒〻也洒洒寒貌。新校正云按四時刺逆從論云秋刺筋骨血氣內散令人寒慄冬刺春〻分病不、已令人欲臥不、能眠〻而有見肝氣少故令欲臥不能眠肝主目故眠而如見有物之形狀也。新校正云按四時刺逆從論

四時刺逆從論云次佳云診要經終論 刺禁論然此三論皆岐伯之言而死日動云及不同傳之誤也

自鬲以上心肺以下脾腎也避之為不避之為反逆

一云冬刺經脈血氣皆脫令人目不明冬刺夏分病不愈氣上發為諸痺泄脉氣故也。新校正云按四時刺逆從論云冬刺絡脉血氣外泄留為大痺冬刺秋分病不已令人善渴肺氣不足故發渴。新校正云按四時刺逆從論云冬刺肌肉陽氣竭絕令人善忘凡刺胸腹者必避五藏心肺在鬲上腎肝在鬲下脾象土而居中故刺胸腹必避之五藏者所以藏精神魂魄意志損之則五神去神去則死至故不可不慎也中心者環死氣行如環之一周則死也正謂周十二辰也。新校正云按刺禁論云一日死其動為噫四時刺逆從論同此經闕刺中肝死日刺禁論云中肝五日死其動為語四時刺逆從論同中脾者五日死土數五也。新校正云按刺禁論一云中脾十日死其動為吞四時刺逆從論同中腎者七日死水成數六水數畢當至七日而死一云十日死字之誤也。新校正云按刺禁論云中腎六日死其動為嚔四時刺逆從論云中腎六日死其動為嚔欠中肺者五日死金生數四金一數畢當至五日而死一云三日死亦字誤也。新校正云按刺禁論云中肺三日死其動為欬四時刺逆從論同王注四時刺逆從論云此三論皆岐伯之言而不同者傳之誤也中鬲者皆為傷中其病雖愈不過一歲必死五藏之氣同主一年鬲傷則五藏之氣互相剋伐故不過一歲必死刺避五藏者知逆從也所謂從者鬲與脾腎之處不知者反之腎著於脊脾藏居中鬲連於脇際知者為順不

類云此下言刺法也胷腹處淺道莊故必以布憿著之而後慎乃寒也憿音叫飯布也著音灼被服也

亦曰搖大其竅瀉之法也九鍼十二竇原全故而鍼解篇

類云十二經脈即上篇之氣也終者氣盡之謂

亦云反折腰背反張也瘈者筋之急也瘲者筋之緩也太陽為三陽之表故主色白汗出

絕汗陽氣絕而汗出如貫珠不流也

目睘目直視不轉睛絕系目系絕也睘之肝胆表裏而主目也

知者反傷其藏刺胷腹者必以布憿著之乃從單布上刺形定則不誤中於五藏也○新校正云按別本憿一作憿又作憿。憿古堯反。著直畧反。刺之不愈復刺要以氣至為故也鍼經曰刺之氣不至无問其數刺之氣至去之勿復針此之謂也刺鍼必肅肅謂靜肅所以候氣之存亡刺腫搖鍼以出大膿血故經刺勿搖經氣不欲泄故此刺之道也帝曰願聞十二經脈之終奈何終謂尽也岐伯曰太陽之脈其終也戴眼反折瘈瘲其色白絕汗乃出出則死矣戴眼謂睛不轉而仰視也然足太陽脈起於目內眥上額交巔上從巔入絡腦還出別下項循肩髆內俠脊抵腰中其支別者下循足至小指外側手太陽脈起於手小指之端循臂上肩入缺盆其支別者上頰至目內眥抵足大陽○新校正云按甲乙經作斜絡於顴○又其支別者從缺盆循頸上頰至目外眥○新校正云按甲乙經外作兌○故戴眼反折瘈瘲色白絕汗乃出也絕汗謂汗暴出如珠而不流旋復乾也太陽極則汗出故出則死少陽終者耳聾百節皆縱目睘絕系絕系一日半死其死也色先青白乃死矣足少陽脈起於目銳眥上抵頭角下耳後其支別者從耳後入耳中出走耳前手少陽脈其支別者從耳後亦入耳中出走耳前故終則耳聾目睘絕系也少陽主骨故氣終則百節縱緩色青白者金木相薄也故見死矣睘謂直視如驚貌睘音瓊陽明終者口目動作

肅謹也能計度實淺深行刺法吾神任為害也

自目之下手足陽陽孔全足經也熟之金氣十詳

善驚妄言，色黃，其上下經盛，不仁則終矣。足陽明脉起於鼻，交頞中，下循鼻外，入上齒縫中，還出俠口環脣，下交承漿，却循頤後下廉，出大迎，循頰車，上耳前，過客主人，循髮際，至額顱；其支別者，從大迎前下人迎，循喉嚨，入缺盆，下鬲。手陽明脉起於手，循臂至肩上，出於柱骨之會上，下入缺盆，絡肺；其支別者，從缺盆上頸，貫頰，下入齒中，還出俠口，交人中，左之右，右之左，上俠鼻鼽，抵足陽明。○新校正云：按甲乙經鼽作孔，无抵足陽明四字。○故終則口目動作也。口目動作，謂目睒睒而鼓頷也。胃病則惡人与火，聞木音則惕然而驚，又罵詈而不避親踈，故善驚妄言也。黃者，土色。上謂手脉，下謂足脉也。經盛，謂面目頸頷足跗腕脛皆躁盛而動也。不仁，謂不知善惡。如是者，皆氣竭之徵也，故終矣。睒，音閃。少陰終者，面黑齒長而垢，腹脹閉，上下不通而終矣。手少陰氣絕則血不流，足少陰氣絕則骨不耎，骨硬則齗上宣，故齒長而積垢汙；血壞則皮色死，故面色如漆而不赤也。足少陰脉從腎上貫肝鬲，入肺中。手少陰脉起於心中，出屬心系，下鬲，絡少腹。故其終則腹脹閉，上下不通也。○新校正云：詳王注云骨不耎，骨硬，按難經及甲乙經云骨不濡則肉弗能著，當作骨不濡。手少陰脉絡少腹，甲乙經作絡小腸。大陰終者，腹脹閉不得息，善噫善嘔，足大陰脉行從股內前廉，入腹，屬脾絡胃，上鬲。手大陰脉起於中焦，下絡大腸，還循胃口，上鬲屬肺，故終則如是也。靈樞經曰：足大陰之脉動則病食則嘔，腹脹善噫也。嘔則逆，逆則面赤，嘔則氣逆，故面赤。○新校正云：按靈樞經作善噫，噫則嘔，嘔則

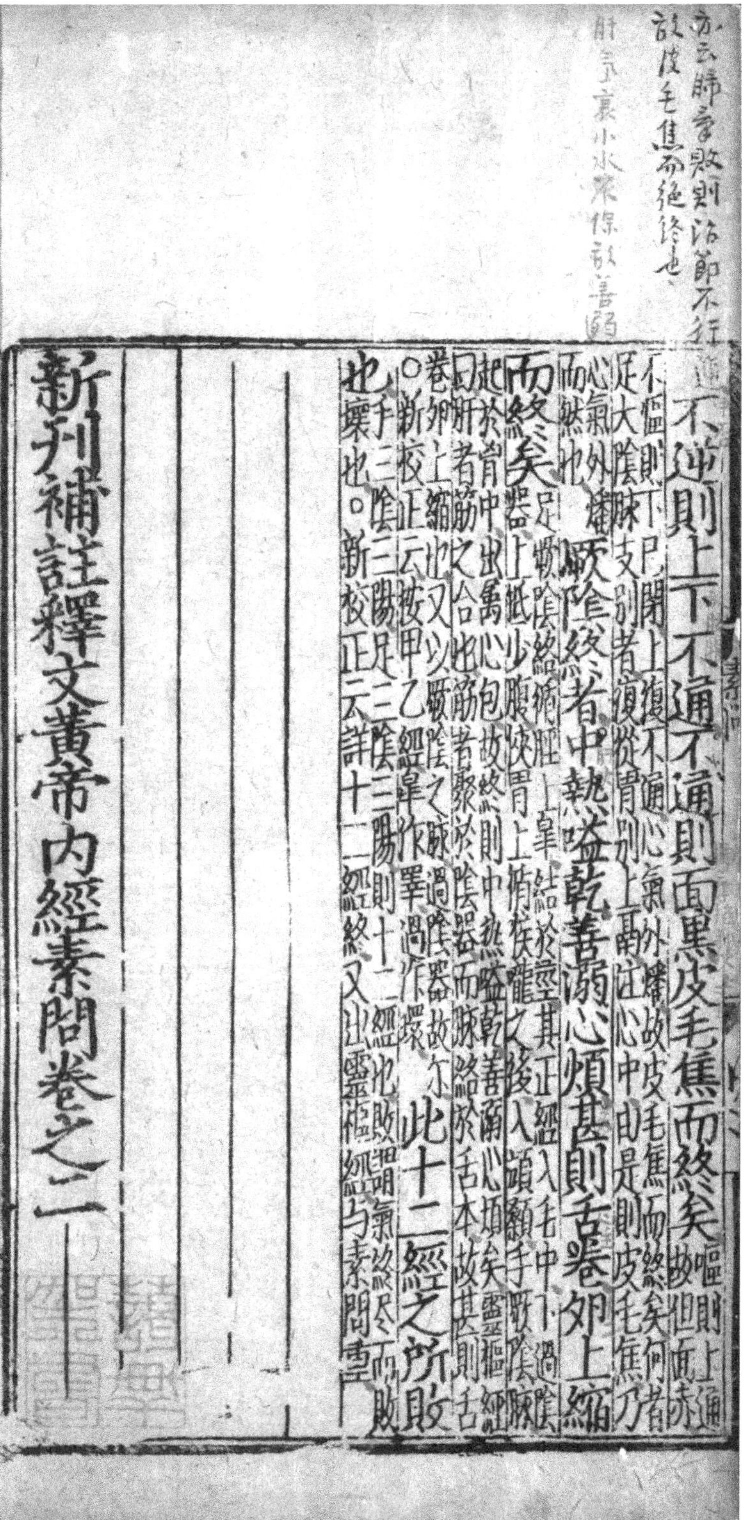

亦云肺字敗則治節不行通
故皮毛焦而絕終也
肝主衰小水不保故善溺

不逆則上下不通不通則面黑皮毛焦而終矣嘔則上通故但面赤不嘔則下已閉上復不通心氣外燔故皮毛焦而終矣何者足太陰脉支別者復從胃別上鬲注心中由是則皮毛焦乃心氣外燔而然也厥陰終者中熱嗌乾善溺心煩甚則舌卷卵上縮而終矣足厥陰絡循脛上睾結於莖其正經入毛中下過陰器上抵少腹俠胃上循喉嚨之後入頏顙手厥陰脉起於胸中出屬心包故終則中熱嗌乾善溺心煩矣靈樞經曰肝者筋之合也筋者聚於陰器而脉絡於舌本故甚則舌卷卵上縮也又以厥陰之脉過陰器故爾○新校正云按甲乙經畢作罩過作環此十二經之所敗也手三陰三陽足三陰三陽則十二經也敗謂氣終盡而敗壞也○新校正云詳十二經終又出靈樞經與素問重

新刊補註釋文黃帝內經素問卷之二

証云此篇論診脉之要至精至微故名篇

彰云診視也察也候脉也凡切脉望色審問病因皆可言診而此節以診脉為言

又曰平旦者陰陽之交也陽主晝陰主夜陽主表陰主裏診法常於平旦和審之時陰氣正平而未動陽氣將盛而不散之之乃可診有過之脉有過言脉不行中而有過失也 視精之目者五藏精華逐行之処故神之有無依目視也

上條辞曰參伍以變錯綜其數本義曰參者三數之也伍者五數也

王本病作甚

新刊補註釋文黃帝內經素問卷之三

○脉要精微論篇第十七新校正云按全元起本在第六卷

黃帝問曰診法何如岐伯對曰診法常以平旦陰氣未動陽氣未散飲食未進經脉未盛絡脉調勻氣血未亂故乃可診有過之脉動謂動而降卑散謂散布而出也過謂異於常候也○新校正云按脉經及千金方有過之脉作過此脉也王注陰氣未動謂動而降卑按金匱真言論云平旦至日中天之陽陽中之陽也則平旦為一日之中純陽之時陰氣未動耳何有降卑之義切脉動靜而視精明察五色觀五藏有餘不足六府強弱形之盛衰以此參伍決死生之分切謂以指切近於脉也精明穴名也在明堂左右兩目內眥也以近於目故曰睛明言以形氣盛衰脉之多少視精明之間氣色觀藏府不足有餘參其類伍以決死生之分夫脉者血之府也府聚也言血之多少皆聚見於經脉之中也故刺志論曰脉實血實脉虛血虛此其常也反此者病由是故也長則氣治短則氣病數則煩心大則病進夫脉長為氣和故治短為不足故病數急為熱故煩心大為邪盛故病進也長脉者往來長短脉者往來

逆順篇云脈之盛衰者所
以候血氣之虛實有余不
足也
靈樞決氣篇云黃帝云何謂
脈岐伯云壅遏營氣令無
所避是謂脈 類云壅遏
者隄防之謂猶道路之
有封疆江河之有涯
岸之
劉云赭色[illegible]一藍一黃一地
蒼一見者皆精微之敗象
故壽不久
赭赤土也

短數脈者往來急速大脈者往來滿大也上盛則氣高新校正云按全元起本高作鬲下盛則氣
脹代則氣衰細則氣少新校正云按大素細作滑濇則心痛上謂寸口下謂尺中盛謂
盛滿代脈者動而中止不能自還細脈者動如莠蓬濇脈者往來時不利而蹇濇也渾渾革至如涌泉
病進而色弊緜緜其去如弦絕死渾渾言脈氣濁亂也革至者謂脈來弦而大實而長
也如涌泉者言脈汩汩但出而不返也緜緜言微微似有而不甚應手也如弦絕者言脈卒斷如弦之絕去也若病候日
進而色弊惡如此之脈皆必死也○新校正云按甲乙經及脈經作渾渾革革至如涌泉病進而危弊弊綽綽其去如弦
絕者死夫精明五色者氣之華也五氣之精華者上見為五色變化於精明之間也六節藏
象論曰天食人以五氣五氣入鼻藏於心肺上使五色脩明此則明察五色也赤欲如白裹朱不欲
如赭白欲如鵝羽不欲如鹽新校正云按甲乙經作白欲如白璧之澤不欲如堊大素兩出
之青欲如蒼璧之澤不欲如藍黃欲如羅裹雄黃不欲如黃
土黑欲如重漆色不欲如地蒼新校正云按甲乙經作炭色五色精微象
見矣其壽不久也赭色鹽色藍色黃土色地蒼色見者皆精微之敗象故其壽不久夫精明
者所以視萬物別白黑審短長以長為短以白為黑如是則

註云白當作帛

精衰矣（誠其誤也夫如是者皆精明衰乃誤也）五藏者中之守也（身形之中五神安守之所也此皆明觀五藏也○新校正云按甲乙經及大素守作府）中盛藏滿氣勝傷恐者聲如從室中言是中氣之濕也（中謂腹中盛謂氣盛藏謂肺藏氣勝謂勝於呼吸而喘息變易也夫腹中氣盛肺藏充滿氣勝息變善傷於恐言声不發如在室中者皆腹中有湿氣乃尔也）言而微終日乃復言者此奪氣也（若言音微細声断不續甚奪其氣乃如是也）衣被不斂言語善惡不避親踈者此神明之亂也倉廩不藏者是門戶不要也（倉廩謂脾胃門戶謂魄門靈蘭秘典論曰脾胃者倉廩之官也五藏別論曰魄門亦為五藏使水穀不得久藏也魄門則肛門也要謂禁要）水泉不止者是膀胱不藏也（水泉謂前陰之流注也）得守者生失守者死（夫如是倉廩不藏氣勝傷恐衣被不斂水泉不止者皆神氣得其所守則生失其所守則死也夫何以知神氣之不守耶衣被不斂言語善惡不避親踈則乱之證也乱甚則不守於藏也）夫五藏者身之強也（藏安則神守神守則身強故曰身之強也）頭者精明之府頭傾視深精神將奪矣背者胸中之府背曲肩隨府將壞矣腰者腎之府轉搖不能腎將憊矣膝者筋之府屈伸不能行則僂附（新校正云按別

本附一作俯太素作跗筋將憊矣骨者髓之府不能久立行則振掉骨將憊矣皆以所居所由而爲之府也得強則生失強則死強謂中氣強固以鎮守也岐伯曰新校正云詳此前无問反四時者有餘爲精不足爲消應太過不足爲精應不足有餘爲消陰陽不相應病名曰關格廣陳其脉應也夫反四時者諸不足皆爲血氣消損諸有餘皆爲邪氣勝精也陰陽之氣不相應合不得相營故曰關格帝曰脉其四時動奈何知病之所在奈何知病之所變奈何知病乍在內奈何知病乍在外奈何請問此五者可得聞乎言欲順四時及陰陽相應之狀候也岐伯曰新校正云詳此對与問不甚相應脉四時動病之所在病之所變按文頗對病乍在內在外之說後文殊不相當請言其與天運轉大也指可見陰陽之運轉以明陰陽之不可見也萬物之外六合之內天地之變陰陽之應彼春之暖爲夏之暑彼秋之忿爲冬之怒四變之動脉與之上下六合謂四方上下也春暖爲夏暑言陽生而至盛秋忿爲冬怒言陰少而之壯也忿一爲急言秋氣勁急也○新校正云按全元起本注暖作緩以春應中規春脉耎弱輕虛而滑如規之象中外皆然故以春應中規夏應中矩夏脉洪大

操之滑数如矩之象可正平之故以夏應中矩秋應中衡秋脉浮毛輕濇而散如秤衡之象高下必平故以秋應中衡冬應中權冬脉如石兼沉而滑如秤權之象下遠於衡故以冬應中權也以秋中衡冬中權者言脉之高下異處如此分此則隨陰陽之氣故有斯四應不同也是故冬至四十五日陽氣微上陰氣微下夏至四十五日陰氣微上陽氣微下陰陽有時與脉為期期而相失如脉所分分之有期故知死時察陰陽升降之準則知經脉遞迁之象審氣候遞迁之失則知氣血分合之則分閉不差故以人死之時節微妙在脉不可不察察之有紀從陰陽始從陰陽升降精微妙用皆在經脉之氣候是以不可不察故始以陰陽為察候之綱紀始之有經從五行生生之有度四時為宜言然所以知有經脉之察候司應者何哉蓋從五行衰王而為準度也徵求大過不及之形誥皆以應四時者為生氣所宜也○新校正云按太素宜作数補寫勿失與天地如一有餘者寫之不足者補之是則應天地之常道也然天地之道損有餘而補不足是法天地之道也寫補之宜工切審之其治氣亦然得一之精以知死生謂天地之道補寫不差既得一精亦可知生死之準的是故聲合五音色合五行脉合陰陽聲表宮商角徵羽故合五音色見青黃赤白黑故合五行脉彰寒暑之休王故合陰陽之氣也是

以知陰盛則夢涉大水恐懼（陰為水，故夢涉水而恐懼也。陰陽應象大論曰：水為陰。）陽盛則夢大火燔灼（陽為火，故夢大火而燔焫也。陰陽應象大論曰：火為陽。）陰陽俱盛則夢相殺毀傷（亦類交爭之氣象也。）上盛則夢飛，下盛則夢墮（氣上則夢上，故飛；氣下則夢下，故墮。）甚飽則夢予（內有餘故。）甚飢則夢取（內不足故。）肝氣盛則夢怒（肝在志為怒。）肺氣盛則夢哭（肺聲哀，故夢哭。○新校正云：詳是知陰盛則夢涉大水恐懼至此，乃靈樞之文，誤置於斯，仍少心脾腎氣盛所夢，今具甲乙經中。）短蟲多則夢聚衆（身中短蟲多，則夢聚衆。）長蟲多則夢相擊毀傷（長蟲動則內不安，內不安則神躁擾，故夢是矣。○新校正云：詳此二句亦不當出此，應他經脫簡文也。）是故持脈有道，虛靜為保（前明脈應，此舉持脈所由也。然持脈之道，必虛其心，靜其志，乃保定盈虛而不失。○新校正云：按甲乙經保作寶。）春日浮，如魚之遊在波（雖出猶未全浮。）夏日在膚，泛泛乎萬物有餘（泛泛，平貌。陽氣大盛，脈氣亦象萬物之有餘，易取而洪大也。）秋日下膚，蟄蟲將去（隨陽氣之漸降，故曰下膚。何以明陽氣之漸降？蟄蟲將欲藏去也。）冬日在骨，蟄蟲周密，君子居室（在骨，言脈深沉也。蟄蟲周密，言陽氣伏藏。君子居室，此人事也。）故曰：知內者按而紀之（知內者，謂知脈氣也，故按而為之綱紀。）知外者終

渻○盡也
劉云耎而散則肺虛不斂汗出如水故曰灌汗汗多亡陽不可更為發散
若搏若謂而者搏一身則於血瀉滯發生之事為骨而不利此故呼吸不通
是飲水則水濕之邪滲而入肌皮之間水邪是則皮膚浮澤也故言色澤也

而始之知外者謂知色象故以五色終而復始此六者持脈之大法凡是六者然後可以知脈之迁变也○新校正云詳此前對帝問脈其四時動奈何之事心脈搏堅而長當病舌卷不能言搏謂搏擊於手也諸脈搏堅而長者皆為勞心而藏脈氣虛極也心手少陰脈從心系上俠咽喉故令舌卷短而不能言也其耎而散者當消環自已諸脈耎散皆為氣實血虛也消謂消散環謂環周言其經氣如環之周當其火王自消散也○新校正云按甲乙經環作渴肺脈搏堅而長當病唾血肺虛極則絡逆絡逆則血泄故唾出也其耎而散者當病灌汗至今不復散發也汗泄玄府津液奔湊寒水灌洗皮密汗藏因灌汗藏故言灌汗至令不復散發也灌謂灌洗盛暑多為此也○新校正云詳下文諸藏各言色而心肺二藏不言色者疑闕文也肝脈搏堅而長色不青當病墜若搏因血在脅下令人喘逆諸脈見本經之氣而色不應者皆非病從內生是外病來勝也夫肝藏之脈端直以長故言色不青當病墜若搏也肝主兩脅故曰因血在脅下也肝厥陰脈布脅肋循喉嚨之後其支別者復從肝別貫鬲上注肺今血在脅下則血氣上熏於肺故令人喘逆也其耎而散色澤者當病溢飲溢飲者渴暴多飲而易入肌皮腸胃之外也面色浮澤是為中濕血虛中濕水液不消故言當病溢飲也以水飲滿溢故滲溢易而入肌皮腸胃之外也○新校正云

按甲乙經易作益胃脉搏堅而長，其色赤，當病折髀。胃虛者色赤，火氣救之，心象於火，故色赤也。胃陽明脉從氣衝下髀抵伏兔，故病則髀如折也。其耎而散者，當病食痺。痺痛也。胃陽明脉其支別者，從大迎前下人迎，循喉嚨入缺盆，下鬲屬胃絡脾，故食則痛悶而氣不散也。○新校正云：詳[illegible]痺為隔，其義則未通。脾脉搏堅而長，其色黃，當病少氣。脾虛則肺无所養，肺主氣，故少氣也。其耎而散，色不澤者，當病足胻腫若水狀也。色氣浮澤為水之候，色不潤澤，故言若水狀也。脾太陰脉自上內踝前廉上踹內，循胻骨後，交出厥陰之前，上循膝股內前廉入腹，故病足胻腫也。腎脉搏堅而長，其色黃而赤者，當病折腰。色氣黃赤，是心脾干腎，腎受客陽，故腰如折也。腰為腎府，故病發於中。其耎而散者，當病少血，至令不復也。腎主水，以生化津液，今腎氣不化，故當病少血，至令不復也。帝曰：新校正云：詳帝曰至以其勝治之愈，全元起本在湯液篇。診得心脉而急，此為何病？病形何如？岐伯曰：病名心疝，少腹當有形也。心為牡藏，其氣應陽，今脉反寒，故為疝也。諸脉勁急者，皆為寒，形謂病形也。帝曰：何以言之？岐伯曰：心為牡藏，小腸為之使，故曰少腹當有形也。少腹小腸也。靈蘭祕典論曰：小腸者，受盛之官。以其受盛，故形居于內也。帝曰：診得胃脉病形何如

日心為大主胃為大源故
余略之
此一段言□病變為百病
風角云久風入中則為腸
風飧泄之
脉風癘　曰癘者癩病也
風和凝滯肌肉血脉則風
熱鬱血脉腐肌肉故曰癘
病手砭逼以砭如磨物之
治也
數之此言諸病癰腫而有痛節
攣骨痛者也諸家以癰腫節
攣骨痛配而為三症殊失經
意觀下文曰此寒氣之腫則
其所向在肺可知矣
雖風寒之襲在經則以痛節
骨之痛今痛大項風蝦蟆瘟
之屬等為頸項咽喉癰疽為
肢節節肌肉之腫正此類也
至夏夏大帝曰寒之者熱之
熱之者寒之之類也

伯曰胃脉實則脹虚則泄脉實者氣有餘故脹滿脉虚者氣不足故泄利○新校正云詳此前對帝問知病之所在帝曰病成而變何謂岐伯曰風成為寒熱生氣通天論曰因於露風乃生寒熱故風成為寒熱也癉成為消中癉謂濕熱也熱積於內故變為消中也消中之證善食而瘦○新校正云詳王注以善食而瘦為消中按本經多食數溲為之消中善食而瘦乃是食㑊之證當云善食而溲數厥成為巔疾厥謂氣逆也氣逆上而不已則變為上巔之疾也久風為飧泄久風不變但在胃中則食不化而泄利也以肝氣內合而乘胃故為是病焉陰陽應象大論曰風氣通於肝故內應於肝也脉風成為癘經風論曰風寒客於脉而不去名曰癘風又曰癘者有榮氣熱胕其氣不清故使其鼻柱壞而色敗皮膚瘍潰然此則癘也夫如是者皆脉風成結變而為也病之變化不可勝數新校正云詳此前對帝問知病之所變奈何帝曰諸癰腫筋攣骨痛此皆安生安何也言何以生之岐伯曰此寒氣之腫八風之變也八風八方之風也然癰腫者傷東南西南風之變也筋攣骨痛者傷東風北風之變也靈樞經曰風從東方來名曰嬰兒風其傷人也外在筋紐風從東南來名曰弱風其傷人也外在於肌風從西南來名曰謀風其傷人也外在於肉風從此方來名曰大剛風其傷人也外在於骨由此四風之變而三病乃生故下問對是也帝曰治之奈何岐伯曰此四時之病以其勝治

新■■■曰至其寸口中手也
大則邪至小則平（色診色也
數云肝脉弦肝主筋腎脉沉
皆主骨青肝青之色青而
黑也赤者心火之色心主
也脉見弦沉而色蒼赤者
筋骨血脉俱病故當毀
傷也凡毀傷筋骨者無會
不見血已見血者凝其經
必滞氣血凝滞形如腫滿
故如濕氣在經而同於中水
之形狀
十八難 脉經一卷
二十五難 虞注 濟注 脉經圖說
脉訣 診家樞要
附翼三卷

之愈也勝謂勝剋也如金勝木木勝土土勝水水勝火火勝金此則相勝也帝曰有故病五藏
發動因傷脉色各何以知其久暴至之病乎重以色氣明前五藏堅長之脉
有自病故病及因傷脉也岐伯曰悉乎哉問也徵其脉小色不奪者新病
也氣久之而神猶強也徵其脉不奪其色奪者此久病也神持而猶淩其氣也徵
其脉與五色俱奪者此久病也神與氣俱衰也徵其脉與五色俱不
奪者新病也神與氣俱強也肝與腎脉並至其色蒼赤當病毀傷不
見血已見血濕若中水也肝色發心色赤赤色見當脉洪腎脉見當色黑今腎脉來反見心色
故當因傷而血不見也若已見血則是濕氣及水在腹中也何者以心腎脉色中外之候不相應也尺內兩傍
則季脇也尺內謂尺澤之內也兩傍各謂尺之外側也季脅近腎尺主之故尺內兩傍則季脅也尺外
以候腎尺裏以候腹中尺外謂尺之外側尺裏謂尺之內側也次尺外下兩傍則季脅之分季脅
之上腎之分季脅之內則腹之分也附上左外以候肝內以候鬲肝主賁賁鬲也右外
以候胃內以候脾脾居中故以內候之胃為市故以外候之附上右外以候肺
內以候胷中肺葉垂外故以外候之胷中主氣管故以內候之左外以候心內以候

陰不足〻虛津液乾而陽邪火盛也
類云沉細者腎之脉体也兼數則熱陷中有火也設為少陰之陽厥（兼數者真陰虛虛陽亢也）
絡諸家云人迎一盛病在足少陽一盛而躁病在手少陽〻〻脉口一盛〻病在足厥陰一盛而躁在手〻〻

膻中心主宮中也。膻中則氣海也，嗌也。○新校正云：詳王氏以膻中為嗌也，疑誤。前以候前，後以候後。上前謂左寸口，下前謂胷之前膺及氣海也。上後謂右寸口，下後謂背之後背及氣管也。上竟上者，胷喉中事也；下竟下者，少腹腰股膝脛足中事也。上竟上至魚際也。下竟下謂盡尺之脉動處也。少腹胞氣海在膀胱，腰股膝脛足中之氣動靜，皆分其遠近及連接分別名目以候之，知其善惡也。麤大者，陰不足陽有餘，為熱中也。麤大謂脉洪大也，脉洪為熱，故曰熱中。來疾去徐，上實下虛，為厥巔疾；來徐去疾，上虛下實，為惡風也。亦脉狀也。故中惡風者，陽氣受也。以上虛故陽氣受也。有脉俱沈細數者，少陰厥也。尺中之有脉沈細數者，是腎少陰氣逆也。何者？尺脉不當見數，有數故言厥也。俱沈細數者，言左右尺中也。沈細數散者，寒熱也。陽干於陰，陰氣不足，故寒熱也。正理論曰：數為陽。浮而散者為眴仆。脉浮為虛，散為不足，氣虛而血不足，故為頭眩而仆倒也。眴音順。諸浮不躁者，皆在陽，則為熱；其有躁者在手。言大法也。但浮不躁，則病在足陽脉之中；躁者，病在手陽脉之中也。故又曰其有躁者在手也。陽為火氣，故為熱。諸細而沈者，皆在陰，則為骨痛；其有靜者在足。細沈而躁，則病生於手陰脉之中；靜者，病生於足陰脉之中也。故又曰其有靜者在足也。陰主骨，故骨痛數動一代者病在陽之脉也洩及便膿血代止也數動一代是陽氣之生病故云病在陽之脉所以然者以洩利及膿血脉乃尔諸過者切之濇者陽氣有餘也滑者陰氣有餘也陽有餘則血少故脉濇陰有餘則氣多故脉滑也○新校正云詳氣多疑誤當是血多也陽氣有餘爲身熱無汗陰氣有餘爲多汗身寒血少氣多斯可知也陰陽有餘則無汗而寒陽餘无汗陰餘身寒若陰陽有餘則當无汗而寒也推而外之内而不外有心腹積也脉附臂筋取之不審推筋令遠使脉外行內而不出外者心腹中有積乃尔推而内之外而不内身有熱也脉遠臂筋推之令近遠而不近是陽氣有餘故身有熱也推而上之上而不下腰足清也推筋按之尋之而上脉上涌盛是陽氣有餘故腰足冷也○新校正云按甲乙經上而不下作下而不上推而下之下而不上頭項痛也推筋按之尋之而下脉沉下掣是陽氣有餘故頭項痛也○新校正云按甲乙經下而不上作上而不下按之至骨脉氣少者腰脊痛而身有痺也陰氣大過故尔

○平人氣象論篇第十八新校正云按全元起本在第一卷

黃帝問曰平人何如平人謂氣候平調之人也岐伯對曰人一呼脉再動

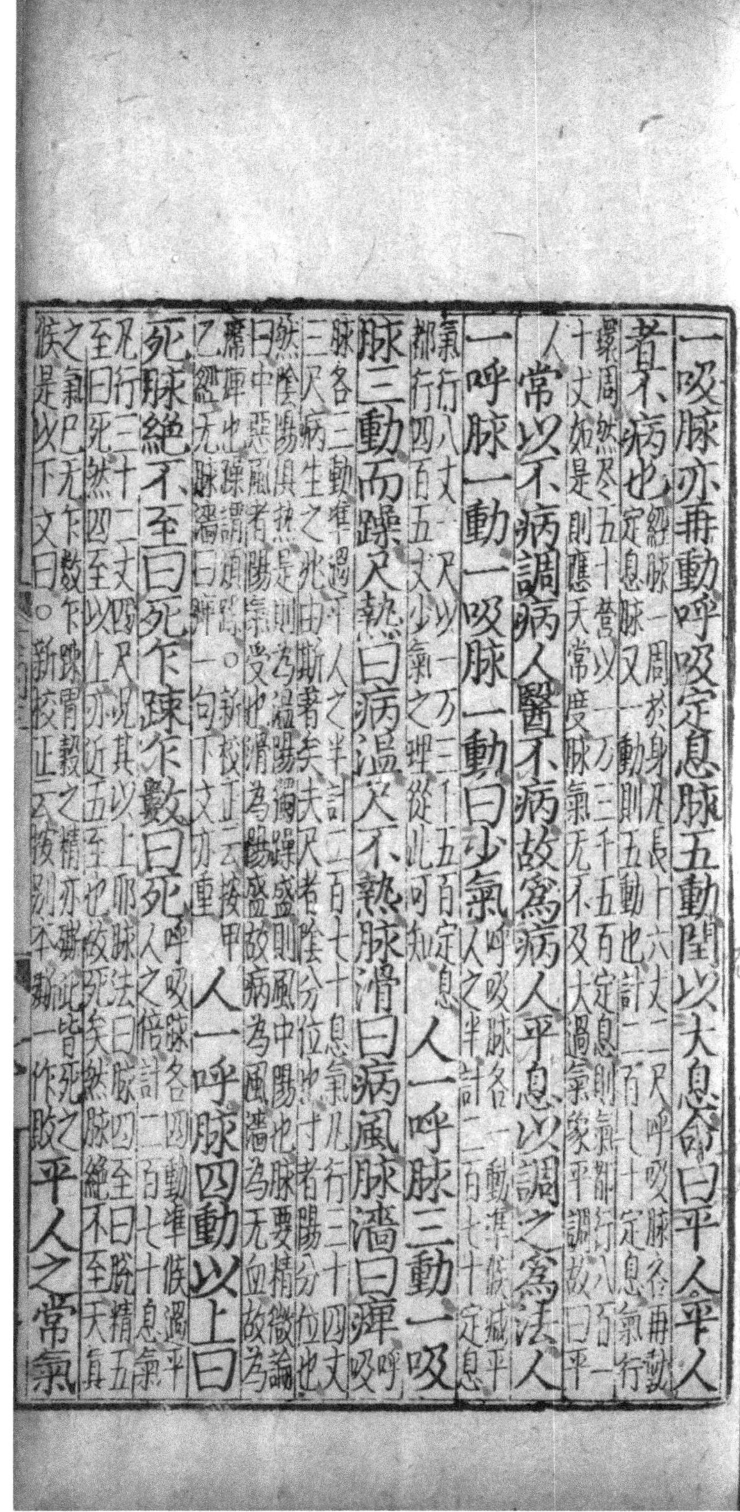

一吸脉亦再動呼吸定息脉五動閏以太息命曰平人平人者不病也經脉一周於身凡長十六丈二尺呼吸脉各再動定息脉又一動則五動也計二百七十定息氣行環周然盡五十營以一万三千五百定息則氣都行八百一十丈如是則應天常度脉氣无不及太過氣象平調故曰平人常以不病調病人醫不病故爲病人平息以調之爲法人一呼脉一動一吸脉一動曰少氣呼吸脉各一動準候減平人之半計二百七十定息氣行八丈一尺以一万三千五百定息都行四百五丈少氣之理從此可知人一呼脉三動一吸脉三動而躁尺熱曰病溫尺不熱脉滑曰病風脉濇曰痺呼吸脉各三動準過平人之半計二百七十息氣凡行三十四丈三尺病生之兆由斯著矣夫尺者陰分位也寸者陽分位也然陰陽俱熱是則爲溫陽獨躁盛則風中陽也脉要精微論曰中惡風者陽氣受也滑爲陽盛故病爲風濇爲无血故爲痺也躁謂煩躁。新校正云按甲乙經无脉濇曰痺一句下文亦重人一呼脉四動以上曰死脉絕不至曰死乍踈乍數曰死呼吸脉各四動準候過平人之倍計二百七十息氣凡行三十二丈四尺况其以上耶脉法曰脉四至曰脫精五至曰死然四至以上亦近五至也故死矣然脉絕不至天眞之氣已无乍數乍踈胃穀之精亦以斷絕故皆死之候是以下文曰。新校正云按別本斷一作敗平人之常氣

稟於胃胃者平人之常氣也常平之氣胃海致之靈樞經曰胃為水穀之海也正理論曰穀入於胃脉道乃行人無胃氣曰逆逆者死逆謂反平人之候也○新校正云按甲乙經云人常稟氣於胃脉以胃氣為本无胃氣曰逆〻者死春胃微弦曰平言微似弦不謂微而弦也鉤及耎弱毛石義並同弦多胃少曰肝病但弦無胃曰死謂急而益勁如新張弓弦也胃而有毛曰秋病毛秋脉金氣也毛甚曰今病木受金邪故今病藏真散於肝肝藏筋膜之氣也象陽氣之散發故藏真散也藏氣法時論曰肝欲散急食辛以散之取其順氣夏胃微鉤曰平鉤多胃少曰心病但鉤無胃曰死謂前曲後居如操帶鉤也胃而有石曰冬病石冬脉水氣也石甚曰今病火被水侵故今病藏真通於心心藏血脉之氣也象陽氣之炎盛也藏氣法時論曰心欲耎食鹹以耎之取其順氣長夏胃微耎弱曰平弱多胃少曰脾病但代無胃曰死謂動而中止不能自還也耎弱有石曰冬病石冬脉水氣也次其勝剋石當為弦長夏土絕故云石也弱甚曰今病弱甚為土氣不足故今病○新校正云按甲乙經弱作石藏真濡於脾脾藏肌肉之氣也以含藏水穀故藏真濡也秋胃微毛曰平毛多胃少曰肺病但毛無胃曰

死謂如物之浮，如風吹毛也。毛而有弦曰春病弦，春脈，木氣也。次其乘剋，弦當為鈎，金氣逼肝，則脈弦來見，故不鈎而反弦也。弦甚曰今病木氣逆來乘金，則今病。藏真高於肺，以行榮衛陰陽也肺處上焦，故藏真高也。靈樞經曰：榮氣之道，內穀為實，穀入於胃，氣傳與肺，流溢於中，布散於外，精專者行於經隧，以其自肺宣布，故云以行榮衛陰陽也。○新校正云：按別本實一作寶。冬胃微石曰平，石多胃少曰腎病，但石無胃曰死謂如奪索，辟辟如彈石也。石而有鈎曰夏病鈎，夏脈，火兼土氣也。次其乘剋，鈎當云弱，土王長夏，不見正形，故石而有鈎，兼其土也。鈎甚曰今病水受火土之邪，故今病。藏真下於腎，腎藏骨髓之氣也腎居下焦，故云藏真下也。腎化骨髓，故藏骨髓之氣也。胃之大絡，名曰虛里，貫鬲絡肺，出於左乳下，其動應衣，脈宗氣也宗，尊也，主也，謂十二經脈之尊主也。貫鬲絡肺出於左乳下者，自鬲而出於乳下，乃絡肺也。盛喘數絕者，則病在中；絕，謂暫斷絕也。結而橫，有積矣；絕不至曰死。皆左乳下脈動狀也。中，謂腹中也。乳之下，其動應衣，宗氣泄也。泄，謂發泄。○新校正云：按全元起本無此十一字，甲乙經亦無，詳上下文義，多此十一字，當去。欲知寸口太過與不及，寸口之脈中手短者，曰頭痛；寸口脈中手長者，曰足脛

痛短為陽氣不及故病於頭長為陰氣大過故病於足寸口脉中手促上擊者曰肩背
痛陽盛於上故肩背痛寸口脉沉而堅者曰病在中寸口脉浮而盛者
曰病在外沉堅為陰故病在中浮盛為陽故病在外也寸口脉沉而弱曰寒熱及
疝瘕少腹痛沉為寒弱為熱故曰寒熱也又沉為陰盛弱為陽餘二盛相薄正當寒熱不當為疝瘕而少腹
痛應古之錯簡爾○新校正云按甲乙經无此十五字況下文已有寸口脉沉而喘曰寒熱脉急者曰疝瘕少腹痛此文
衍當去寸口脉沉而橫曰脇下有積腹中有橫積痛亦陰氣內結也寸
口脉沉而喘曰寒熱喘為陽吸沉為陰爭爭吸相薄故寒熱也脉盛滑堅者曰病
在外脉小實而堅者病在內盛滑為陽小实為陰陰病二在内陽病病在外脉小弱
以濇謂之久病小為氣虛濇為无血二氣虛弱故云久遠之病也脉滑浮而疾者謂
之新病滑浮為陽足脉疾為氣全陽足氣全故云新淺之病也脉急者曰疝瘕少腹痛
此覆前疝瘕少腹痛之脉也言沉弱不必為疝瘕沉急乃与診相應脉滑曰風脉濇曰痺滑為陽二
受病則為風濇為陰二受病則為痺緩而滑曰熱中盛而緊曰脹緩謂縱緩之狀非動之遲
緩也陽盛於中故脉滑緩寒氣否滿故脉盛緊也盛緊盛滿也脉從陰陽病易已脉逆陰陽

病難已（脈病相應謂之從脈病相反謂之逆）脈得四時之順曰病無他脈反四時及不間藏曰難已（春得秋脈夏得冬脈秋得夏脈冬得四季脈皆謂反四時氣不相應故難已也）臂多青脈曰脫血（血少脈空客寒因入寒凝血汁故脈色青也）尺脈緩濇謂之解㑊（尺為陰部腹腎主之緩為熱中濇為无血熱而无血故解㑊而不可名之然寒不寒熱不熱弱不弱壯不壯儜不可名謂之解㑊也脈要精微論曰尺外以候腎尺裏以候腹中則腹腎主尺之義也儜音能困弱也）安臥脈盛謂之脫血（臥久傷氣氣傷則脈診應微今脈盛而不微則血去而氣无所主乃尔盛謂數急而大鼓也）尺濇脈滑謂之多汗（謂尺膚濇而尺脈滑也膚濇者榮血內涸脈滑為陽氣內餘血涸而陽氣尚餘多汗而脈乃如是也）尺寒脈細謂之後泄（尺主下焦診應腸腹故膚寒脈細泄利乃然脈法曰陰微即下言尺氣虛少）脈尺麤常熱者謂之熱中（謂下焦中也）肝見庚辛死（庚辛為金伐肝木也）心見壬癸死（壬癸為水滅心火也）脾見甲乙死（甲乙為木剋脾土也）肺見丙丁死（丙丁為火鑠肺金也）腎見戊己死（戊己為土剋腎水也）是謂真藏見皆死（亦通明三部九候論中真藏脈見者勝死也尺麤而藏見亦然）頸脈動喘疾欬曰水（水氣上溢則肺被熱熏陽氣上逆故頸脈盛鼓而欬喘也頸脈謂耳下及結喉傍人迎脈也）目裏微腫如卧蠶起

之狀曰水評熱病論曰水者陰也目下亦陰也腹者至陰之所居也故水在腹中者以使目下腫也溺黃
赤安卧者黃疸疸勞也腎勞胞熱故溺黃赤也正理論曰謂之勞癉以女勞得之也。新校正云詳王註
以疸為勞義非若謂女勞得疸則可若以疸為勞則非也已食如飢者胃疸是則胃熱也熱則消穀故
食已如飢也面腫曰風加之面腫則胃風之診也何者胃陽明脉起於鼻交頞中下循鼻外故尔足脛
腫曰水是謂下焦有水也腎少陰脉出於足心上循脛過陰股從腎上貫肝鬲故下焦有水足脛腫也目黃
者曰黃疸陽拂於上熱積胸中陽熱上燔故目黃也灵樞經曰目黃者病在胃婦人手少陰新校
正云按全元起本作足少陰脉動甚者任子也手少陰脉謂掌後陷者中當小指動而應手者也灵
樞經曰少陰无輸心不病乎岐伯曰其外經病而藏不病故獨取其經於掌後鋭骨之端此之謂也動謂動脉也動脉者
大如豆厥〻動摇也正理論曰脉陰陽相薄名曰動也又經脉別論曰陰薄陽別謂之有子。新校正云按經脉別論中
无此文脉有逆從四時未有藏形春夏而脉瘦新校正云按玉機真藏論瘦作
沉濇秋冬〻而脉浮大命曰逆四時也春夏脉瘦謂沉細也秋冬浮大不應時也大法春夏
當浮大而反沉細秋冬〻當沉細而反浮大故曰不應時也風新校正云按玉機真藏論風作病熱而脉静
泄而脱血脉實新校正云按玉機真藏論篇濇作泄而脉大脉血而脉實病在中。脉虛病

在外新校正云按玉機真藏論作脈實堅病在外脈濇堅者新校正云按玉機真藏論作脈不實堅者皆難治風熱當脈躁而反靜泄而脫血當脈虛而反實邪氣在內當脈實而反虛病氣在外當脈虛滑而反堅濇故皆難治也命曰反四時也皆反四時之氣乃如是矣○新校正云詳命曰反四時也此六字應古錯簡當去自前未有藏形春夏至此五十二字与後玉機真藏論文相重人以水穀為本故人絕水穀則死脈無胃氣亦死所謂無胃氣者但得真藏脈不得胃氣也所謂脈不得胃氣者肝不弦腎不石也不弦不石皆謂不微似也大陽脈至洪大以長氣盛故能尒○新校正云按扁鵲陰陽脈法云大陽之脈洪大以長其來浮於筋上動搖九分三月四月甲子王呂廣云大陽王五月六月其氣大盛故其脈洪大而長也少陽脈至乍數乍踈乍短乍長以氣有暢未暢者也○新校正云按扁鵲陰陽法云少陽之脈乍小乍大乍長乍短動搖六分王十一月甲子夜半正月二月甲子王呂廣云少陽王正月二月其氣尚微故其脈來進退無常陽明脈至浮大而短穀氣滿盛故也○新校正云詳无三陰脈應古文闕也按難經云大陰之至緊大而長少陰之至緊細而微厥陰之至沈短以敦呂廣云陽明王三月四月其氣始萌未盛故其脈來浮大而短扁鵲陰陽脈法云少陰之脈緊細動搖六分王五月甲子日中七月八月王大陰之脈緊細以長乘於筋上動搖九分九月十月甲子王殺

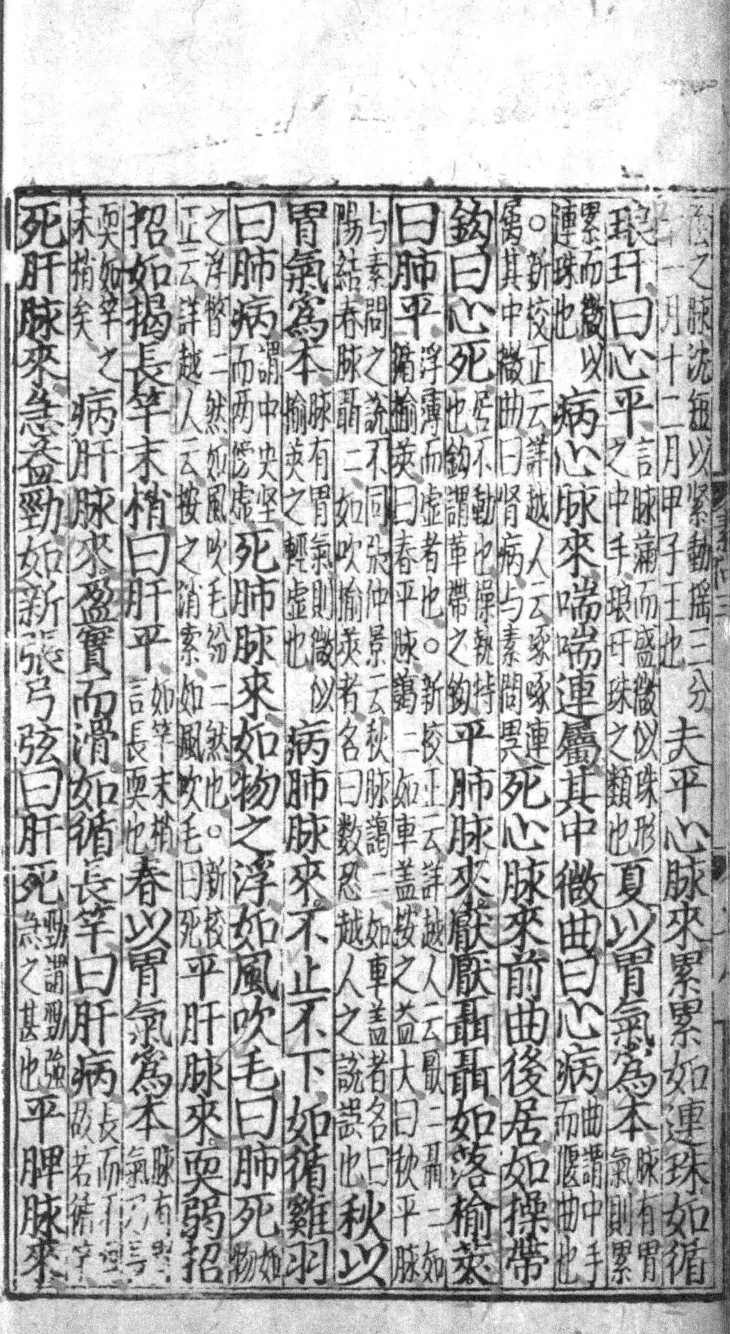

石之脈沈短以緊動搖三分十一月十二月甲子王也夫平心脈來累累如連珠如循
琅玕曰心平言脈滿而盛微似珠形之中手琅玕珠之類也夏以胃氣為本脈有胃氣則累
累而微似連珠也病心脈來喘喘連屬其中微曲曰心病曲謂中手而遲曲也
○新校正云詳越人云啄啄連屬其中微曲曰腎病與素問異死心脈來前曲後居如操帶
鉤曰心死居不動也操執持也鉤謂革帶之鉤平肺脈來厭厭聶聶如落榆莢
曰肺平浮薄而虛者也○新校正云詳越人云厭厭聶聶如循榆莢曰春平脈藹藹如車蓋按之益大曰秋平脈
與素問之說不同張仲景云秋脈藹藹如車蓋者名曰陽結春脈聶聶如吹榆莢者名曰數恐越人之說誤也秋以
胃氣為本脈有胃氣則微似榆莢之輕虛也病肺脈來不上不下如循雞羽
曰肺病謂中央堅而兩傍虛死肺脈來如物之浮如風吹毛曰肺死如物
之浮瞥瞥然如風吹毛紛紛然也○新校正云詳越人云按之消索如風吹毛曰死平肝脈來耎弱招
招如揭長竿末梢曰肝平如竿末梢言長耎也春以胃氣為本脈有胃氣乃長
耎如竿之末梢矣病肝脈來盈實而滑如循長竿曰肝病長而不耎故若循竿也
死肝脈來急益勁如新張弓弦曰肝死勁謂勁強急之甚也平脾脈來

和柔相離如雞踐地曰脾平「言脉來動數相離緩急和而調」長夏以胃氣爲本「胃少則脉實數」病脾脉來實而盈數如雞舉足曰脾病「胃少故脉實急矣舉足謂如雞走之舉足也○新校正云詳越人以為心病」死脾脉來銳堅如烏之喙「新校正云按千金方作如雞之喙也」如烏之距如屋之漏如水之流曰脾死「烏喙鳥距言銳堅也水流屋漏言其至也水流謂平至不鼓屋漏謂時動復住」平腎脉來喘喘累累如鉤按之而堅曰腎平「謂如心脉而鉤按之小堅爾○新校正云按越人云其來上大下兌濡滑如雀之喙曰平呂廣云上大者足太陽下兌者是少陰々陽得所為胃氣強故謂之平雀喙者本大而未兌也」冬以胃氣爲本「胃少則不安亦堅也」病腎脉來如引葛按之益堅曰腎病「形如引葛言不按且堅明按之則尤甚也」死腎脉來發如奪索辟々如彈石曰腎死「發如奪索猶蛇之走辟々如彈石言促又堅也」

○玉機眞藏論篇第十九「新校正云按全元起本在第六卷」

黃帝問曰春脉如弦何如而弦岐伯對曰春脉者肝也東方木也萬物之所以始生也故其氣來耎弱輕虛而滑端直以

長故曰弦言端直而長狀如弦也○新校正云按越人云春脈弦者東方木也万物始生未有枝葉故其脈來
濡弱而長四時經輕作寬反此者病反謂反常平之候帝曰何如而反岐伯曰其
氣來實而強此謂太過病在外其氣來不實而微此謂不及
病在中氣餘則病形於外氣少則病在於中也○新校正云按呂廣云實強者陽氣盛也少陽當微弱今更實強
謂之太過陽處表故令病在外厥陰之氣養於筋其脈弦今更虛微故曰不及陰處中故令病在內帝曰春脈
太過與不及其病皆何如岐伯曰太過則令人善忘忽忽眩
冒而巔疾其不及則令人胷痛引背下則兩脇胠滿忽忽不爽也眩
謂目眩視如轉也冒謂冒悶也胠謂腋下脇也忘當為怒字之誤也靈樞經曰肝氣實則怒肝厥陰脈自足而上入毛中
又上貫鬲布脇肋循喉嚨之後上入頏顙上出額與督脈會於巔故病如是○新校正云按氣交變大論云木太過甚則
忽忽善怒眩冒巔疾則忘當作怒帝曰善夏脈如鉤何如而鉤岐伯曰夏脈
者心也南方火也萬物之所以盛長也故其氣來盛去衰故
曰鉤言其脈來盛去衰如鉤之曲也○新校正云按越人云夏脈鉤者南方火也万物之所盛垂枝布葉皆下曲如
鉤故其脈來疾去遲呂廣云陽盛故來疾陰虛故去遲脈從下上至寸口疾還尺中遲也反此者病帝曰

何如而反岐伯曰其氣來盛去亦盛此謂太過病在外其脉來盛去盛是陽之盛也心氣有餘是爲太過其氣來不盛去反盛此謂不及病在中新校正云詳越人云肝心肺腎四藏脉俱以強實爲太過虛微爲不及与素問不同帝曰夏脉太過與不及其病皆何如岐伯曰太過則令人身熱而膚痛爲浸淫其不及則令人煩心上見欬唾下爲氣泄心少陰脉起於心中出屬心系下膈絡小腸又從心系却上肺故心大過則身熱膚痛而浸淫流布於形分不及則心煩上見欬唾下爲氣泄帝曰善秋脉如浮何如而浮岐伯曰秋脉者肺也西方金也萬物之所以收成也故其氣來輕虛以浮來急去散故曰浮脉來輕虛故名浮也來急以陽未沉下去散以陰氣上升也○新校正云按越人云秋脉毛者西方金也万物之所終草木華葉皆秋而落其枝獨在若毫毛也故其脉來輕虛以浮故曰毛反此者病帝曰何如而反岐伯曰其氣來毛而中央堅兩傍虛此謂太過病在外其氣來毛而微此謂不及病在中帝曰秋脉太過與不及其病皆何如岐伯曰太過則令人逆氣而背痛慍慍然其不及則令人喘呼

吸少氣而欬上氣見血下聞病音肺太陰脉起於中焦下絡大腸還循胃口上鬲屬肺從肺系橫出腋下復藏氣為欬主喘息故氣盛則肩背痛氣逆不及則喘息變易呼吸少氣而欬上氣見血也下聞病音謂喘息則肺中有聲也帝曰善冬〻脉如營何如而營脉沉而深如營動也○新校正云詳深一作濡又作搏按本經下文云其氣來沉以搏則深〻當為搏又按甲乙經搏字為濡當從甲乙經為得何以言之脉沉而濡〻古軟字乃冬〻脉之平調脉若沉而搏擊於手則冬〻脉之大過脉也故言當從甲乙經濡字岐伯曰冬〻脉者腎也北方水也萬物之所以合藏也故其氣來沉以搏故曰營言沉而搏擊於手也○新校正云按甲乙經搏當作濡義如前說又越人云冬〻脉石者此方之水也万物之所藏盛冬〻之時水凝如石故其脉來沉濡而滑故曰石也反此者病帝曰何如而反岐伯曰其氣來如彈石者此謂大過病在外其去如數者此謂不及病在中帝曰冬〻脉大過與不及其病皆何如岐伯曰大過則令人解㑊新校正云按解㑊之義具第五卷注脊脉痛而少氣不欲言其不及則令人心懸如病飢𦙶中清脊中痛少腹滿小便變腎少陰脉自股內後廉貫脊屬腎絡膀胱其直行者從腎上貫肝鬲入肺中循喉嚨俠舌本其支別者從肺出絡心注胸中故

病如是也眇者季脇之下俠脊兩傍空軟處也眇外當眇故眇中清冷也帝曰善帝曰四時之序逆從之變異也脉春弦夏鉤秋浮冬營爲逆順之變見異狀也然脾脉獨何主主謂主時月岐伯曰脾脉者土也孤藏以灌四傍者也納水穀化津液溉灌於肝心肺腎也以不正主四時故謂之孤藏溉古代反帝曰然則脾善惡可得見之乎岐伯曰善者不可得見惡者可見不正主時寄王於四季故善不可見惡可見也帝曰惡者何如可見岐伯曰其來如水之流者此謂大過病在外如鳥之喙者此謂不及病在中新校正云按平人氣象論云如鳥之喙又别本喙作啄帝曰夫子言脾爲孤藏中央土以灌四傍其大過與不及其病皆何如岐伯曰大過則令人四支不舉以主四支故病不舉其不及則令人九竅不通名曰重強脾之孤藏以灌四傍今病則五藏不和故九竅不通也八十一難經曰五藏不和則九竅不通重謂藏氣重疊強謂氣不和順帝瞿然而起再拜而稽首曰善吾得脉之大要天下至數五色脉變揆度奇恒道在於一瞿然忙貌也言以大過不及而一貫之揆度奇恒皆通也神轉不迴迴則不轉乃失其機五氣

循環不愆時叙是為神氣流轉不廻若卻行衰王反天之常氣是則卻廻而不轉由是卻廻不轉乃失生氣之機矣至數之要迫近以微得至數之要道則應用切近以微妙也迫切也著之玉版藏之藏府每旦讀之名曰玉機著之玉版故以為名言是玉版生氣之機○新校正云詳至數至名曰玉機与前玉版論要文相重彼注頗詳五藏受氣於其所生傳之於其所勝氣舍於其所生死於其所不勝病之且死必先傳行至其所不勝病乃死受氣所生者謂受病氣於己之所生者也傳所勝者謂傳於己之所剋者也氣舍所生者謂舍於生己者也死所不勝者謂死於剋己者之分位也所傳不順故必死焉此言氣之逆行也故死所為逆者次如下說肝受氣於心傳之於脾氣舍於腎至肺而死心受氣於脾傳之於肺氣舍於肝至腎而死脾受氣於肺傳之於腎氣舍於心至肝而死肺受氣於腎傳之於肝氣舍於脾至心而死腎受氣於肝傳之於心氣舍於肺至脾而死此皆逆死也一日一夜五分之此所以占死生之早暮也肝死於肺位秋庚辛餘四倣此然朝主甲乙晝主丙丁四季上主戊己晡主庚辛夜主壬癸由此則死生之早暮可知也○新校正云按甲乙經生作者

字云占死者之早暮詳此經又專為言氣之逆行也故死即不言生之早暮王氏改者徐生義不若甲乙經中素問本文

黃帝曰五藏相通移皆有次五藏有病則各傳其所勝以上文逆傳而死故言是逆傳所勝之次也○新校正云詳逆傳所勝之次逆當作順上文既言逆傳下文所言乃順傳之次也

不治法三月若六月若三日若六日傳五藏而當死是順傳所勝之次三月者謂一藏氣之遷移六月者謂至其所勝之位三日者三陽之數以合日也六日者謂兼三陰以數之尔熱論曰傷寒一日巨陽受二日陽明受三日少陽受四日太陰受五日少陰受六日厥陰受則其義也○新校正云詳上文是順傳所勝之次七字乃是次前注誤在此經文之下不惟无義兼校之全元起本素問及甲乙經並无此七字直去之慮未達者致疑今存于注

故曰別於陽者知病從來別於陰者知死生之期主辯三陰三陽之候則知中風邪氣之所不勝矣故下曰○新校正云詳舊此段注寫作經今改為注又按陰陽別論云別於陽者知病處也別於陰者知死生之期又云別於陽者知病忌時別於陰者知死生之期義同

此言知至其所困而死困謂至所不勝也上文曰死於其所不勝是故風者百病之長也言先百病而有之○新校正云按生氣通天論云風者百病之始今風寒客於人使人毫毛畢直皮膚閉而為熱客謂客止於人形也風擊皮膚寒勝腠理故毫毛畢直玄府閉

玄府而熱生也當是之時可汗而發也邪在皮毛故可汗泄也陰陽應象大論曰善治者治皮毛
此之謂也或痹不仁腫痛病生而變故如是也熱中血氣則痛痺不仁寒氣傷形故為腫痛陰陽應象大
論云寒傷形熱傷氣氣傷痛形傷腫當是之時可湯熨及火灸刺而去之皆謂釋散
寒邪宣揚正氣弗治病入舍於肺名曰肺痺發欬上氣邪入諸陰則病而為痺故
入於肺名曰痺焉宣明五氣論曰邪入於陽則狂邪入於陰則痺肺在變動為欬故欬則氣上故上氣也弗治肺
即傳而行之肝病名曰肝痺一名曰厥脇痛出食肺金伐木氣下入肝
故曰弗治行之肝也肝氣通膽膽善為怒怒者氣逆故一名厥也肝厥陰脉從少腹屬肝絡膽上貫鬲布脇肋循喉嚨之
後上入頏顙故脇痛而食入腹則出故曰出食當是之時可按若刺耳弗治肝傳之
脾病名曰脾風發癉腹中熱煩心出黃肝氣應風木勝脾土土受風氣故曰脾風
蓋為風氣通肝而為名也脾之為病善發黃癉故發癉也脾太陰脉入腹屬脾絡胃上鬲俠咽連舌本散舌下其支別者
復從胃別上鬲注心中故腹中熱而煩心出黃色於便寫之所也當此之時可按可藥可浴
弗治脾傳之腎病名曰疝瘕少腹冤熱而痛出白一名曰蠱
腎少陰脉自股內後廉貫脊屬腎絡膀胱故少腹冤熱而痛溲出白液也冤熱內結消鑠脂肉如虫之食日內損削故一

名曰蠱當此之時可按可藥弗治腎傳之心病筋脉相引而急
病名曰瘛腎不足則水不生水不生則筋燥急故相引也陰氣內弱陽氣外燔筋脉受熱而自跳掣故名曰瘛
當此之時可灸可藥弗治滿十日法當死至心而氣極則如是矣若復傳行當如下說
腎因傳之心心即復反傳而行之肺發寒熱法當三歲
死因腎傳心心不受病即而復反傳與肺金肺已再傷故寒熱也三歲者肺至腎一歲腎至肝一歲肝至心一歲火又乘肺故云三歲死此病之次也謂傳勝之次第然其卒發者不必治於傳不依傳之次故不必以傳治之
或其傳化有不以次不以次入者憂恐悲喜
怒令不得以其次故令人有大病矣憂恐悲喜怒發無常分觸遇則發故令病氣亦不次
而生因而喜大虛則腎氣乘矣喜則心氣移於肺心氣不守故腎氣乘矣宣明五氣篇曰精氣并於
心則喜怒則肝氣乘矣怒則氣逆故肝氣乘脾悲則肺氣乘矣悲則肺氣
移於肝二氣受邪故肺氣乘矣宣明五氣篇曰精氣并於肺則悲恐則脾氣乘矣恐則腎氣移於心腎
氣不守故脾氣乘矣宣明五氣篇曰精氣并於腎則恐憂則心氣乘矣憂則肝氣移於脾肝氣不守故
心氣乘矣宣明五氣篇曰精氣并於肝則憂此其道也此其不次之常道故病有五五五

二十五變，及其傳化。五藏相并而各五之，五而乘之，則二十五變也。然其變化以勝相傳，傳而不次，變化多端。○新校正云：按陰陽别論云：凡陽有五，五五二十五陽，義与此通。傳，乘之名也。言傳者何？相乘之異名尒。大骨枯槁，大肉陷下，胷中氣滿，喘息不便，其氣動形，期六月死，真藏脉見，乃予之期日。皮膚乾著，骨間肉陷，謂大骨枯槁，大肉陷下也。諸附骨際及空窳處，亦同其類也。胷中氣滿，喘息不便，是肺无主也。肺司治節，氣息由之，其氣動形，爲无氣相接，故聳舉肩背以遠求報氣矣。夫如是，皆形藏已敗，神藏亦傷，見是證者，期後一百八十日内死矣。候見真藏之脉，乃与死日之期尔。真藏脉診，下經備矣。此肺之藏也。窳音愈。大骨枯槁，大肉陷下，胷中氣滿，喘息不便，内痛引肩項，期一月死，真藏見，乃予之期日。火精外出，陽氣上燔，金受火災，故内痛肩項。如是者，期後三十日内死。此心之藏也。大骨枯槁，大肉陷下，胷中氣滿，喘息不便，内痛引肩項，身熱，脱肉破䐃，真藏見，十月之内死。陰氣微弱，陽氣内燔，故身熱也。䐃者，肉之標，脾主肉，故肉如脱盡，䐃如破敗也。見斯證者，期後三百日内死。䐃謂肘膝後肉如塊者。此脾之藏也。䐃，渠殞反。大骨枯槁，大肉陷下，肩髓内消，動作益衰，真藏來見，期一歲死，見其真藏，乃予之期日。肩髓内消，謂缺盆深也。衰於動作，謂文殘缺微以餘藏尚全故刪後三百六十五日內死此腎之藏也○新校正云按全元起本及甲乙經真藏來見來字當作未字之誤也大骨枯槁大肉陷下胸中氣滿腹內痛心中不便肩項身熱破䐃脫肉目匡陷真藏見目不見人立死其見人者至其所不勝之時則死木生其火肝氣通心脈抵少腹上布脇肋循喉嚨之後上入頏顙故腹痛心中不便肩項身熱破䐃脫肉也肝主目故目匡陷及不見人立死也不勝之時謂於庚辛之月此肝之藏也急虛身中卒至五藏絕閉脈道不通氣不往來譬於墮溺不可為期言五藏相移傳其不勝則可待真藏脈見乃与死日之期卒急虛邪中於身內則五藏絕閉脈道不通氣不往來譬於墮墜沒溺不可与為死日之期也其脈絕不來若人一息五六至其形肉不脫真藏雖不見猶死也是則急虛卒至之脈○新校正云按人一息脈五六至何得為死必息字誤息當作呼乃是真肝脈至中外急如循刀刃責責然如按琴瑟弦色青白不澤毛折乃死真心脈至堅而搏如循薏苡子累累然色赤黑不澤毛折乃死真肺脈至大而虛如以毛羽中人膚色白赤不澤毛折乃死真腎脈至搏而絕如指彈石辟辟

然色黑黃不澤毛折乃死真脾脉至弱而乍數乍踈色黃青不澤毛折乃死諸真藏脉見皆死不治也（新校正云按楊上善云无餘物和雜故名真也五藏之氣皆胃氣和之不得獨用如至剛不得獨用獨用則折和柔用之即固也五藏之氣和於胃氣即得長生若真獨見必死欲知五藏真見為死和胃為生者於寸口診即可知見者如弦是肝脉也微弦為平和微弦謂二分胃氣一分弦氣俱動為微弦三分並是弦而无胃氣為見真藏餘四藏準此）黃帝曰見真藏曰死何也岐伯曰五藏者皆稟氣於胃胃者五藏之本也（胃為水穀之海故五藏稟焉）藏氣者不能自致於手大陰必因於胃氣乃至於手太陰也（平人之常稟氣於胃胃氣者平人之常氣故藏氣因胃乃能至於手大陰也○新校正云詳平人之常至下平人之常氣本平人氣象論文王氏引註此經按甲乙經云人常稟氣於胃脉以胃氣為本与此小異然甲乙之义為得）故五藏各以其時自為而至於手大陰也（自為其狀至於手大陰也）故邪氣勝者精氣衰也故病甚者胃氣不能與之俱至於手大陰故真藏之氣獨見獨見者病勝藏也故曰死（是所謂脉无胃氣也平人氣象論曰人无胃氣曰逆逆者死）帝曰善（新校正云詳自黃帝問至此一段全元起本在第四卷大陰陽明表裏篇）

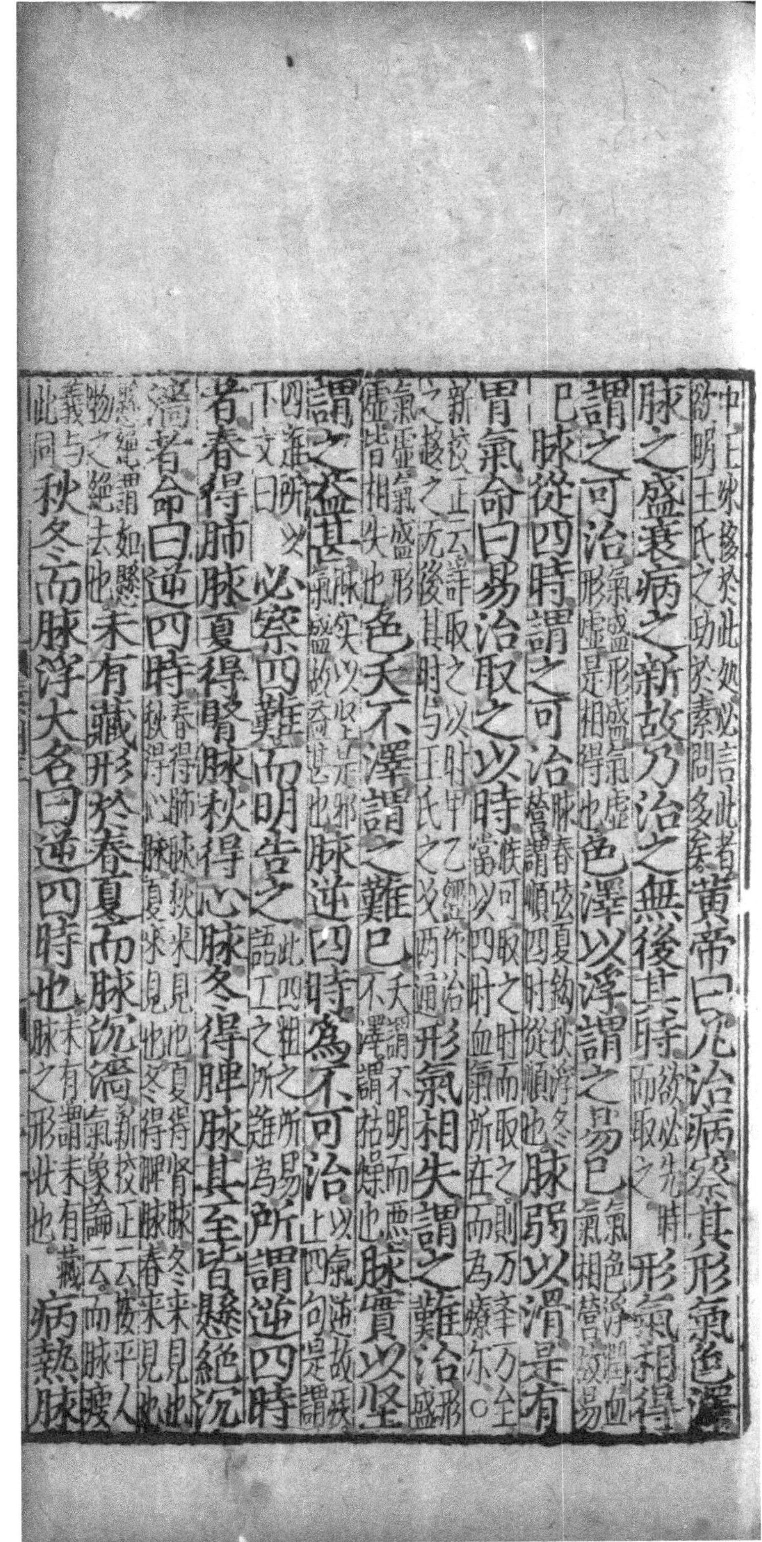

中已詳於此，然必言此者，欲明王氏之功於素問多矣。黃帝曰：凡治病察其形氣色澤，
脉之盛衰，病之新故，乃治之，無後其時。欲必先時而取之。形氣相得，
謂之可治；氣盛形盛，氣虛形虛，是相得也。色澤以浮，謂之易已；氣色浮潤，血氣相營，故易
已。脉從四時，謂之可治；脉春弦，夏鈎，秋浮，冬營，謂順四時。從，順也。脉弱以滑，是有
胃氣，命曰易治，取之以時。候可取之時而取之，則万舉万全，當以四時血氣所在而為療尔。○
新校正云：詳取之以時，甲乙經作治之趣之，無後其時，与王氏之义兩通。形氣相失，謂之難治；形盛
氣虛，氣盛形虛，皆相失也。色夭不澤，謂之難已；夭謂不明而惡，不澤謂枯燥也。脉實以堅，
謂之益甚；脉実以堅，是邪氣盛，故益甚也。脉逆四時，為不可治。以氣逆故也。上四句是謂
四難，所以下文曰：必察四難而明告之。此四粗之所易語，工之所難為。所謂逆四時
者，春得肺脉，夏得腎脉，秋得心脉，冬得脾脉，其至皆懸絕沉
濇者，命曰逆四時。春得肺脉，秋來見也；夏得腎脉，冬來見也；秋得心脉，夏來見也；冬得脾脉，春來見也。
懸絕謂如懸物之絕去也。未有藏形，於春夏而脉沉濇，新校正云：按平人氣象論云：而脉瘦，
義与此同。秋冬而脉浮大，名曰逆四時也。未有，謂未有藏脉之形狀也。病熱脉

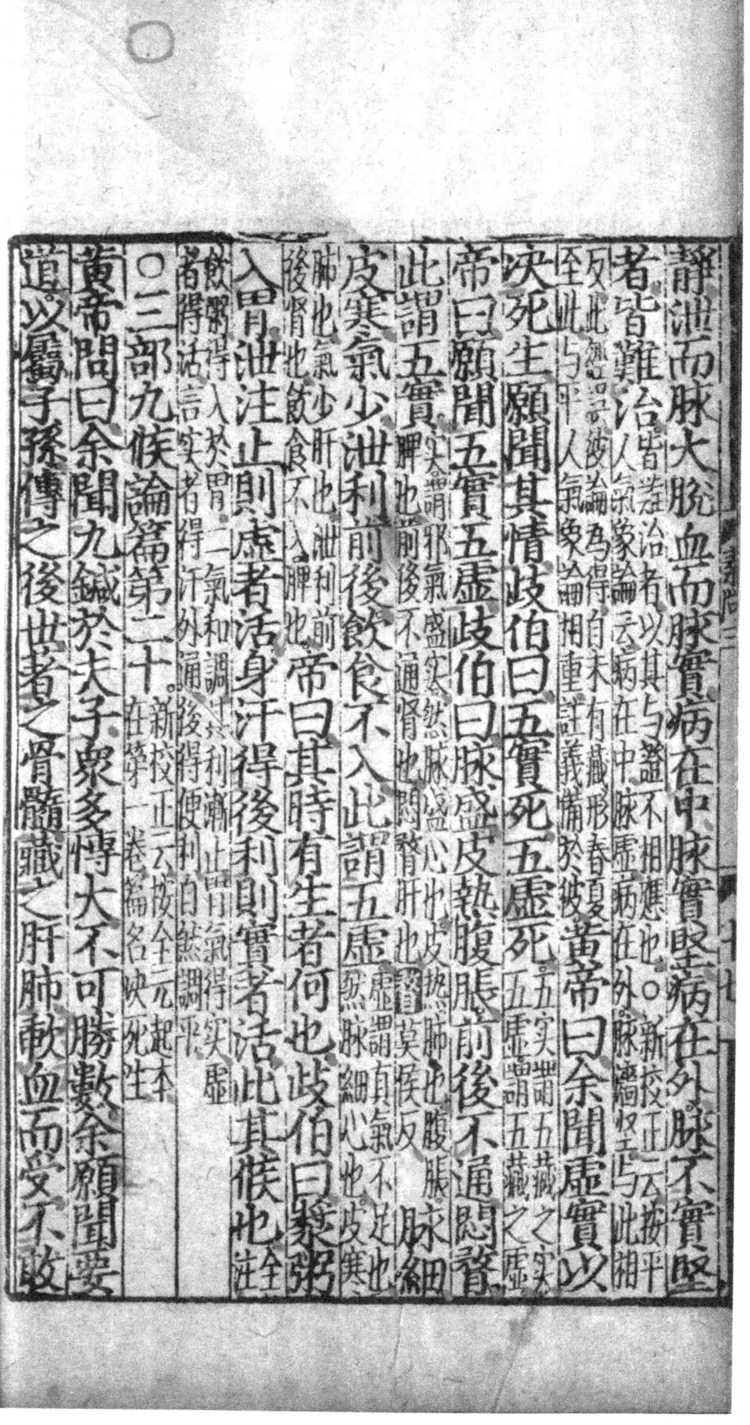

靜泄而脉大脫血而脉實病在中脉實堅病在外脉不實堅
者皆難治皆難治者以其與證不相應也○新校正云按平人氣象論云病在中脉虛病在外脉濇堅與此相反此經誤彼論爲得自未有藏形春夏至此與平人氣象論相重註義備於彼黃帝曰余聞虛實以
決死生願聞其情岐伯曰五實死五虛死五實謂五藏之實五虛謂五藏之虛
帝曰願聞五實五虛岐伯曰脉盛皮熱腹脹前後不通悶瞀
此謂五實實謂邪氣盛實然脉盛心也皮熱肺也腹脹脾也前後不通腎也悶瞀肝也瞀莫候反脉細
皮寒氣少泄利前後飲食不入此謂五虛虛謂真氣不足也然脉細心也皮寒肺也氣少肝也泄利前後腎也飲食不入脾也帝曰其時有生者何也岐伯曰漿粥
入胃泄注止則虛者活身汗得後利則實者活此其候也全注
飲粥得入於胃二氣和調其利漸止胃氣得實虛者得活言實者得汗外通後得便利自然調平
○三部九候論篇第二十。新校正云按全元起本在第一卷篇名決死生
黃帝問曰余聞九鍼於夫子衆多博大不可勝數余願聞要
道以屬子孫傳之後世著之骨髓藏之肝肺歃血而受不敢

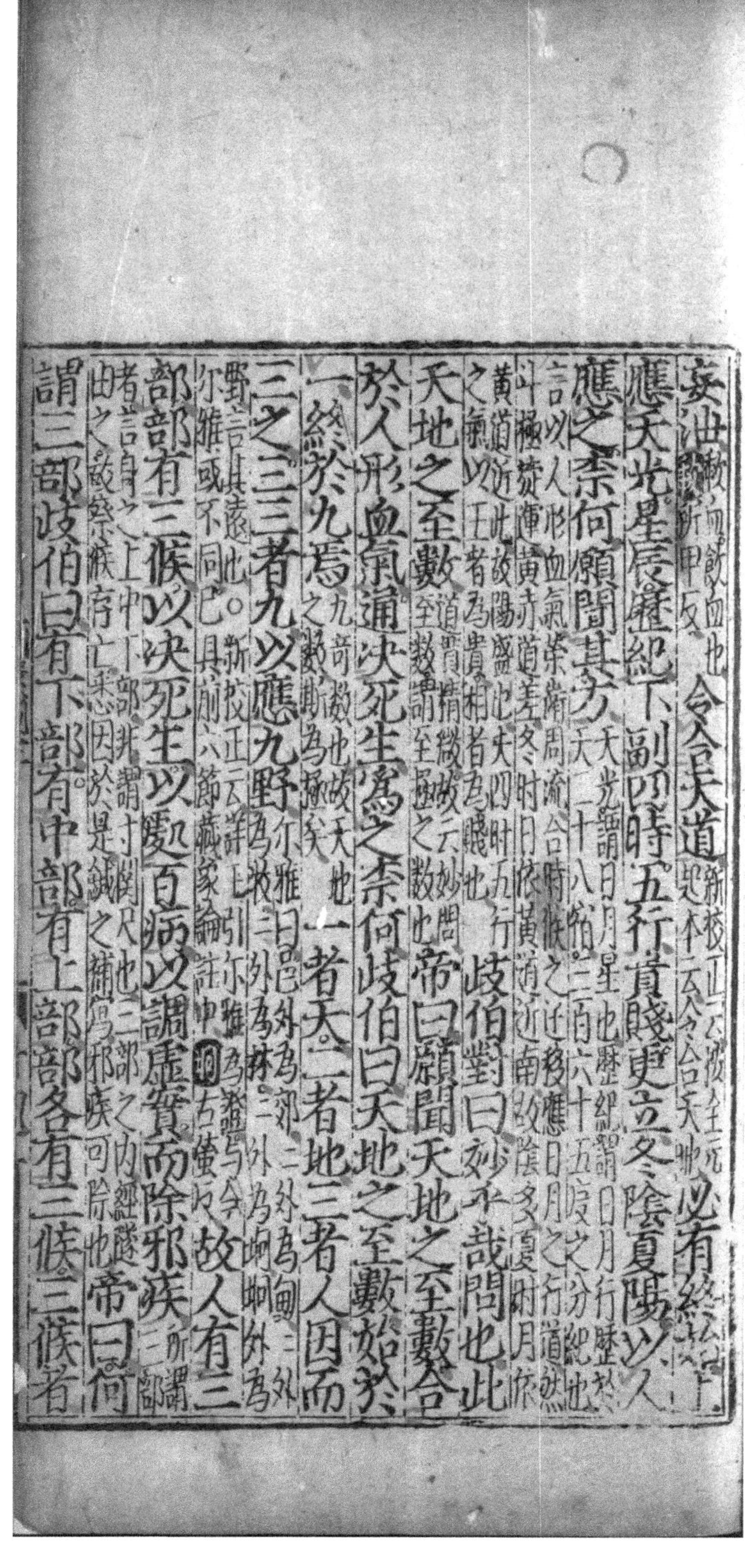

妄泄歃血飲血也歃所甲反令合天道新校正云按全元起本云令合天地必有終始上
應天光星辰歷紀下副四時五行貴賤更立冬陰夏陽以人
應之奈何願聞其方天光謂日月星也歷紀謂日月行歷於天二十八宿三百六十五度之分紀也
言以人形血氣榮衛周流合時候之遷移應日月之行道然斗極旋運黃赤道差冬時日依黃道近南故陰多夏時日依
黃道近北故陽盛也夫四時五行之氣以王者為貴相者為賤也岐伯對曰妙乎哉問也此
天地之至數道貫精微故云妙問至數謂至極之數也帝曰願聞天地之至數合
於人形血氣通決死生為之奈何岐伯曰天地之至數始於
一終於九焉九奇數也故天地之數斷為極矣一者天二者地三者人因而
三之三三者九以應九野爾雅曰邑外為郊郊外為甸甸外為牧牧外為林林外為坰坰外為
野言其遠也新校正云詳王引爾雅為證與今爾雅或不同已具前六節藏象論注中坰古螢反故人有三
部部有三候以決死生以處百病以調虛實而除邪疾所謂三部
者言身之上中下部非謂寸關尺也三部之內經隧由之故察候存亡悉因於是鍼之補瀉邪疾可除也帝曰何
謂三部岐伯曰有下部有中部有上部部各有三候三候者

有天有地有人也必指而導之乃以為真言必當諮受於師也徵四失論曰受師不卒妄作雜術謬言為道更名自功妄用砭石後遺身咎此其誡也禮曰疑事无質質成也上部天兩額之動脈在額兩傍動應於手足少陽脈氣所行也上部地兩頰之動脈在鼻孔下兩傍近於巨髎之分動應於手足陽明脈氣之所行上部人耳前之動脈在耳前陷者中動應於手手少陽脈氣之所行也中部天手大陰也謂肺脈也在掌後寸口中是謂經渠動應於手中部地手陽明也謂大腸脈也在手大指次指歧骨間合谷之分動應於手也中部人手少陰也謂心脈也在掌後銳骨之端神門之分動應於手也靈樞經持鍼縱捨論問曰少陰无輸心不病乎對曰其外經病而藏不病故獨取其經於掌後銳骨之端正謂此也下部天足厥陰也謂肝脈也在毛際外羊矢下一寸半陷中五里之分臥而取之動應於手也女子取大衝在足大指本節後二寸陷中是下部地足少陰也謂腎脈也在足內踝後跟骨上陷中大谿之分動應手下部人足大陰也謂脾脈也在魚腹上趨筋間直五里下箕門之分寬鞏足單衣沉取乃得之而動應於手也候胃氣者當取足跗之上衝陽之分穴中脈動乃應手也新校正云詳自上部天至此一段舊在當篇之末義不相接此正謂三部九候宜處於斷今依皇甫謐甲乙經編次例自篇末移置此故下部之天以候肝足厥陰脈行其中也地以候腎足少陰脈行其中也

人以候脾胃之氣（足太陰脈行其中也，脾藏与胃以膜相連，故以候脾兼候胃也。）帝曰中部之候奈何岐伯曰亦有天亦有地亦有人天以候肺（手太陰脈當其處也。）地以候胷中之氣（手陽明脈當其處也，經云腸胃同候，故以候胷中也。）人以候心（手少陰脈當其處也。）帝曰上部以何候之岐伯曰亦有天亦有地亦有人天以候頭角之氣（位在頭角之分，故以候頭角之氣也。）地以候口齒之氣（位近口齒，故以候之。）人以候耳目之氣（以位當耳前，脈抵於目外眥，故以候之。）三部者各有天各有地各有人三而成天（新校正云詳三而成天至合為九藏与六節藏象論文重，註義具彼篇。）三而成地三而成人三而三之合則為九九分為九野九野為九藏（以是故應天地之至數。）故神藏五形藏四合為九藏（所謂神藏者，肝藏魂，心藏神，脾藏意，肺藏魄，腎藏志也。以其皆神氣居之，故云神藏五也。所謂形藏者，皆如器外張，虛而不屈，含藏於物，故云形藏也。所謂形藏四者，一頭角，二耳目，三口齒，四胷中也。○新校正云詳註說神藏宜明五氣篇文，又与生氣通天論註、六節藏象論註重。）五藏已敗其色必夭夭必死矣（夭謂死色，異常之候也。色者神之旗，藏者神之舍，故神去則藏敗，藏敗則色見異常之候，死也。）帝曰以候奈何岐伯曰必先

度其形之肥瘦以調其氣之虛實一則寫之虛則補之度謂量也
實寫虛補此所謂順天之道也老子曰天之道損有餘補不足也必先去其血脈而後調之。
無問其病以平為期血脈滿堅謂邪留止故先刺去血而後乃調之不當詢問病者盈虛要以脈氣
平調為之期準爾帝曰決死生奈何度形肥瘦調氣盈虛不問病人以平為準死生之證以決之也
岐伯曰形盛脈細少氣不足以息者危形氣相反故生氣至危玉機真藏論曰形
氣相得謂之可治今脈氣不足形盛有餘證不相扶故當危也危者言其近死由有生治也刺志論曰氣實形實氣虛形
虛此其常也反此者病今脈細少氣是為氣弱体壯盛是為形盛形盛氣弱故生氣傾危。新校正按全元起注及甲乙
經脈經危並作死字形瘦脈大胷中多氣者死是則形氣不足脈氣有餘故死形瘦脈大胷中
氣多形藏已傷故云死也凡如是類皆形氣不相得也形氣相得者生參五不調者病
參謂參校伍謂類伍參校類伍而有不調謂不率其常則病也三部九候皆相失者死失謂氣候
不相類也相失之候診凡有七七診之狀如下文云上下左右之脈相應如參春者病
甚上下左右相失不可數者死三部九候上下左右凡十八診也如參春者謂大數而鼓
如參春杵之上下也脈要精微論曰大則病進故病甚也不可數者謂一息十至已上也脈法曰人一呼脈再至一吸脈

亦再至曰平三至曰離經四至曰奪精五至曰死六至曰命盡今相失而不可數者是過十至之外也至五尚死況至十
者乎中部之候雖獨調與衆藏相失者死中部之候相減者死
中部左右凡六診也上部下部已不相應中部獨調固非其久減於上下是亦氣衰故皆死也減謂偏少也○新校正云
詳旧云中部之候相減者死八字按全元起注本及甲乙經除之凡注有解人之說而經闕其文此脫在王注之後也
目內陷者死言大陽也大陽之脉起於目內眥目內陷者大陽絕也故死所以言大陽者大陽主諸陽之氣
故獨言之帝曰何以知病之所在岐伯曰察九候獨小者病獨大
者病獨疾者病獨遲者病獨熱者病獨寒者病獨陷下者病
相失之候診凡有七者此之謂也然脉見七診謂參伍不調隨其獨異以言其病尔以左手足上上去
踝五寸按之庶右手足當踝而彈之手足皆取之然手踝之上手大陰脉足踝之上
足大陰脉足大陰脉主肉應於下部手大陰脉主氣應於中部是以下文云脫肉身不去者死中部乍疏乍數者死○新
校正按甲乙經及全元起注本並云以左手足上去踝五寸按而按之右手當踝而彈之全元起注云內踝之上陰交之出
通於膀胱係於腎腎為命門是以取之以明吉凶今文少一之字而多一庶字及足字王注以手足皆取為解殊為穿鑿
當從全元起注旧本及甲乙經為正其應過五寸以上蠕蠕然者不病氣和故也其

應疾中手渾渾然者病中手徐徐然者病渾渾亂也徐徐緩也其應上
不能至五寸彈之不應者死氣絕故不應也是以脫肉身不去者死
穀氣外衰則肉如脫尽天真內竭故身不能行真穀並衰故死之至矣去猶行去也中部乍踈乍數者
死乍踈乍數氣之喪乱也故死其脉代而鉤者病在絡脉鉤謂夏脉又夏氣在絡故病在
絡脉也絡脉受邪則經脉滯否故代止也九候之相應也上下若一不得相失上下
若一言遲速小大等也一候後則病二候後則病甚三候後則病危所
謂後者應不俱也俱猶同一也察其府藏以知死生之期夫病入府則愈
入藏則死故死生期準察以知之必先知經脉然後知病脉經脉四時五藏之脉真藏
脉見者勝死所謂真藏脉者真肝脉至中外急如循刀刃責責然如按琴瑟弦真心脉至堅而搏如循薏苡
子累累然真脾脉至弱而乍數乍踈真肺脉至大而虛如毛羽中人膚真腎脉至搏而絕如指彈石辟辟然此五者皆
謂得真藏脉而无胃氣也平人氣象論曰胃者平人之常氣也人无胃氣曰逆逆者死此之謂也勝死者謂勝剋於己之
時則死也平人氣象論曰肝見庚辛死心見壬癸死脾見甲乙死肺見丙丁死腎見戊己死是謂勝死也足大陽
氣絕者其足不可屈伸死必戴眼足大陽脉起於目內眥上額交巔上從巔入絡腦還

出別下項循肩髆內俠脊抵腰中其支者復從肩髆別下貫臂過髀樞下合膕中貫腨循踵至足外側大陽氣絕死如是矣○新校正云按診要經終論載三陽三陰脉絕之證此獨犯足大陽氣絕一證餘應闕文也又註貫臂甲乙經作貫胂王氏註厥論刺瘧論各作貫胂又註刺腰論作貫臀詳甲乙流注臂當作胂帝曰冬陰夏陽奈何言死時也岐伯曰九候之脉皆沉細懸絕者為陰主冬故以夜半死盛躁喘數者為陽主夏故以日中死位无常居物極則反也乾坤之义陰極則龍戰于野陽極則亢龍有悔是以陰陽極脉死於夜半日中也是故寒熱病者以平旦死亦物極則變也平曉木王木氣為風故木王之時寒熱病死生氣通天論曰因於露風乃生寒熱由此則寒熱之病風薄所為也熱中及熱病者以日中死陽之極也病風者以日夕死卯酉衝也病水者以夜半死水王故也其脉乍疏乍數乍遲乍疾者日乘四季死辰戌丑未土寄王之脾氣內絕故日乘四季而死也形肉已脫九候雖調猶死亦謂形氣不相得也證前脫肉身不去者九候雖平調亦死也七診雖見九候皆從者不死但九候順四時之令雖七診互見亦生矣從謂順從也所言不死者風氣之病及經月之病似七診之病而非也故言不死風病之脉診大而數月經之病脉小以微雖候與七診之

狀畧同而死生之診乃異故不死也若有七診之病其脈候亦敗者死矣言雖七診

見九候從者不死若病同七診之狀而脈應敗亂縱九候皆順猶不得生也必發噦噫胃精內竭神不守心

故死之時發斯噦噫宣明五氣篇曰心為噫胃為噦也必審問其所始病與今之所方

病方正也言必當原其始而要終也而後各切循其脈視其經絡浮沉以上

下逆從循之其脈疾者○不病氣強盛故其脈遲者病氣不足故脈不往

來者死精神去也皮膚著者死骨乾枯也帝曰其可治者奈何岐伯曰

經病者治其經求有過者孫絡病者治其孫絡血有血留止刺而去之○新校正

云按甲乙經云絡病者治其絡血无二孫字血病身有痛者治其經絡靈樞經曰經脈為裏

支而橫者為絡絡之別者為孫絡由是孫絡則經之別支而橫也○新校正按甲乙經无血病二字其病者在

奇邪奇邪之脈則繆刺之奇謂奇繆不偶之氣而与經脈繆處也由是故繆刺之繆刺者刺絡

脈左取右右取左也留瘦不移節而刺之病氣淹留形容減瘦證不移易則消息節級養而刺之此

又重明前經无問其病以平為期者也上實下虛切而從之索其結絡脈刺出

其血以見通之結謂血結於絡中也血去則經隧通矣前經云先去血脈而後調復明其結絡乃先去也

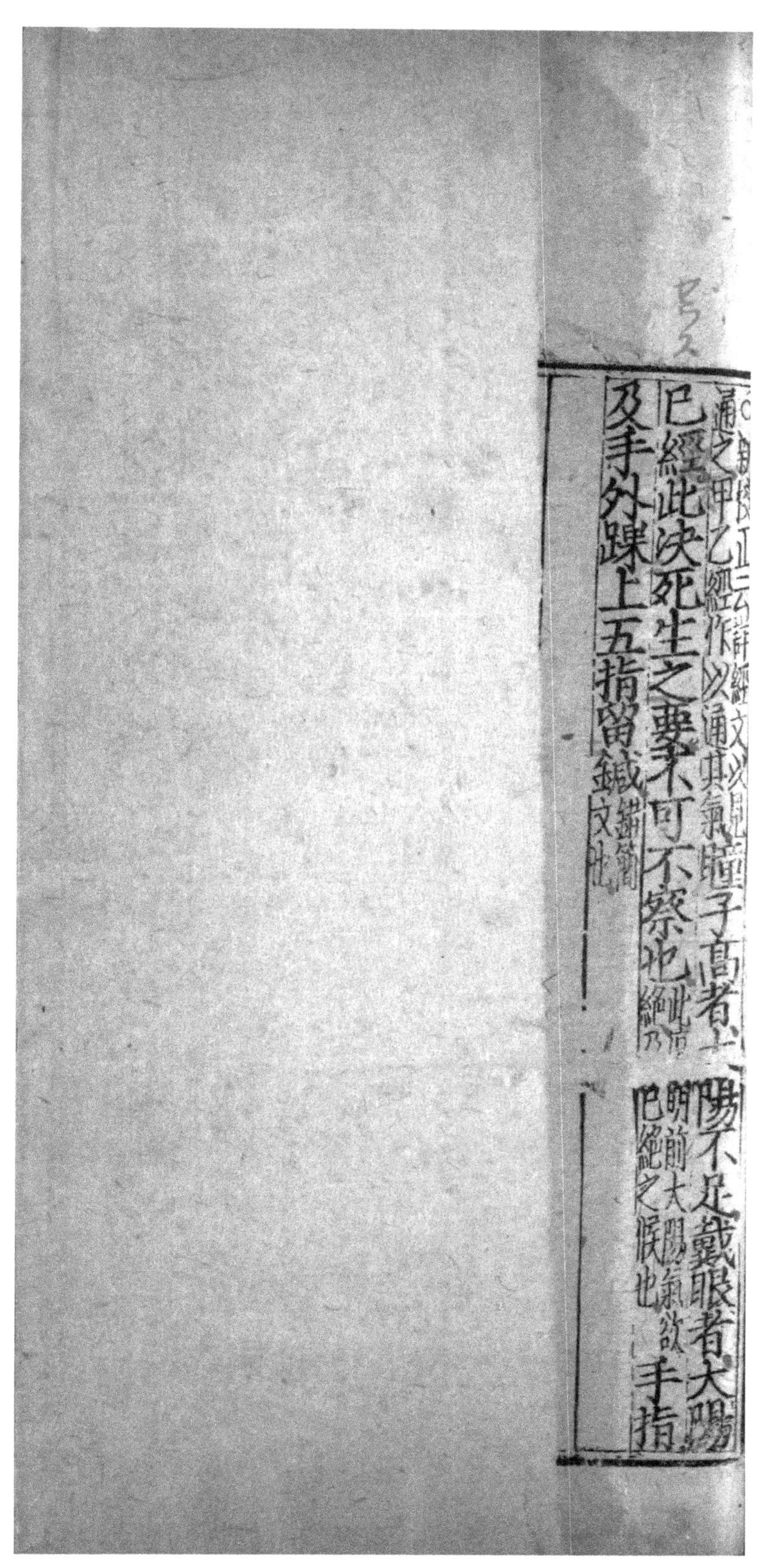
○新校正云詳經文以見通之甲乙經作以通其氣瞳子高者太陽不足戴眼者太陽已絕此決死生之要不可不察也此復明前太陽氣欲絕乃已絕之候也手指及手外踝上五指留鍼錯簡文也

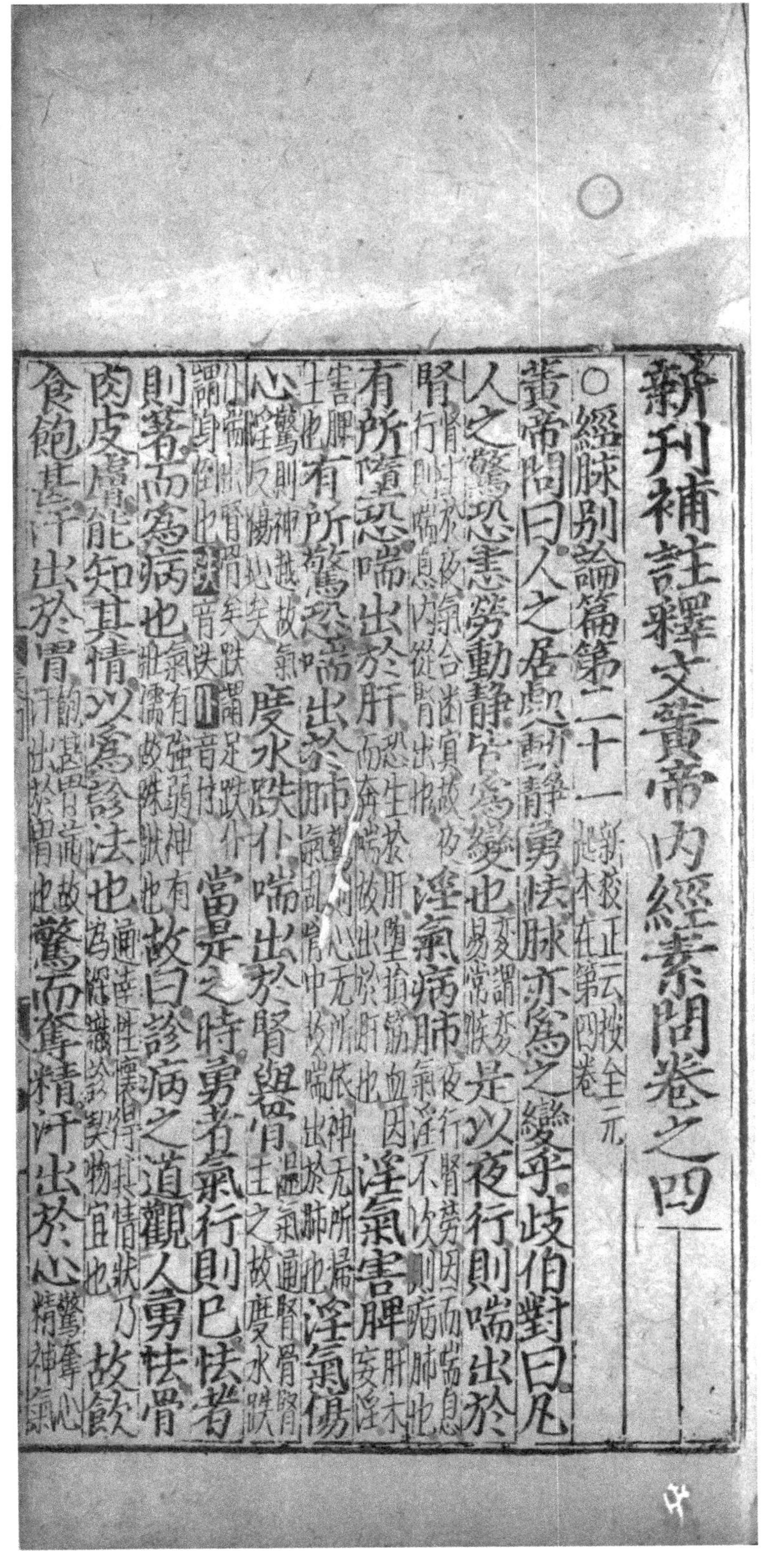

新刊補註釋文黄帝内經素問卷之四

○經脉別論篇第二十一 新校正云按全元起本在第四卷

黄帝問曰人之居處動靜勇怯脉亦爲之變乎岐伯對曰凡人之驚恐恚勞動靜皆爲變也變謂變易常候是以夜行則喘出於腎腎王於夜氣合幽冥故夜行則喘息內從腎出也淫氣病肺夜行腎勞因而喘息氣淫不次則病肺也有所墮恐喘出於肝恐生於肝墮損筋血因而奔喘故出於肝也淫氣害脾肝木妄淫害脾土也有所驚恐喘出於肺驚則心無所依神無所歸氣亂胸中故喘出於肺也淫氣傷心驚則神越故氣淫反傷心矣度水跌仆喘出於腎與骨濕氣通腎骨腎主之故度水跌仆喘出腎骨矣跌謂足跌仆謂身倒也跌音迭仆音付當是之時勇者氣行則已怯者則著而爲病也氣有強弱神有壯懦故殊狀也故曰診病之道觀人勇怯骨肉皮膚能知其情以爲診法也通達性懷得其情狀乃爲深識診契物宜也故飲食飽甚汗出於胃飽甚胃滿故汗出於胃也驚而奪精汗出於心驚奪心精神氣

浮越陽內薄之故汗出於心也持重遠行汗出於腎骨勞氣越腎復過疲故持重遠行汗出於腎也

疾走恐懼汗出於肝暴役於筋肝氣罷極故疾走恐懼汗出於肝也搖體勞苦汗出

於脾搖體勞苦謂動作施力非疾走遠行也然動作用力則谷精四布脾化水谷故汗出於脾也故春秋

冬夏四時陰陽生病起於過用此為常也不適其性而強云為過即病生此其

常理五藏受氣蓋有常分用而過耗是以病生故下文曰食氣入胃散精於肝淫氣於筋

肝養筋故胃散谷精之氣入於肝則浸淫滋養於筋絡矣食氣入胃濁氣歸心淫精於脈

濁氣穀氣也心居胃上故谷氣歸心淫溢精微入於脈也何者心主脈故脈氣流經經氣歸於肺

肺朝百脈輸精於皮毛言脈氣流運乃為大經經氣歸宗上朝於肺肺為華蓋位復居高治節由

之故受百脈之朝會也平人氣象論曰藏真高於肺以行榮衛陰陽由此故肺朝百脈然乃布化精氣輸於皮毛矣毛

脈合精行氣於府府謂氣之所聚處也是謂氣海在兩乳間名曰膻中也府精神明留

於四藏氣歸於權衡膻中之布氣者分為三隧其下者走於氣街上者走於息道宗氣留於海積於

胷中命曰氣海也如是分化乃四藏安定三焦平均中外上下各得其所也權衡以平氣口成寸

以決死生三世脈法皆以三寸為寸關尺之分故中外高下氣緒均平則氣口之脈而成寸也夫氣口者脈之

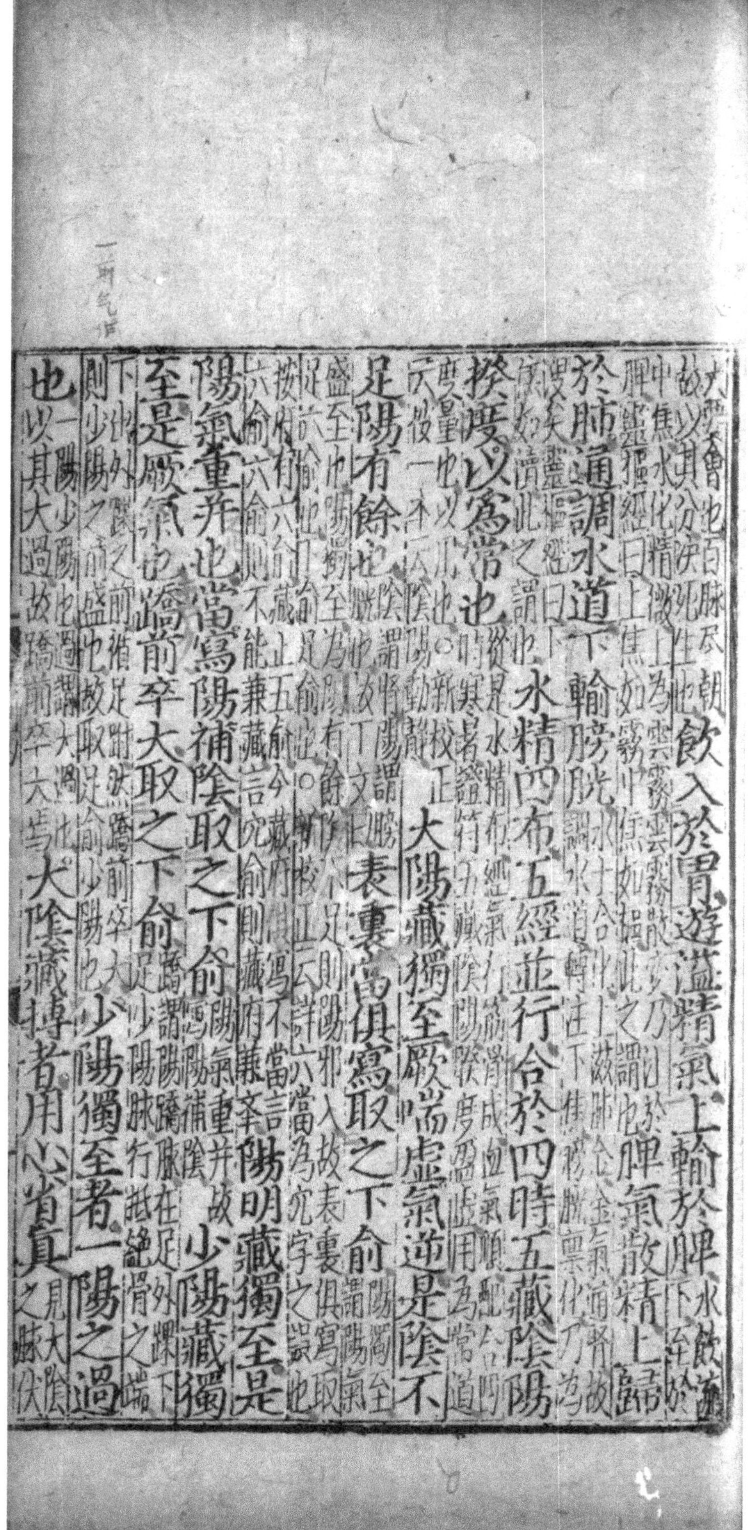

大會也百脈盡朝故以其分決死生也飲入於胃遊溢精氣上輸於脾水飲流下至於
中焦水化精微上為雲霧雲霧散變乃注於脾靈樞經曰上焦如霧中焦如漚此之謂也脾氣散精上歸
於肺通調水道下輸膀胱水土合化上滋肺金金氣通腎故調水道轉注下焦膀胱禀化乃為
溲矣靈樞經曰下焦如瀆此之謂也水精四布五經並行合於四時五藏陰陽
揆度以為常也從是水精布經氣行筋骨成血氣順配合四時寒暑證符五藏陰陽揆度盈虛用為常道
度量也以用也○新校正云按一本云陰陽動靜太陽藏獨至厥喘虛氣逆是陰不
足陽有餘也陰謂腎陽謂膀胱也故下文曰表裏當俱寫取之下俞陽獨至謂陽氣
盛至也陽獨至為陽有餘陰不足則陽邪入故表裏俱寫取足六俞也[illegible]俞足俞也○新校正云詳六當為究字之誤也
按此有六俞藏止五俞今藏府俱寫不當言六俞六俞則不能兼藏言究俞則藏府兼舉陽明藏獨至是
陽氣重并也當寫陽補陰取之下俞陽氣重并故寫陽補陰少陽藏獨
至是厥氣也蹻前卒大取之下俞蹻謂陽蹻脈在足外踝下足少陽脈行抵絕骨之端
下出外踝之前循足跗然蹻前卒大則少陽之氣盛也故取足俞少陽也少陽獨至者一陽之過
也一陽少陽也過謂大過也以其大過故蹻前卒大焉太陰藏搏者用心省真見太陰之脈伏

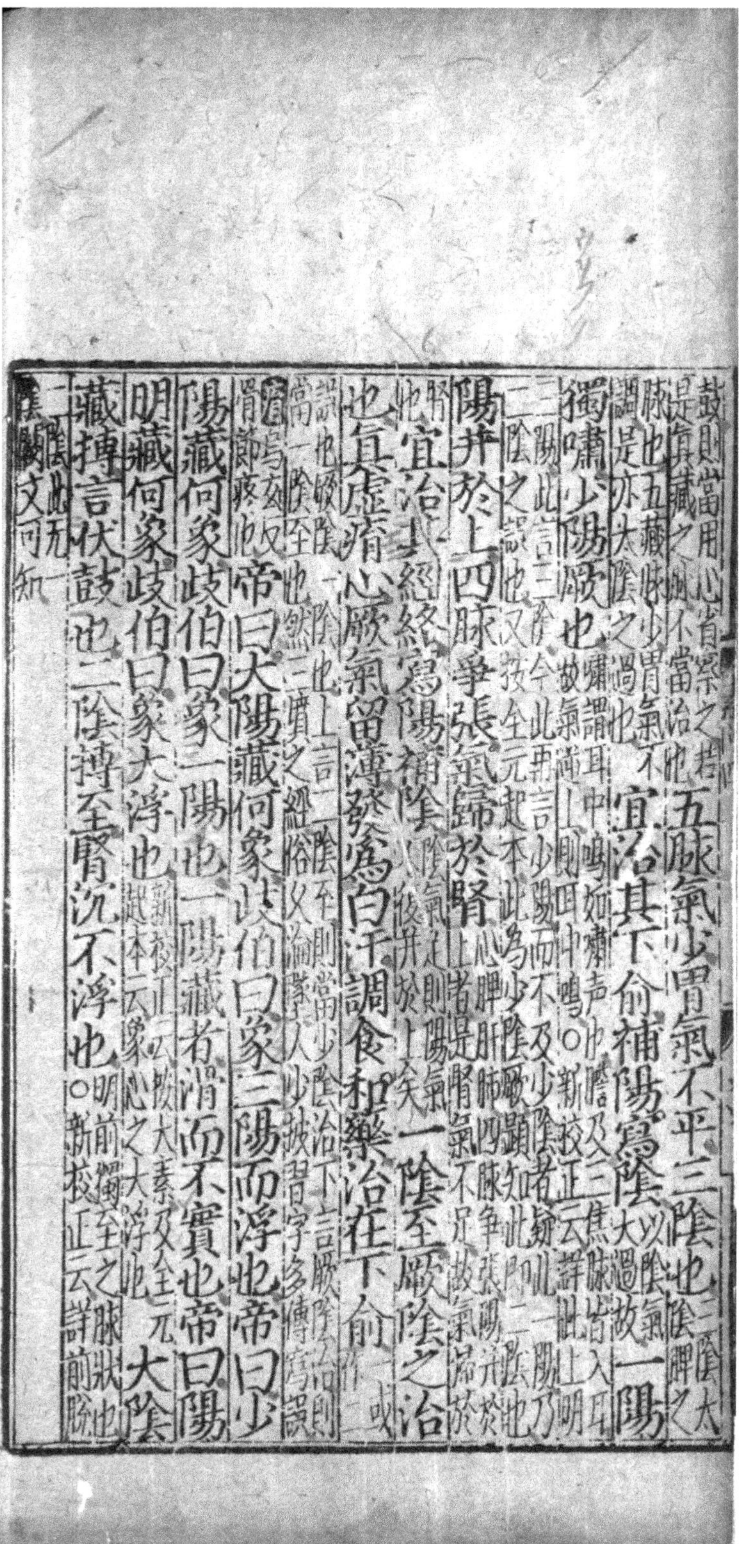

鼓則當用心省察之若是脾藏之脈不當治也五脈氣少胃氣不平三陰也三陰太陰脾之
脈也五藏脈少胃氣不調是亦太陰之過也宜治其下俞補陽寫陰以陰氣大過故一陽
獨嘯少陽厥也嘯謂耳中鳴如嘯声也膽及三焦脈皆入耳故氣逆上則耳中鳴○新校正云詳此上明
三陽此言三陰今此再言少陽而不及少陰者疑此一陽乃二陰之誤也又按全元起本此爲少陰厥顯知此即二陰也
陽并於上四脈爭張氣歸於腎心脾肝肺四脈爭張陽并於上者是腎氣不足故氣歸於
腎也宜治其經絡寫陽補陰陰氣足則陽氣不復并於上矣一陰至厥陰之治
也真虛痟心厥氣留薄發爲白汗調食和藥治在下俞一或作二
誤也厥陰一陰也上言一陰至則當少陰治下言厥陰治則當一陰至也然二隤之經絡文論併入少故習字多傳寫誤
痟烏玄反骨節疼也帝曰太陽藏何象岐伯曰象三陽而浮也帝曰少
陽藏何象岐伯曰象一陽也一陽藏者滑而不實也帝曰陽
明藏何象岐伯曰象大浮也新校正云按太素及全元起本云象心之大浮也太陰
藏搏言伏鼓也二陰搏至腎沉不浮也明前獨至之脈狀也○新校正云詳前脫
二陰此无一陰闕文可知

〇藏氣法時論篇第二十二新校正云按全元起本在第一卷又於第六卷脉要篇末重出

黄帝問曰合人形以法四時五行而治何如而從何如而逆得失之意願聞其事岐伯對曰五行者金木水火土也更貴更賤以知死生以決成敗而定五藏之氣間甚之時死生之期也帝曰願卒聞之岐伯曰肝主春以應木也足厥陰少陽主治足厥陰肝脉少陽膽脉肝与膽合故治同其日甲乙甲乙為木東方干也肝苦急急食甘以緩之甘性和緩〇新校正云按全元起本云肝苦急是其氣有餘心主夏以應火也手少陰太陽主治心少陰心脉太陽小腸脉心与小腸合故治同其日丙丁丙丁為火南方干也心苦緩急食酸以收之酸性收斂〇新校正云按全元起本云心苦緩是心氣虚脾主長夏長夏謂六月也夏為土母土長於中以長而治故云長夏〇新校正云按全元起云脾王四季六月是火王之處蓋以脾主中央六月是十二月之中一年之半故脾王六月也足太陰陽明主治太陰脾脉陽明胃脉脾与胃合故治同其日戊己戊己為土中央干也脾苦濕急食苦以燥之苦性乾燥肺主秋以應金也手太陰陽明主治太陰肺脉陽明大腸脉肺与大腸合故治同其日庚辛庚辛

為金西方干也肺苦氣上逆急食苦以泄之苦性宣泄故肺用之○新校正云按全元起云肺氣上逆是其氣有餘腎主冬以應水也足少陰太陽主治少陰腎脈太陽膀胱脈腎与膀胱合故治同其日壬癸壬癸為水北方干也腎苦燥急食辛以潤之開腠理致津液通氣也辛性津潤也然腠理開津液達則肺氣下流腎与肺通故云通氣也病在肝愈於夏子制其鬼也餘愈同夏不愈甚於秋子休鬼復王也餘甚同秋不死持於冬鬼休而母養故氣執持於父母之鄉也餘持同起於春自得其位故復起餘起同禁當風以風氣通於肝故禁而勿犯肝病者愈在丙丁丙丁應夏丙丁不愈加於庚辛庚辛應秋庚辛不死持於壬癸壬癸應冬起於甲乙應春木也肝病者平旦慧下晡甚夜半靜木王之時故爽慧也金王之時故加甚也水王之時故靜退也餘慧甚同其靜小異肝欲散急食辛以散之以藏氣當散故以辛發散也陰陽應象大論曰辛甘發散為陽此平人氣象論曰藏真散於肝言其常發散也用辛補之酸寫之辛味散故補酸味收故寫○新校正云按全元起本云用酸補之辛寫之自為一義病在心愈在長夏長夏不愈甚於冬冬不死持於春起於夏如肝例也禁溫食熱衣熱則心躁故禁止之心病者愈在戊己戊己

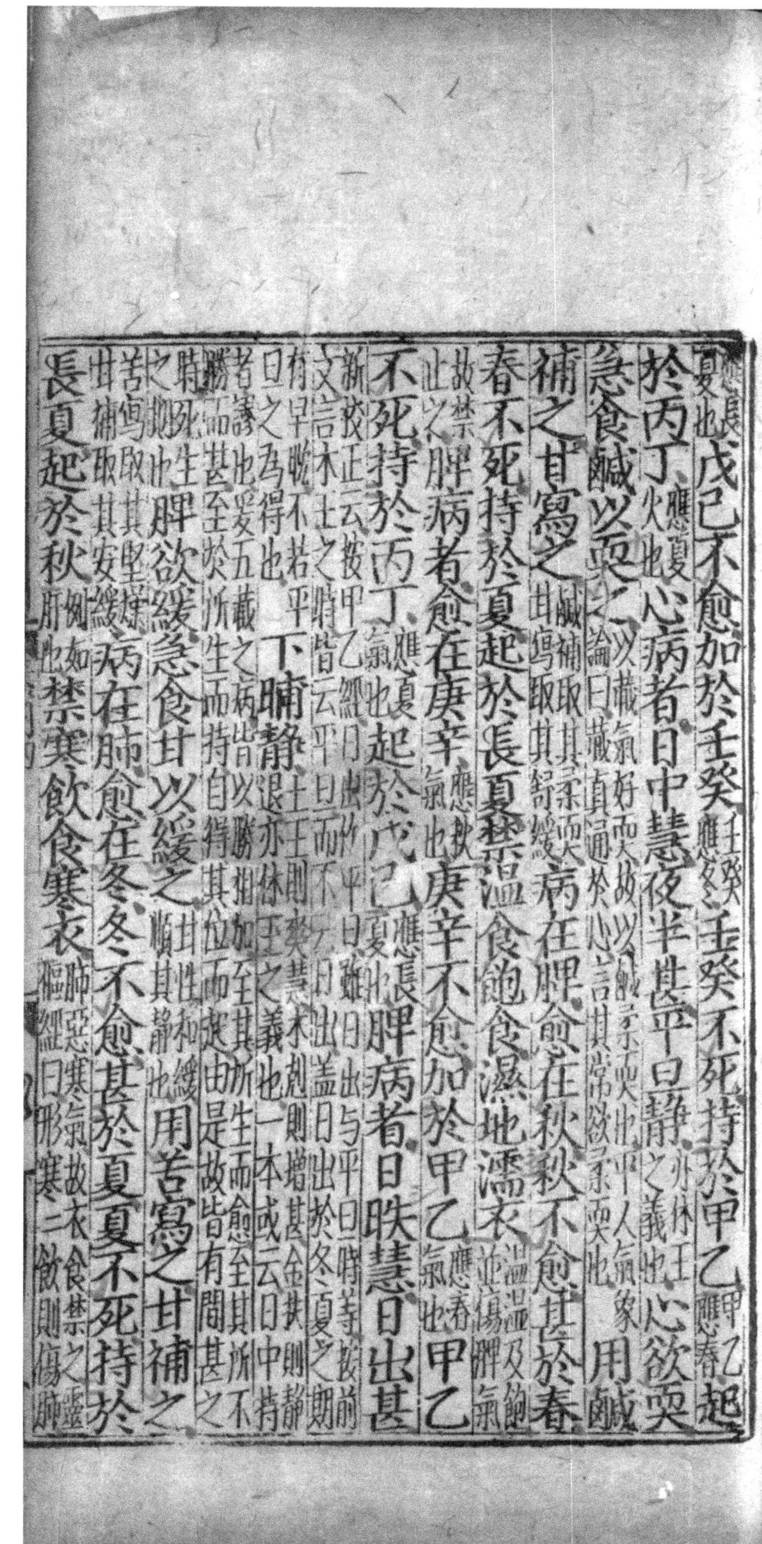

（應長夏也）戊己不愈加於壬癸（壬癸應冬）壬癸不死持於甲乙（甲乙應春）起於丙丁（應夏火也）心病者日中慧夜半甚平旦靜（亦休王之義也）心欲耎急食鹹以耎之（以藏氣好耎故以鹹柔耎也平人氣象論曰藏真通於心言其常欲柔耎也）用鹹補之甘寫之（鹹補取其柔耎甘寫取其舒緩）病在脾愈在秋秋不愈甚於春春不死持於夏起於長夏禁溫食飽食濕地濡衣（溫濕及飽並傷脾氣故禁止之）脾病者愈在庚辛（應秋氣也）庚辛不愈加於甲乙（應春氣也）甲乙不死持於丙丁（應夏氣也）起於戊己（應長夏也）脾病者日昳慧日出甚（新校正云按甲乙經日出作平旦雖日出與平旦時等按前文言木王之時皆云平旦而不云日出蓋日出於冬夏之期有早晚不若平旦之為得也）下晡靜（土王則爽慧木剋則增甚金扶則靜退亦休王之義也一本或云日中持者謬也凡五藏之病皆以勝相加至其所生而愈至其所不勝而甚至於所生而持自得其位而起由是故皆有間甚之時死生之期也）脾欲緩急食甘以緩之（甘性和緩順其靜也）用苦寫之甘補之（苦寫取其堅燥甘補取其安緩）病在肺愈在冬冬不愈甚於夏夏不死持於長夏起於秋（例如肝也）禁寒飲食寒衣（肺惡寒氣故衣食禁之靈樞經曰形寒〻飲則傷肺）

欬尚傷肺其食甚焉肺不獨惡寒亦畏熱也肺病者愈在壬癸應冬水也壬癸不愈加
於丙丁應夏火也丙丁不死持於戊己長夏土也起於庚辛應秋金也肺病
者下晡慧日中甚夜半靜金王則慧水王則甚火王則靜肺欲收急食酸以
收之以酸性收斂故也用酸補之辛寫之酸收斂故補辛發散故寫病在腎愈在
春春不愈甚於長夏長夏不死持於秋起於冬例如肝也禁犯焠
㶪熱食溫炙衣腎性惡燥故此禁之○新校正云按別本焠作[illegible]內[illegible]灰㶪烏來反煩熱也腎病
者愈在甲乙應春木也甲乙不愈甚於戊己長夏土也戊己不死持於
庚辛應秋金也起於壬癸應冬水也腎病者夜半慧四季甚下晡靜水王
則慧土王則甚金王則靜腎欲堅急食苦以堅之以苦性堅燥也用苦補之鹹寫
之苦補取其堅也鹹寫取其耎也耎濕土制也故用寫之夫邪氣之客於身也以勝相
加邪者不正之目風寒暑濕饑飽勞逸皆是邪也非唯鬼毒疫癘也至其所生而愈謂至己所生也
至其所不勝而甚謂至剋己之氣也至於所生而持謂至生己之氣也自得
其位而起居所王處謂自得其位也必先定五藏之脉乃可言間甚之時

死生之期也五藏之脉者謂肝弦心鉤肺浮腎營脾代知是則可言死生間甚矣三部九候論曰必先知經脉然後知病脉此之謂也肝病者兩脇下痛引少腹令人善怒肝厥陰脉自足而上環陰器抵少腹又上貫肝鬲布脇肋故兩脇下痛引少腹也其氣实則善怒靈樞經曰肝氣实則怒虛則目䀮䀮無所見耳無所聞善恐如人將捕之肝厥陰脉自脇肋循喉嚨入頏顙連目系膽少陽脉其支者從耳後入耳中出走耳前至目鋭眥後故病如是也恐謂恐懼魂不安也取其經厥陰與少陽經謂經脉也非其絡病故取其經也取厥陰以治肝氣取少陽以調氣逆也故下文曰氣逆則頭痛耳聾不聰頰腫肝厥陰脉自目系上出額与督脉會於巔故頭痛膽少陽脉支別者從耳中出走耳前又支別者加頰車入厥陰之脉支別者從目系下頰裏故耳聾不聰頰腫也是以上文兼取少陽也取血者脉中血滿獨異於常乃氣逆之診隨其左右有則刺之心病者胷中痛脇支滿脇下痛膺背肩甲間痛兩臂內痛心少陰脉支別者循胷出脇又手心主厥陰之脉起於胷中其支別者亦循胷出脇下腋三寸上抵腋下下循臑內行太陰少陰之間入肘中下循臂行兩筋之間又心少陰之脉直行者復從心系却上肺上出腋下下循臑內後廉行太陰心主之後下肘內循臂內後廉抵掌後鋭骨之端又小腸太陽之脉自臂臑上繞肩甲交肩上故病如是臑人朱反虛則胷腹大脇下與腰相引而痛

手心主厥陰之脉從胷中出屬心包下鬲歷絡三焦其支別者循胷出脇心少陰之脉自心系下鬲絡小腸故病如是也取其經。少陰太陽舌下血者少陰之脉從心系上俠咽喉故取舌本下及經脉血也其變病刺郄中血者其或嘔變則刺少陰之郄血滿者也手少陰之郄在掌後脉中去腕半寸當小指之後

脾病者身重善肌肉痿足不收行善瘈脚下痛脾象土而主肉故身重肉痿也痿謂痿无力也脾太陰之脉起於足大指之端循指內側上內踝前廉上腨內腎少陰之脉起於足小指之下斜趍足心上腨內出膕內廉故病則足不收行善瘈脚下痛也故下取少陰○新校正云按甲乙經作善飢肌肉痿千金方云善飢足痿不收氣交變大論云肌肉萎足痿不收行善瘈痿於危反温病也足不能行也瘈音係小兒病又尺制反虛則腹滿腸鳴飧泄食不化脾太陰脉從股內前廉入腹屬脾絡胃故病如是靈樞經曰中氣不足則腹為之善滿腸為之善鳴也取其經。太陰陽明少陰血者少陰腎脉也以前病行善瘈脚下痛故取之而出血血滿者出之

肺病者喘欬逆氣肩背痛新校正云按千金方作肩息背痛汗出尻陰股膝新校正云按甲乙經脉經作膝攣髀腨胻足皆痛肺藏氣而主喘息在變動為欬故病則喘欬逆氣也背為胷中之府肩接近之故肩背痛也肺養皮毛邪盛則心液外泄故汗出也腎少陰之脉從足下上循腨內出膕內廉上股內後廉貫脊屬腎絡膀胱今肺病則腎脉受邪故尻陰股膝髀腨胻

足皆痛故下取少陰也尻苦刀反腨時轉反跟也胻胡郎反腓也虛則少氣不能報息耳聾嗌乾氣虛少故不足以報入息也肺太陰之絡會於耳中故聾也腎少陰之脉從腎上貫肝鬲入肺中循喉嚨挾舌本今肺虛則腎氣不足以上潤於嗌故嗌乾也是以下文兼取少陰也嗌取其經太陰足太陽之外厥陰內血者足太陽之外厥陰內者正謂腨內側內踝後之直上則少陰脉也視左右足脉少陰部分有血滿異於常者即而取之腎病者腹大脛腫新校正云按甲乙經云脛腫痛喘欬身重寢汗出憎風腎少陰脉起於足而上循腨復從橫骨中俠齊循腹裏上行而入肺故腹大脛腫而喘欬也腎病則骨不能用故身重也腎邪攻肺心氣內微心液為汗故寢汗出也胻既腫矣汗復津泄陰凝玄府陽爍上焦內熱外寒故憎風也憎風謂深惡之也虛則胷中痛大腹小腹痛清厥意不樂腎少陰脉從肺出絡心注胷中然腎氣既虛心无所制心氣熏肺故痛聚胷中也足太陽脉從項下行而至足腎虛則太陽之氣不能盛行於足故足冷而氣逆也清謂氣清冷厥謂氣逆也以清冷氣逆故大腹小腹痛志不足則神躁擾故不樂也○新校正云按甲乙經大腹小腹作大腸小腸取其經少陰太陽血者凡刺之道虛則補之實則寫之不盛不虛以經取之是謂得道經絡有血刺而去之是謂守法猶當揣形定氣先去血脉而後乃平有餘不足焉三部九候論曰必先度其形之肥瘦以調其氣之虛實實則寫之虛則補之必先去其血脉而後調之此之謂也肝色青

宜食甘粳米牛肉棗葵皆甘肝性喜急故食甘物而取其寬緩也○新校正云詳肝色青至
篇末全元起本在第六卷王氏移於此心色赤宜食酸小豆新校正云按甲乙經太素小豆作麻
犬肉李韭皆酸心性喜緩故食酸物而取其收斂也肺色白宜食苦麥羊肉杏
薤皆苦肺喜氣逆故食苦物而取其宣泄也脾色黄宜食鹹大豆豕肉栗藿皆
鹹究斯宜食乃調利關機之義也腎為胃關脾与胃合故假鹹柔耎以利其關關利而胃氣乃行胃行而脾氣方化故
應脾宜味与衆不同也○新校正云按上文曰肝苦急急食甘以緩之心苦緩急食酸以收之脾苦濕急食苦以燥之肺
苦氣上逆急食苦以泄之腎苦燥急食辛以潤之此肝心肺腎食宜皆与前文合獨脾食鹹不用苦故王氏特注其義
腎色黑宜食辛黄黍雞肉桃葱皆辛腎性喜燥故食辛物而取其津潤也辛散
酸收甘緩苦堅鹹耎皆自然之氣也然辛味苦味匪唯堅散而已辛亦能潤能散苦亦能燥能泄故
上文曰脾苦濕急食苦以燥之肺苦氣上逆急食苦以泄之則其謂苦之燥泄也又曰腎苦燥急食辛以潤之則其謂辛
之濡潤也耎音軟毒藥攻邪藥謂金玉土石草木菜果虫魚鳥獸之類皆可以祛邪養正者也然辟邪安正
惟毒乃能以其能然故通謂之毒藥也○新校正云按本草云下藥為佐使主治病以應地多毒不可久服欲除寒熱邪
氣破積聚愈疾者本下經故云毒藥攻邪五穀為養謂粳米小豆麥大豆黄黍也五果為助謂桃

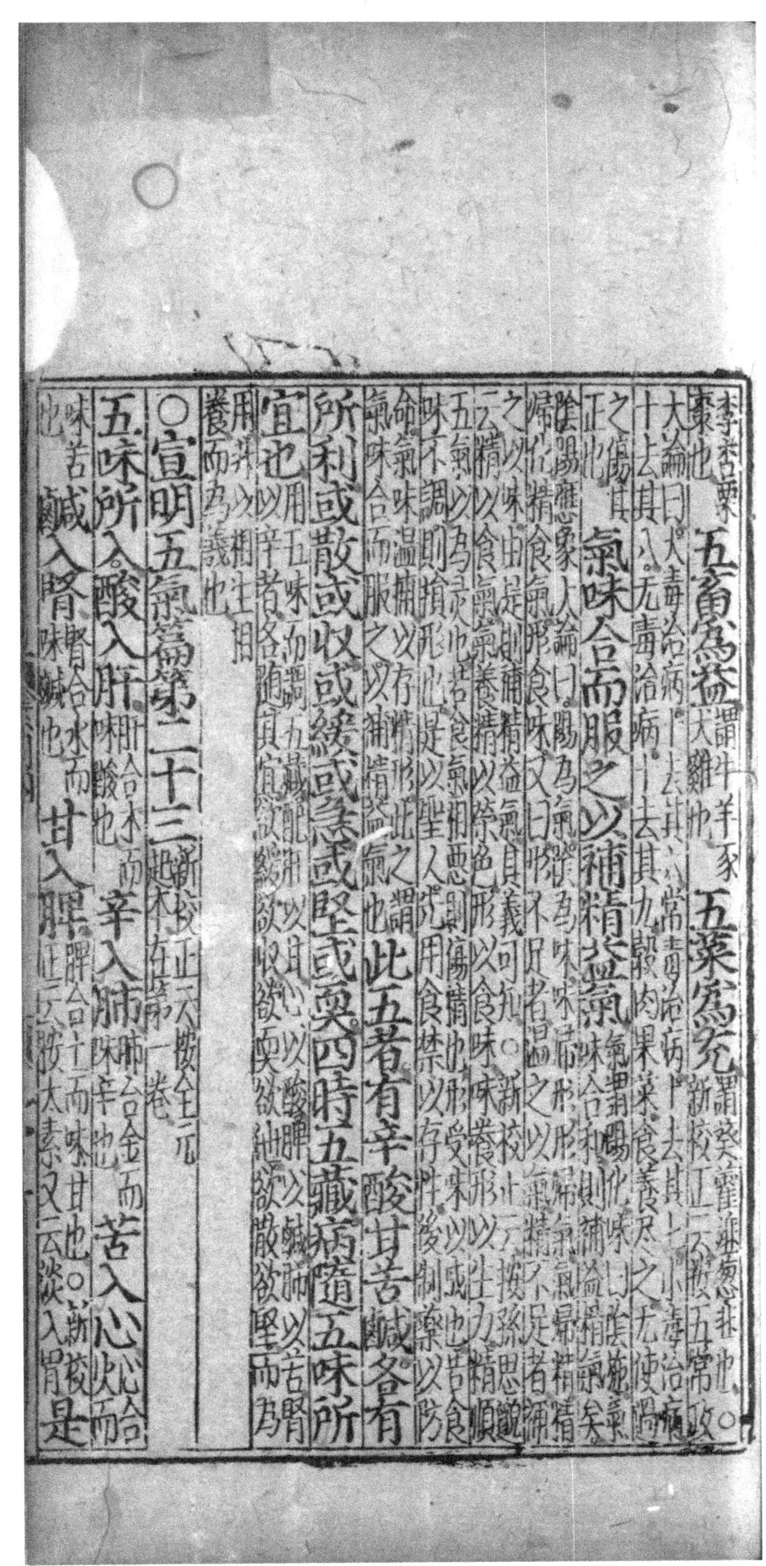

李杏栗棗也五畜為益謂牛羊豕犬雞也五菜為充謂葵藿薤葱韭也○新校正云按五常政大論曰大毒治病十去其六常毒治病十去其七小毒治病十去其八无毒治病十去其九穀肉果菜食養盡之无使過之傷其正也

氣味合而服之以補精益氣氣為陽化味曰陰施氣味合和則補益精氣矣陰陽應象大論曰陽為氣陰為味味歸形形歸氣氣歸精精歸化精食氣形食味又曰形不足者溫之以氣精不足者補之以味由是則補精益氣其義可知○新校正云按孫思邈云精以食氣氣養精以榮色形以食味味養形以生力精順五氣以為靈也若食氣相惡則傷精也形受味以成也若食味不調則損形也是以聖人先用食禁以存性後制藥以防命氣味溫補以存精形此之謂氣味合而服之以補精益氣也

此五者有辛酸甘苦鹹各有所利或散或收或緩或急或堅或耎四時五藏病隨五味所宜也用五味而調五藏配肝以辛配心以鹹配脾以酸配肺以苦配腎以甘者各隨其宜欲緩欲收欲耎欲泄欲散欲堅而為用非以相生相養而為義也

○宣明五氣篇第二十三新校正云按全元起本在第一卷

五味所入酸入肝肝合木而味酸也辛入肺肺合金而味辛也苦入心心合火而味苦也鹹入腎腎合水而味鹹也甘入脾脾合土而味甘也○新校正云按太素又云淡入胃是

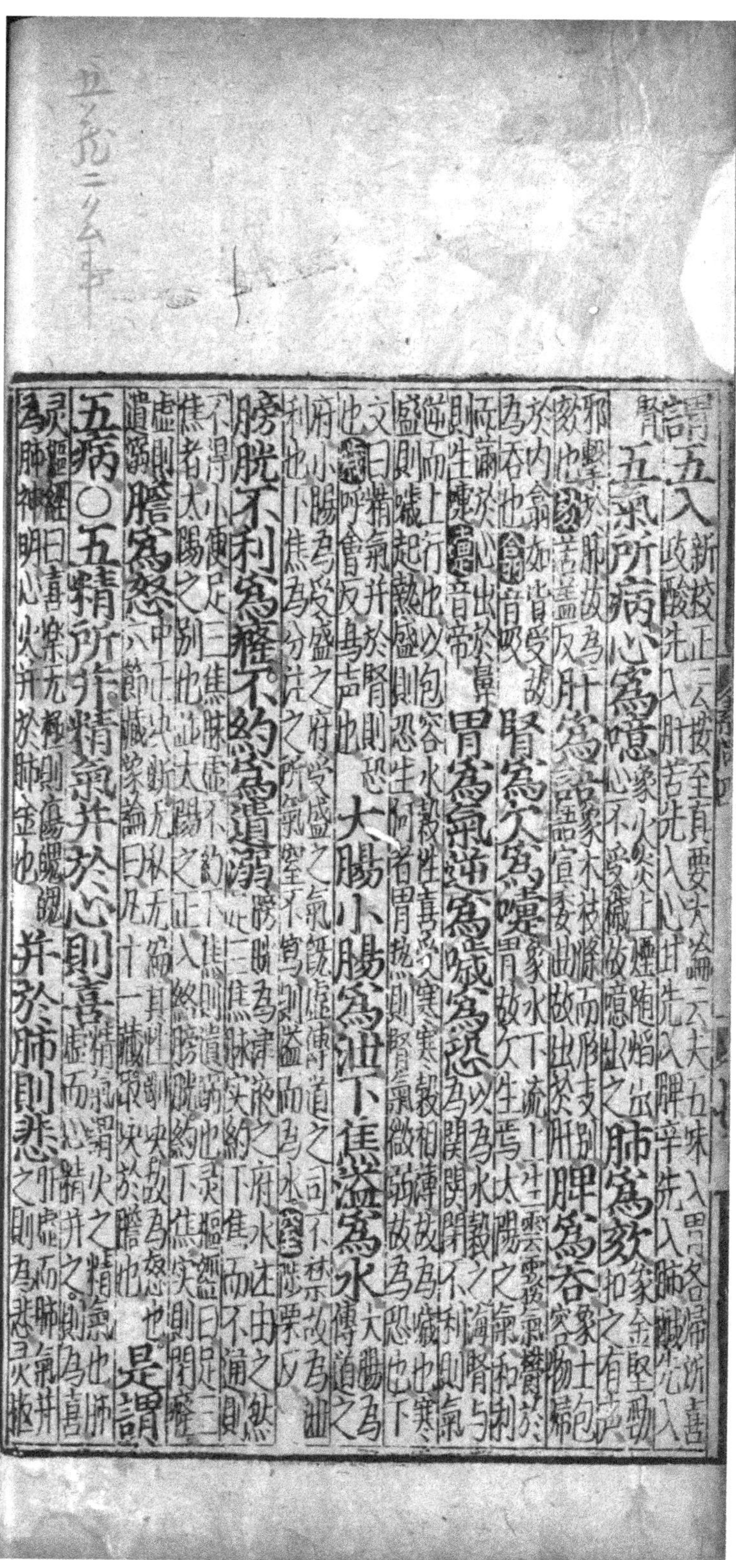

胃 謂五入 新校正云按至真要大論云夫五味入胃各歸所喜攻酸先入肝苦先入心甘先入脾辛先入肺鹹先入腎

五氣所病 心為噫 象火炎上烟隨焰出心不受穢故噫出之 肺為欬 象金堅勁扣之有聲邪擊於肺故為欬也 欬苦蓋反 肝為語 象木枝條而形支別語宣委曲故出於肝 脾為吞 象土包容物歸於內翕如皆受故為吞也 翕音吸 腎為欠為嚏 象水下流上生雲霧氣鬱於胃故欠生焉太陽之氣和利而滿於心出於鼻則生嚏 嚏音帝 胃為氣逆為噦為恐 以胃為水穀之海腎與為關關閉不利則氣逆而上行也以包容水穀性喜受寒寒穀相薄故為噦也寒盛則噦起熱盛則恐生何者胃熱則腎氣微弱故為恐也下文曰精氣并於腎則恐也 噦呼會反鼻声也 大腸小腸為泄 下焦溢為水 大腸為傳道之府小腸為受盛之府受盛之氣既虛傳道之司不禁故為泄利也下焦為分注之所氣窒不寫則溢而為水 窒陟栗反 膀胱不利為癃不約為遺溺 膀胱為津液之府水注由之然足三焦脈實約下焦而不通則不得小便足三焦脈虛不約下焦則遺溺也靈樞經曰足三焦者太陽之別也並太陽之正入絡膀胱約下焦實則閉癃虛則遺溺 膽為怒 中正決斷無私無偏其性剛決故為怒也六節藏象論曰凡十一藏取決於膽也 是謂五病 ○

五精所并 精氣并於心則喜 精氣謂火之精氣也肺虛而心精并之則為喜靈樞經曰喜樂無極則傷魄魄為肺神明心火并於肺金也 并於肺則悲 肝虛而肺氣并之則為悲[illegible]

經曰悲哀動中則傷魂魂為肝神明肺金并於肝木也并於肝則憂脾虚而肝氣并之則為憂靈樞經曰
愁憂不解則傷意意為脾神明肝木并於脾土并於脾則畏一經云飢也胃虚而脾氣并之則為畏畏為畏
懼也靈樞經曰恐懼而不解則傷精精為腎神明脾土并於腎水也并於腎則恐心虚而腎氣并之則為恐
靈樞經曰怵惕思慮則傷神神為心主明腎水并於心火也怵惕驚懼也此皆正氣不足而勝氣并之乃為是矣故下文
曰是謂五并虛而相并者也○五藏所惡心惡熱熱則脉濆濁肺
惡寒寒則氣留滯肝惡風風則筋燥急脾惡濕濕則肉痿腫腎惡燥燥則精竭涸○
新校正云按楊上善云若尒則云肺惡燥今此肺惡寒腎惡燥者燥在於秋寒之始也寒在於冬燥之終也肺在於秋以
肺惡寒之甚故言其終腎在於冬腎惡不甚故言其始也是謂五惡○五藏化液心為汗
泄於皮腠也肺為涕潤於鼻竅也肝為淚注於眼目也脾為涎溢於脣口也腎為
唾生於牙齒也是謂五液○五味所禁辛走氣氣病無多食辛病謂
力少不自勝也鹹走血血病無多食鹹苦走骨骨病無多食苦新校正云
按皇甫士安云鹹先走腎此二云走血者腎合三焦血脉雖屬肝心而為中焦之道故鹹入而走血也苦走心此二云走骨者
水火相濟骨氣通於心也甘走肉肉病無多食甘酸走筋筋病無多食酸

是皆為行其氣速故不欲多食多食則病甚故病者无多食也是謂五禁無令多食新校正云按太素五禁云肝病禁辛心病禁鹹脾病禁酸肺病禁苦腎病禁甘名此為五裁楊上善云口嗜而欲食之不可多也以自裁之命曰五裁○五病所發陰病發於骨陽病發於血陰病發於肉骨肉陰靜故陽氣從之血脉陽動故陰氣乘之陽病發於冬陰病發於夏夏陽氣盛故陰病發於夏冬陰氣盛故陽病發於冬各隨其少也是謂五發○五邪所亂邪入於陽則狂邪入於陰則痺邪居於陽脉之中則四支熱盛故為狂邪入於陰脉之內則六經凝泣而不通故為痺盁音謐搏陽則為巔疾邪內搏於陽則脉流薄疾故為上巔之疾搏陰則為瘖邪內搏於陰則脉不流故令瘖不能言○新校正云按難經云重陽者狂重陰者癲巢元方云邪入於陰則為癲脉經云陰附陽則狂陽附陰則癲孫思邈云邪入於陽則為狂邪入於陰則為血痺邪入於陽傳則為癲痙邪入於陰傳則為痛瘖全元起云邪已入陰復傳於陽邪氣盛府藏受邪使其氣不朝榮氣不復周身邪与正氣相擊發動為癲疾邪已入陽陽今復傳於陰藏府受邪故不能言是勝正也諸家之論不同今具載之陽入之陰則靜陰出之陽則怒隨所之而為疾也之往也○新校正云按全元起云陽入陰則為靜出則為恐千金方云陽入於陰病靜陰出於陽病怒是謂五亂○五邪所見春得秋脉夏得冬脉長夏得春脉

秋得夏脉冬得長夏脉名曰陰出之陽病善怒不治是謂五邪皆同命死不治新校正云按陰出之陽病善怒已見前條此再言之文義不倫必古文錯簡也○五藏所藏心藏神精氣之化成也靈樞經曰兩精相薄謂之神肺藏魄精氣之匡佐也靈樞經曰並精而出入者謂之魄肝藏魂神氣之輔弼也靈樞經曰隨神而往來者謂之魂脾藏意記而不忘者也靈樞經曰心有所憶謂之意腎藏志專意而不移者也靈樞經曰意之所存謂之志腎受五藏六府之精元氣之本生成之根為胃之關是以志能則命通○新校正云按楊上善云腎有二枚左為腎藏志右為命門藏精也是謂五藏所藏○五藏所主心主脉壅遏營氣應息而動也肺主皮包裹筋肉閉拒諸邪也肝主筋束絡機關隨神而運也脾主肉覆藏筋骨通行衛氣也腎主骨張筋化髓幹以立身也是謂五主○五勞所傷久視傷血勞於心也久卧傷氣勞於肺也久坐傷肉勞於脾也久立傷骨勞於腎也久行傷筋勞於肝也是謂五勞所傷○五脉應象肝脉弦耎虛而滑端直以長也心脉鈎如鈎之偃來盛去衰也脾脉代耎而弱也肺脉毛輕浮而虛如毛羽也腎脉石沉堅而搏如石之投也是謂五藏之脉

〇血氣形志篇第二十四（新校正云按全元起本此篇并在前篇王氏分出爲别篇）

夫人之常數太陽常多血少氣少陽常少血多氣陽明常多氣多血少陰常少血多氣厥陰常多血少氣太陰常多氣少血此天之常數（血氣多少此天之常數故用鍼之道常寫其多也○新校正云按甲乙經十二經水篇云陽明多血多氣刺深四分留十呼太陽多血多氣刺深五分留七呼少陽少血多氣刺深四分留五呼太陰多血少氣刺深三分留四呼少陰少血多氣刺深二分留三呼厥陰多血少氣刺深一分留二呼太陽太陰血氣多少與素問不同又陰陽二十五人形性血氣不同篇與素問同蓋皇甫疑而兩存之也）足太陽與少陰爲表裏少陽與厥陰爲表裏陽明與太陰爲表裏是爲足陰陽也手太陽與少陰爲表裏少陽與心主爲表裏陽明與太陰爲表裏是爲手之陰陽也今知手足陰陽所苦凡治病必先去其血乃去其所苦伺之所欲然後寫有餘補不足（先去其血謂見血脉盛滿獨異於常者乃去之不謂常刺則先去其血也）欲知背俞先度其兩乳間中折之更以他草度去半已即以兩隅相拄也乃舉以度其背令其一隅

居上齊脊大椎兩隅在下當其下隅者肺之俞也度謂度量也言以草量其乳間四分去一使斜与凡等折為三隅以上隅齊脊大椎則兩隅下當肺俞也逼知俞及復下一度心之俞也謂以上隅齊脊三椎也復下一度左角肝之俞也右角脾之俞也復下一度腎之俞也是謂五藏之俞灸刺之度也灵樞經及中誥或云肺俞在三椎之傍心俞在五椎之傍肝俞在九椎之傍脾俞在十一椎之傍腎俞在十四椎之傍尋此經草量之法則合度之人其初度兩隅之下約當肺俞再度兩隅之下約當心俞三度兩隅之下約當七椎七椎之傍乃鬲俞之位此經云左角肝之俞右角脾之俞殊与中誥等經不同又四度則兩隅之下約當九椎九椎之傍乃肝俞也經云腎俞未究其源形樂志苦病生於脉治之以灸刺形謂身形志謂心志細而言之則七神殊守通而論之則約形志以為中外尔然形樂謂不甚勞役志苦謂結慮深思不甚勞役則筋骨平調結慮深思則榮衛乖否氣血不順故病生於脉夫盛寫虛補是灸刺之道猶當去其血絡而後調之故上文曰凡治病必先去其血乃去其所苦向之所欲然後寫有餘補不足則其義也形樂志樂病生於肉治之以鍼石志樂謂悅懌忘憂也然筋骨不勞心神悅懌則肉理相比氣道滿填衛氣怫結故病生於肉也夫衛氣留滿以鍼寫之結聚膿血石而破之石謂石鍼則砭石也亦以鈹鍼代之鈹音披形苦志樂病生於筋治之以熨

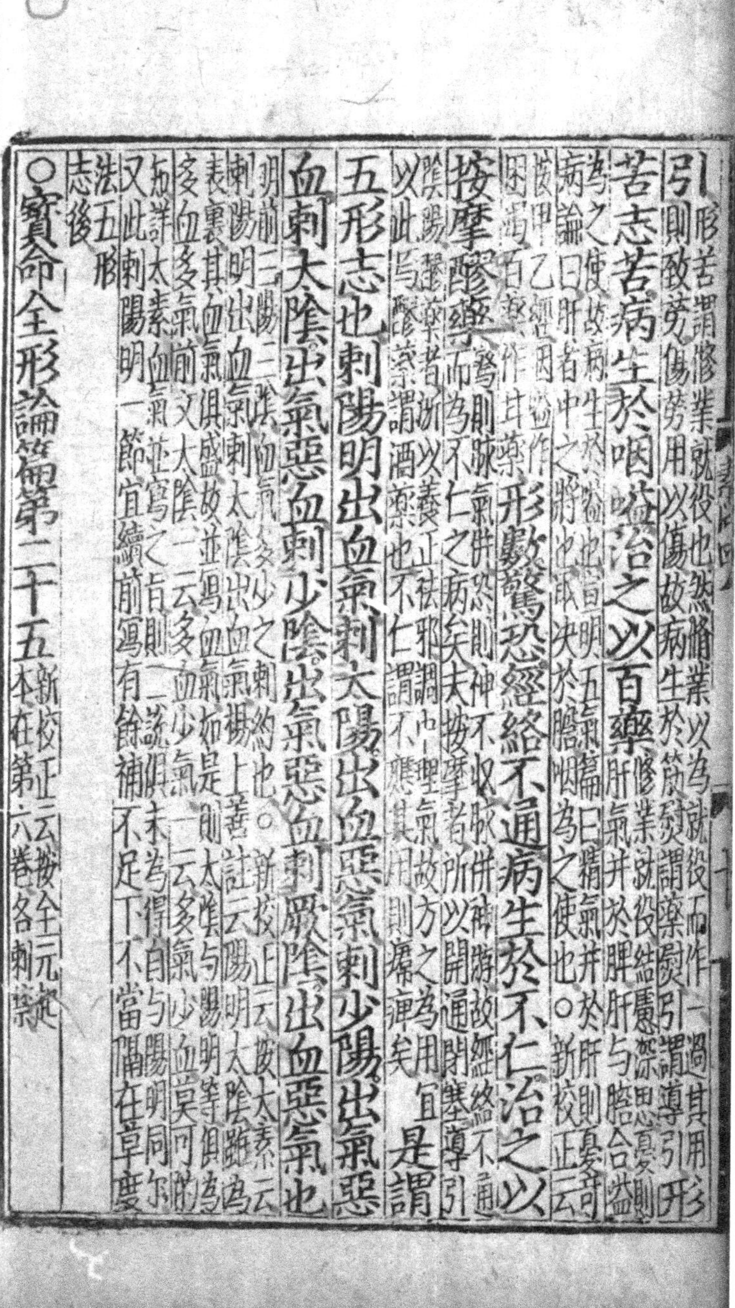

引形苦謂修業就役也然脩業以為就役而作一過其用形則致勞傷勞用以傷故病生於筋熨謂藥熨引謂導引苦志苦病生於咽嗌治之以百藥修業就役結慮深思憂則肝氣并於脾肝与膽合嗌為之使故病生於嗌也宣明五氣篇曰精氣并於肝則憂奇病論曰肝者中之將也取決於膽咽為之使也○新校正云按甲乙經咽嗌作困竭百藥作甘藥形數驚恐經絡不通病生於不仁治之以按摩醪藥驚則脉氣并恐則神不收脉并神游故經絡不通而為不仁之病矣夫按摩者所以開通閉塞導引陰陽醪藥者所以養正祛邪調中理氣故方之為用宜以此為醪藥謂酒藥也不仁謂不應其用則瘰痺矣是謂五形志也刺陽明出血氣刺太陽出血惡氣刺少陽出氣惡血刺太陰出氣惡血刺少陰出氣惡血刺厥陰出血惡氣也明前三陽三陰血氣多少之刺約也○新校正云按大素云刺陽明出血氣刺太陰出血氣楊上善註云陽明太陰雖為表裏其血氣俱盛故並寫血氣如是則太陰與陽明等俱為多血多氣前文大陰一云多血少氣一云多氣少血莫可的知詳大素血氣並寫之旨則二說俱未為得自與陽明同尔又此刺陽明一節宜續前寫有餘補不足下不當隔在草度法五形志後

○寶命全形論篇第二十五新校正云按全元起本在第六卷名刺禁

黃帝問曰天覆地載萬物悉備莫貴於人人以天地之氣生四時之法成天以德流地以氣化德氣相合而乃生焉易曰天地絪縕萬物化醇此之謂也則假以溫涼寒暑生長收藏四時運行而方成立君王眾庶盡欲全形貴賤雖殊然其寶命一矣故好生惡死者貴賤之常情也形之疾病莫知其情留淫日深著於骨髓心私慮之新校正云按太素慮作患余欲鍼除其疾病為之奈何虛邪之中人微先見于色不知于身有形无形故莫知其情狀也留而不去淫衍日深邪氣襲虛故著於骨髓帝矜不度故請行其鍼○新校正云按別本不度作庶不庶岐伯對曰夫鹽之味鹹者其氣令器津泄鹹謂鹽之味苦浸淫而潤物者也夫鹹為苦而生鹹從水而有水也潤下而苦泄故能令器中水津液潤滲泄焉凡虛中而受物者皆謂之器其於體外則謂陰囊其於身中所同則謂膀胱矣然以病配於五藏則心氣伏於腎中而不去乃為是矣何者腎象水而味鹹心合火而味苦二流汗液鹹走胞囊火為水持故陰囊之外津潤如汗而滲泄不止也凡鹹之為氣天陰則潤在土則浮在人則囊濕而皮膚剝起弦絕者其音嘶敗陰囊津液而脈絃絕者診當言音嘶嗄敗易舊聲爾何者肝氣傷也肝氣傷則金本缺金本缺則肺氣不全肺主音聲故言音嘶嗄○嗄所嫁反木敷者其葉發敷布也言木氣散布外榮於所部者其病當發於肺葉之中也何者以木氣發散故也平人氣象論曰藏真散於肝肝又合木

也病深者其聲噦噦謂声濁惡也肺藏惡血故如是人有此三者是謂壞府
府謂胷也以肺處胷中故也壞謂損壞其府而取病也抱朴子云仲景開胷以納赤餅由此則胷可啓之而取病矣三者
謂脉弦絶肺葉發声濁噦也毒藥無治短鍼無取此皆絶皮傷肉血氣爭
黑病内潰於肺中故毒藥无治外不在於經絡故短鍼无取是以絶皮傷肉乃可攻之以惡血久与肺氣交爭故當血
見而色黑也○新校正云詳岐伯之對与黃帝所問不相當別按太素云夫鹽之味鹹者其氣令器津泄弦絶者其音嘶
敗木陳者其葉落病深者其声噦人有此三者是謂壞府毒藥无治短鍼无取此皆絶皮傷肉血氣爭異三字与此經不
同而注意大異楊上善注云言欲知病微者須知其候鹽之在於器中津泄於外見津而知鹽之有鹹也声嘶知琴瑟之
之絃將絶葉落者知陳木之已尽舉此三物衰壞之微以比声嘶識病深之候人有声噦同三譬者是為府壞之候中府
壞者病之深也其病既深故鍼藥不能取以其皮肉血氣各不相得故也今詳上善作此等註義方乃与黃帝上下問荅義
相貫穿王氏解鹽鹹器津義淵微至於注絞絶音嘶木敷葉發殊不与帝問相協考之不若楊義之得多也帝曰
余念其痛心為之亂惑反甚其病不可更代百姓聞之以為
殘賊為之奈何殘謂殘害賊謂損劫言恐涉於不仁致慊於黎庶也岐伯曰夫人生於
地懸命於天天地合氣命之曰人形假物成故生於地命惟天賦故懸於天德氣同歸

故謂之人（也。靈樞經曰：天之在我者德，地之在我者氣，德流氣薄而生者也。然德者道之用，氣者生之母也。）人能應四時者，天地為之父母；（人能應四時和氣而養生者，天地恒畜養之，故為父母。四氣調神大論曰：夫四時陰陽者，萬物之根本也。所以聖人春夏養陽，秋冬養陰，以從其根，故與萬物沉浮於生長之門也。）知萬物者，謂之天子。（知萬物之根本者，天地常育養之，故謂曰天之子。）天有陰陽，人有十二節；（節，謂節氣。外所以應十二月，內所以主十二經脈也。）天有寒暑，人有虛實。（寒暑有盛衰之紀，虛實表多少之殊，故以虛實應天寒暑也。）能經天地陰陽之化者，不失四時；知十二節之理者，聖智不能欺也；（經，常也。言能常應順天地陰陽之道而修養者，則合四時生長之宜；能知十二節氣之所遷至者，雖聖智亦不欺侮而奉行之也。）能存八動之變，五勝更立；能達虛實之數者，獨出獨入，呿吟至微，秋毫在目。（存，謂心存。達，謂明達。呿，謂欠呿。吟，謂吟嘆。秋毫在目，言細必察也。八動，謂八節之風變動。五勝，謂五行之氣相勝。立，謂當其王時。變，謂氣至而變易。知是三者，則應效明著，速猶影響，此自神之獨出獨入，亦非鬼靈能召遣也。○新校正云：按楊上善云：呿，祛遮反，謂露齒出氣。）帝曰：人生有形，不離陰陽，天地合氣，別為九野，分為四時，月有小大，日有短長，萬物並至，不可勝量，虛實呿吟，敢

問其方請說用鍼之意岐伯曰木得金而伐火得水而滅土得木而
達金得火而缺水得土而絶萬物盡然不可勝竭達通也言物類雖不
可竭盡而數要之皆如五行之氣而有勝負之性分爾故鍼有懸布天下者五黔首共
餘食莫知之也言鍼之道有若高懸示人彰布於天下者五矣而百姓共知餘食咸棄蔑之不務於本而
崇乎末莫知真要深在其中所謂五者次如下句○新校正
云按全元起本餘食作飽食注云人愚不解陰陽不知鍼之
妙飽食終日莫能知其妙益又太素作飲食楊上
善注云黔首共服用此道然不能得其意黔音鈐一曰治神
專精其心不妄動亂也所以云手如握虎神无營於衆物蓋
欲調治精神專其心也○新校正云按楊上善云存生之道
知此五者以爲攝養可得長生也魂神意魄志以爲神主故
皆名神欲爲鍼者先須治神故人无悲哀動中則魂不傷肝
得无病秋无難也无怵惕思慮則神不傷心得无病冬无難
也无愁憂不解則意不傷脾得无病春无難也无喜樂不極
則魄不傷肺得无病夏无難也无盛怒者則志不傷腎得无
病季夏无難也是以五過不起於心則神清性明五神各安
其藏則壽延遐筭也二曰知養身知養己身之法亦如養人之道矣陰
陽應象大論曰用鍼者以我知彼用
之不殆此之謂也○新校正云按太素身作形楊上善云飲
食男女節之以限風寒暑濕攝之以時有異單豹外凋之害
即内養形也實慈恕以愛人和塵勞而不迹有殊張毅高門
之傷即外養形也内外之養周備則不求生而久生无期壽

而長壽此則鍼布養形之極也玄元皇帝曰太上養神其次養形詳王氏之討專治神養身於用鍼之際其談甚狹不若上善之說為優若以此五者鮮為用鍼之際則下文知毒藥為真王氏亦不專用鍼為鮮也三曰知毒藥為真毒藥攻邪順宜而用正真之道其在茲乎四曰制砭石小大古者以砭石為鍼故不舉九鍼但言砭石爾當制其大小者隨病所宜而用之新校正云按全元起云砭石者是古外治之法有三名一鍼石二砭石三鑱石其實一也古來未能鑄鐵故用石為鍼故名之鍼石言工必砥礪鋒利制其小大之形與病相當黃帝造九鍼以代鑱石上古之治者各隨方所宜東方之人多癰腫聚結故砭石生於東方五曰知府藏血氣之診今諸陽為府諸陰為藏故血氣形志篇曰太陽多血少氣少陽少血多氣陽明多氣少血少陰少血多氣厥陰多血少氣太陰多氣少血是以刺陽明出血氣刺太陽出血惡氣刺少陽出氣惡血刺太陰出氣惡血刺少陰出氣惡血刺厥陰出血惡氣也精知多少則補寫萬全五法俱立各有所先事宜則應者先用今末世之刺也虛者實之滿者泄之此皆衆工所共知也若夫法天則地隨應而動和之者若響隨之者若影道無鬼神獨來獨往隨應而動言其效也若影若響言其近也夫如影之隨形響之應聲豈復有鬼神之召遣耶蓋由隨應而動之自得爾帝曰願聞其道岐伯曰凡刺之真必先治神專其精神寂無動亂刺之真要

其在斯焉五藏已定九候已備後乃存鍼先定五藏之脉備九候之診而有太過不及
者然後乃存意於用鍼之法衆脉不見衆凶弗聞外内相得無以形先衆脉
謂七診之脉衆凶謂五藏相乗外内相得言形氣相得也无以形先言不以已形之衰盛寒温料病人之形氣使同於己
也故下文曰可玩往來乃施於人玩謂玩弄言精熟也標本病傳論曰謹熟陰陽无與衆謀此其
類也○新校正云按此文出陰陽別論此云標本病傳論者誤也人有虚實五虚勿近五實
勿遠至其當發間不容瞚人之虚實非其遠近而有之蓋由血氣一時之盈縮不然其未發則
如雲垂而視之可久至其發也則如電滅而指所不及遲速之殊有如此矣○新校正云按甲乙經瞚作眴全元起本及
太素作眴瞚音舜手動若務鍼耀而勻手動用鍼心如專務於一事也鍼經曰一其形聽其動靜
而知邪正此之謂也鍼耀而勻謂鍼形光淨上下勻平也静意視義觀適之變是謂冥冥
莫知其形冥冥言血氣變化之不可見也故静意視息以義斟酌觀所調適經脉之變易尔雖且鍼下用意精
微而測量之猶不知亦易形容誰為其象也○新校正云按八正神明論云觀其冥冥者言形氣榮衛之不形於外而工
獨知之以日之寒温月之虚盛四時氣之浮沉參伍相合而調之工常先見之然而不形於外故曰觀於冥冥焉見
其烏烏見其稷稷從見其飛不知其誰烏烏歎其氣至稷稷嗟其已應言所鍼得

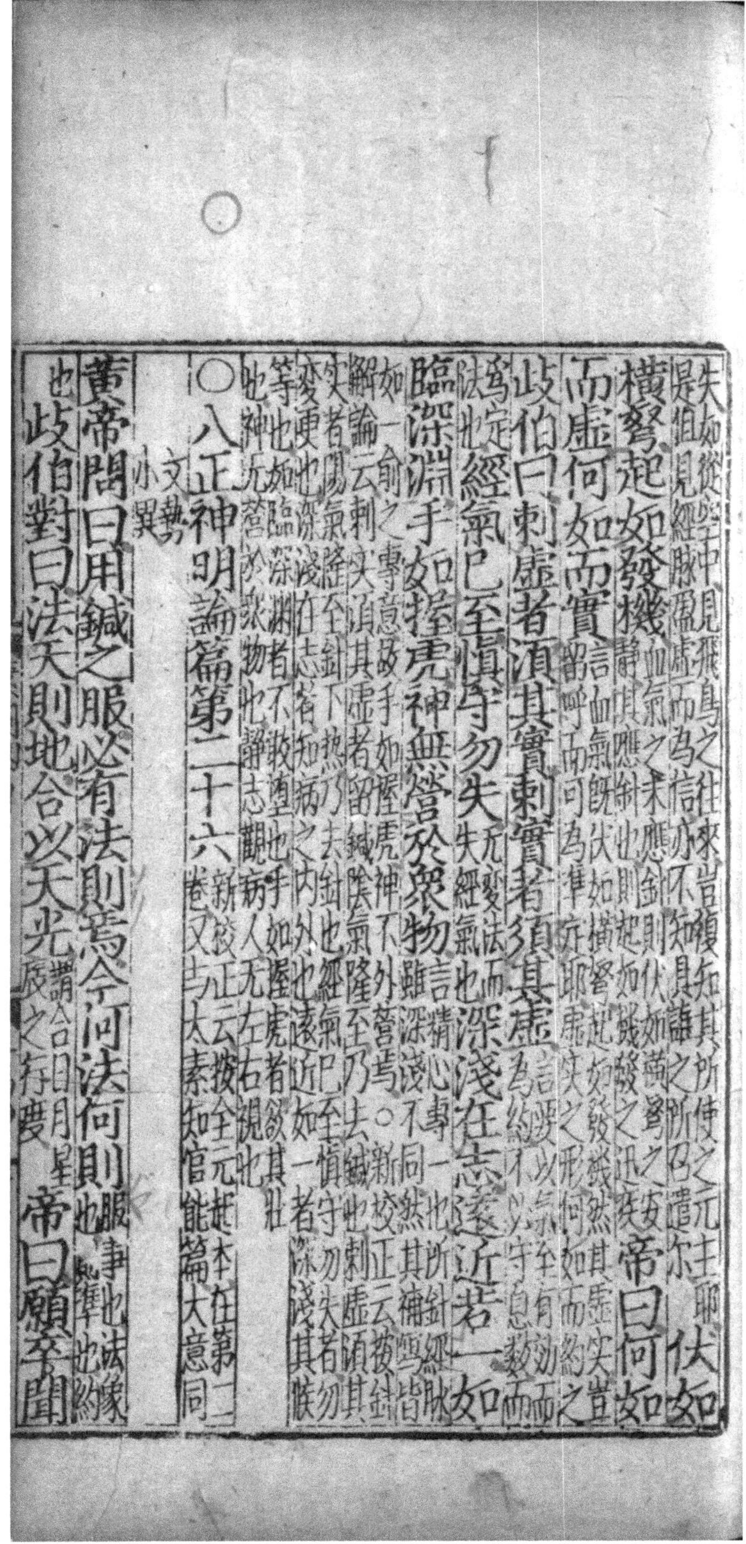

失如從空中見飛鳥之往來豈復知其所使之元主耶是但見經脈盈虛而為信亦不知其誰之所召遣爾伏如

橫弩起如發機血氣之未應鍼則伏如橫弩之安靜其應鍼也則起如機發之迅疾帝曰何如

而虛何如而實言血氣既伏如橫弩起如發機然其虛實豈留呼而可為準定耶虛實之形何如而約之

岐伯曰刺虛者須其實刺實者須其虛言要以氣至有效而為約不必守息數而

為定法也經氣已至慎守勿失无變法而失經氣也深淺在志遠近若一如

臨深淵手如握虎神無營於衆物言精心專一也所鍼經脈雖深淺不同然其補瀉皆

如一俞之專意手如握虎神不外營焉○新校正云按鍼解論云刺實須其虛者留鍼陰氣隆至乃去鍼也刺虛須其

實者陽氣隆至鍼下熱乃去鍼也經氣已至慎守勿失者勿變更也深淺在志者知病之內外也遠近如一者深淺其候

等也如臨深淵者不敢墮也手如握虎者欲其壯也神无營於衆物也靜志觀病人无左右視也

○八正神明論篇第二十六新校正云按全元起本在第二卷又與太素知官能篇大意同

文勢小異

黃帝問曰用鍼之服必有法則焉今何法何則服事也法象也則準也約

也岐伯對曰法天則地合以天光謂合日月星辰之行度帝曰願卒聞

之岐伯曰凡刺之法必候日月星辰四時八正之氣氣定乃刺之候日月者謂候日之寒溫月之空滿也星辰者謂先知二十八宿之分應水漏刻者也畧而言之常以日加之於宿上則知人氣在太陽否日行一舍人氣在三陽與陰分矣細而言之從房至畢十四宿水下五十刻半日之度也從昴至心亦十四宿水下五十刻終日之度也是故從房至畢者為陽從昴至心者為陰陽主晝陰主夜也凡日行一舍故水下三刻與七分刻之四也靈樞經曰水下一刻人氣在太陽水下二刻人氣在少陽水下三刻人氣在陽明水下四刻人氣在陰分水下不止氣行亦尒又曰日行一舍人氣行於身一周與十分身之八日行二舍人氣行於身三周與十分身之六日行三舍人氣行於身五周與十分身之四日行四舍人氣行於身七周與十分身之二日行五舍人氣行於身九周然日行二十八舍人氣亦行於身五十周與十分身之四由是故必候日月星辰也四時八正之氣者謂四時正氣八節之風來朝於太一者也謹候其氣之所在而刺之氣定乃刺之者謂八節之風氣靜定乃可以刺經脉調虛實也故曆忌云八節前後各五日不可刺灸凶是則謂氣未定故不可刺灸也○新校正云按八節即風朝太一具天元玉冊中是故天溫日明則人血淖液而衛氣浮故血易寫氣易行天寒日陰則人血凝泣而衛氣沉泣謂如水中居雪也泣收斂反冬也月始生則血氣始精衛氣始行月郭滿則血氣實肌肉堅月郭空則肌

肉減。經絡虛衛氣去形獨居是以因天時而調血氣也是以
天寒無刺血凝泣而衛氣沉也天温無凝血淖液而氣易行也月生無寫月滿無
補月郭空無治是謂得時而調之謂得天時也因天之序盛虛之
時移光定位正立而待之候日遷移定氣所在南面正立待氣至而調之也故日月
生而寫是謂藏虛血氣弱也○新校正云按全元起本藏作減藏當作減月滿而補血
氣揚溢絡有留血命曰重實絡亦為經誤血氣盛也留一為流非也月郭空而
治是謂亂經陰陽相錯真邪不別沉以留止外虛內亂淫邪
乃起氣失紀故淫邪起帝曰星辰八正何候岐伯曰星辰者所以制
日月之行也制謂制度星辰則可知日月行之制度矣畧而言之周天二十八宿三十六分人氣行一周天
凡一千八分周身十六丈二尺以應二十八宿合漏水百刻都行八百一十丈以分晝夜也故人十息氣行六尺日行二
分二百七十息氣行十六丈二尺一周於身水下二刻日行二十分五百四十息氣行再周於身水下四刻日行四十分
二千七百息氣行十周於身水下二十刻日行五宿二十分一萬三千五百息氣行五十周於身水下百刻日行二十八
宿也細而言之則常以一十周加之一分又十分分之六乃奇分盡矣是故星辰所以制日月之行度也○新校正云詳

〔周天二十八宿至日行二十八宿也本靈樞文今具甲乙經中〕八正者所以候八風之虛邪以時至者也〔八正謂八節之正氣也八風者東方嬰兒風南方大弱風西方剛風北方大剛風東北方凶風東南方弱風西南方謀風西北方折風也虛邪謂乘人之虛而為病者也以時至謂天應太一移居以八節之前後風朝中宮而至者也○新校正云詳太一移居風朝中宮義具天元玉冊〕四時者所以分春秋冬夏之氣所在以時調之也八正之虛邪而避之勿犯也〔四時之氣所在者謂春氣在經脈夏氣在孫絡秋氣在皮膚冬氣在骨髓也然觸冒虛邪動傷真氣避而勿犯乃不病焉靈樞經曰聖人避邪如避矢石蓋以其能傷真氣也〕以身之虛而逢天之虛兩虛相感其氣至骨入則傷五藏〔以虛感虛同氣而相應也〕工候救之弗能傷也〔候知而止故弗能傷之救止也〕故曰天忌不可不知也〔人忌於天故云天忌犯之則病故不可不知也〕帝曰善其法星辰者余聞之矣願聞法往古者岐伯曰法往古者先知鍼經也驗於來今者先知日之寒溫月之虛盛以候氣之浮沉而調之於身觀其立有驗也〔候氣不差故立有驗〕觀其冥冥者言形氣榮衛之不形於外而工獨知之〔明前篇靜意視義觀適之變是謂冥冥莫知其

形也。雖形氣榮衛不形見於外，而工以心神明悟，獨得知其
衰盛焉。善惡悉可明之。○新校正云：按前篇乃寶命全形論。
以日之寒溫，月之虛盛，四時氣之浮沉，參伍相合而調之，工
常先見之，然而不形於外，故曰觀於冥冥焉。工所以常先見者，何哉？以守法
而神通明也。通於無窮者，可以傳於後世也，是故工之所以異也。
法著故可傳後世，後世不絕則應用通於無窮矣。以獨見知，故工所以異於人也。然而不形見於外，
故俱不能見也。工異於粗者，以粗俱不能見也。視之無形，嘗之無味，故謂冥
冥若神髣髴。言形氣榮衛不形於外，以不可見，故視无形，嘗无味，伏如横弩，起如發機，窈窈冥冥，莫知元主，
謂如神髣髴焉。若如此，髣音倣，髴音弗。虛邪者，八正之虛邪氣也。八正之虛邪，謂八節之虛
邪也。以從虛之鄉來襲虛而入爲病，故謂之八正虛邪。正邪者，身形若用力汗出，腠理
開，逢虛風，其中人也微，故莫知其情，莫見其形。正邪者，不從虛之鄉來也。
以中人微，故莫知其情意，莫見其形狀。上工救其萌牙，必先見三部九候之氣，
盡調不敗而救之，故曰上工。下工救其已成，救其已敗。救其
已成者，言不知三部九候之相失，因病而敗之也。義備離合真邪論中。

知其所在者知診三部九候之病脉處而治之故曰守其門
戶焉莫知其情而見邪形也三部九候為候邪之門戶也守門戶故見邪形以中人微故莫
知其情狀也帝曰余聞補寫未得其意岐伯曰寫必用方方者以
氣方盛也以月方滿也以日方溫也以身方定也以息方吸
而內鍼乃復候其方吸而轉鍼乃復候其方呼而徐引鍼故
曰寫必用方其氣而行焉方猶正也寫邪氣出則真氣流行矣補必用員員者
行也行者移也行謂宣不行之氣令必宣行移謂移未復之脉俾其平復刺必中其榮復
以吸排鍼也鍼入至血謂之中榮故員與方非鍼也所言方員者非謂鍼形正謂行移之
義也故養神者必知形之肥瘦榮衛血氣之盛衰血氣者人
之神不可不謹養神安則壽延神去則形弊故不可不謹養也帝曰妙乎哉論也
合人形於陰陽四時虛實之應冥冥之期其非夫子孰能通
之然夫子數言形與神何謂神何謂形願卒聞之神謂神智通悟形謂
形診可觀岐伯曰請言形形乎形目冥冥問其所病新校正云按甲乙經作捫

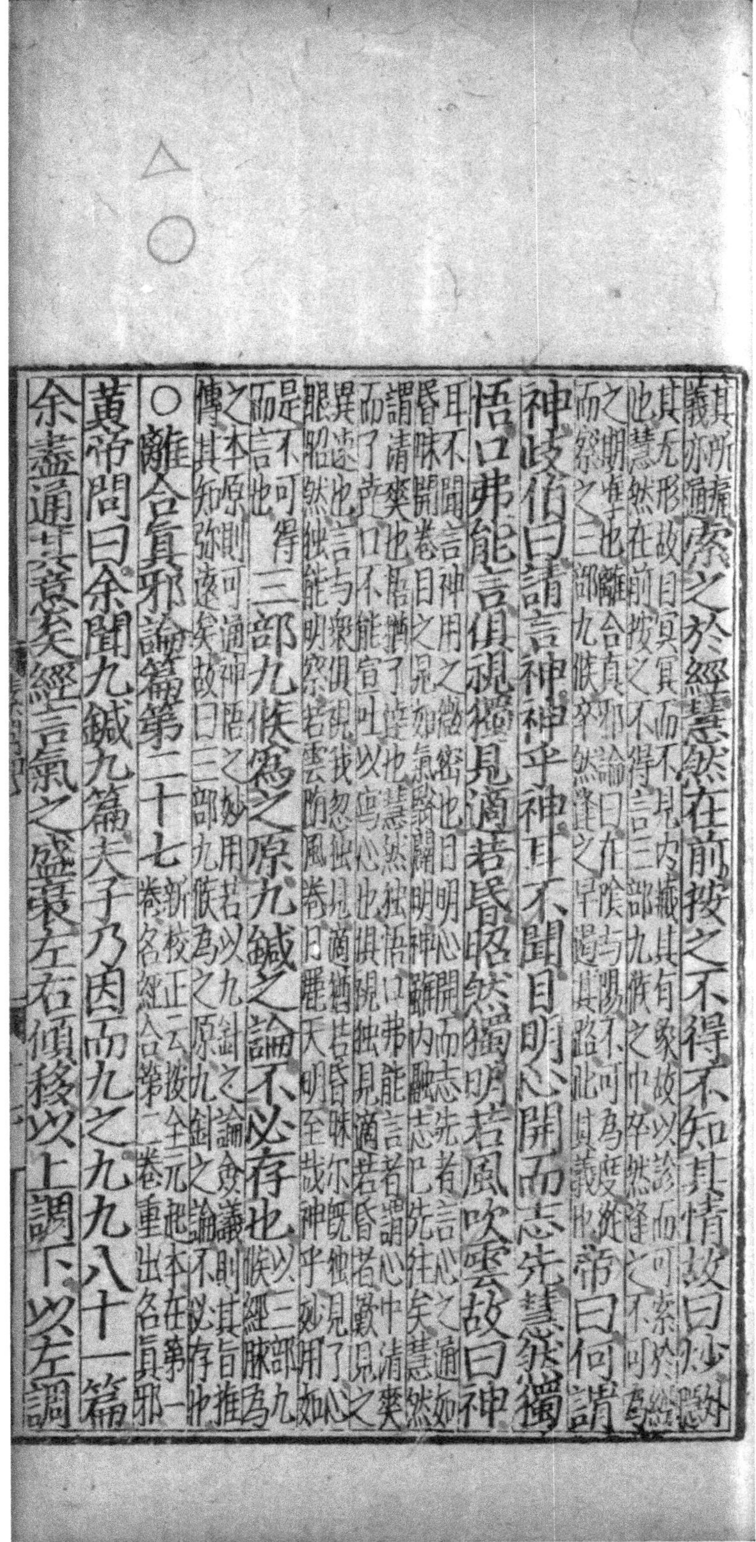

其所痛義亦通索之於經慧然在前按之不得不知其情故曰形外隱其无形故目冥冥而不見內藏其有象故以診而可索於經也慧然在前按之不得言三部九候之中卒然逢之不可為之期准也離合真邪論曰在陰与陽不可為度從而察之三部九候卒然逢之早遏其路此其義也帝曰何謂神岐伯曰請言神神乎神耳不聞目明心開而志先慧然獨悟口弗能言俱視獨見適若昏昭然獨明若風吹雲故曰神耳不聞言神用之微密也目明心開而志先者言心之通如昏昧開卷目之見如氣翳闢明神雖內融志已先往矣慧然謂清爽也悟了達也慧然獨悟口弗能言者謂心中清爽而了達口不能宣吐以寫心也俱視獨見適若昏者歎見之異速也言与衆俱視我忽獨見適猶若昏昧尔既獨見了心眼昭然獨能明察若雲隨風卷日麗天明至哉神乎妙用如是不可得而言也三部九候為之原九鍼之論不必存也以三部九候經脈為之本原則可通神悟之妙用若以九鍼之論僉議則其旨惟傳其知弥遠矣故曰三部九候為之原九鍼之論不必存也

○離合真邪論篇第二十七新校正云按全元起本在第一卷名經合第二卷重出名真邪

黃帝問曰余聞九鍼九篇夫子乃因而九之九九八十一篇余盡通其意矣經言氣之盛衰左右傾移以上調下以左調

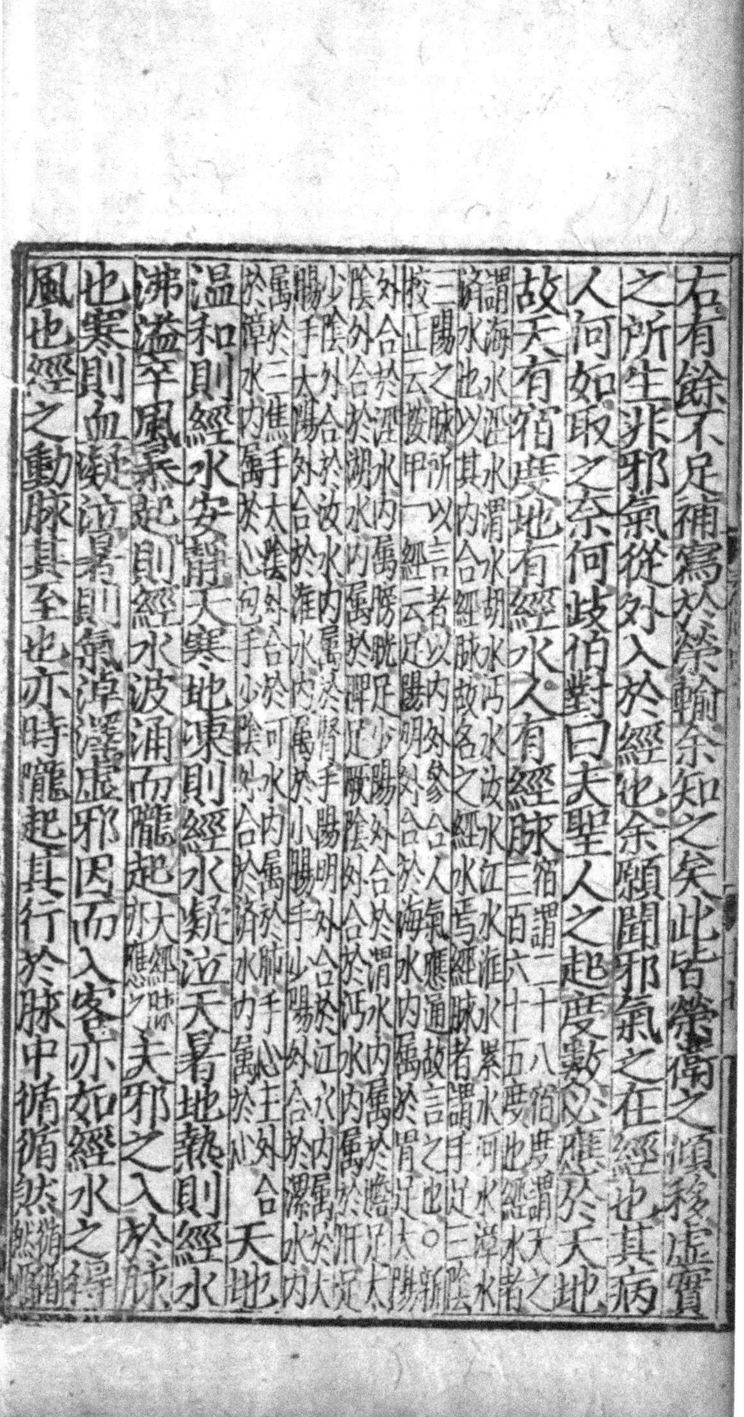

右有餘不足補寫於滎輸余知之矣此皆榮衛之傾移虛實之所生非邪氣從外入於經也余願聞邪氣之在經也其病人何如取之奈何岐伯對曰夫聖人之起度數必應於天地故天有宿度地有經水人有經脈宿謂二十八宿度謂天之三百六十五度也經水者謂海水清水渭水湖水沔水汝水江水淮水漯水河水漳水濟水也以其內合經脈故名之經水焉經脈者謂手足三陰三陽之脈所以言者以內外參合人氣應通故言之也○新校正云按甲乙經云足陽明外合於海水內屬於胃足太陽外合於清水內屬膀胱足少陽外合於渭水內屬於膽足太陰外合於湖水內屬於脾足厥陰外合於沔水內屬於肝足少陰外合於汝水內屬於腎手陽明外合於江水內屬於大腸手太陽外合於淮水內屬於小腸手少陽外合於漯水內屬於三焦手太陰外合於河水內屬於肺手心主外合於漳水內屬於心包手少陰外合於濟水內屬於心天地溫和則經水安靜天寒地凍則經水凝泣天暑地熱則經水沸溢卒風暴起則經水波涌而隴起大經脈亦應之夫邪之入於脈也寒則血凝泣暑則氣淖澤虛邪因而入客亦如經水之得風也經之動脈其至也亦時隴起其行於脈中循循然[illegible]

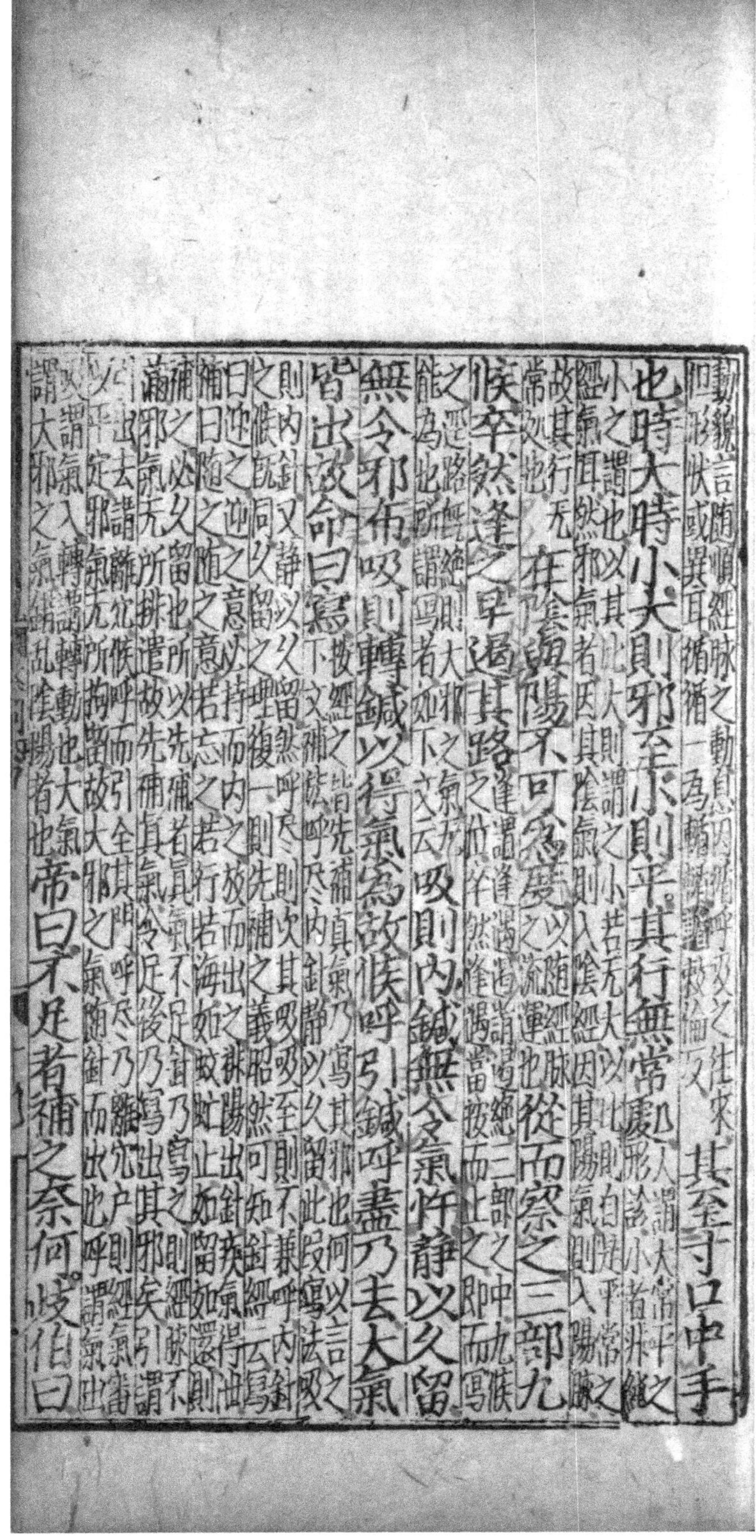

動貌言隨順經脈之動息因循呼吸之往來但形狀或異耳循循一爲揗揗揗撥倫反其至寸口中手也時大時小大則邪至小則平其行無常處大謂大常平之形診小者非細小之謂也以其比大則謂之小若无大以比則自是平常之經氣爾然邪氣者因其陰氣則入陰經因其陽氣則入陽脈故其行无常處也在陰與陽不可爲度以隨經脈之流運也從而察之三部九候卒然逢之早遏其路逢謂逢遇遏謂遏絕三部之中九候之位卒然逢遇當按而止之即而寫之逕路既絕則大邪之氣无能爲也所謂寫者如下文云吸則內鍼無令氣忤靜以久留無令邪布吸則轉鍼以得氣爲故候呼引鍼呼盡乃去大氣皆出故命曰寫按經之此皆先補真氣乃寫其邪也何以言之下文補法呼盡內針靜以久留此段寫法吸則內針又靜以久留然呼盡則次其吸吸至則不兼呼內針之微既同以留之理復一則先補之義昭然可知針經云寫曰迎之迎之意必持而內之放而出之排陽出針疾氣得泄補曰隨之隨之意若忘之若行若悔如蚊虻止如留如還則補之必久留也所以先補者真氣不足針乃寫之則經脈不滿邪氣无所排遣故先補真氣令足後乃寫出其邪矣引謂引出去謂離穴候呼而引至其門呼盡乃離穴戶則經氣審以平定邪氣无所拘留故大邪之氣隨針而出也呼謂氣出吸謂氣入轉謂轉動也大氣謂大邪之氣錯亂陰陽者也帝曰不足者補之奈何岐伯曰

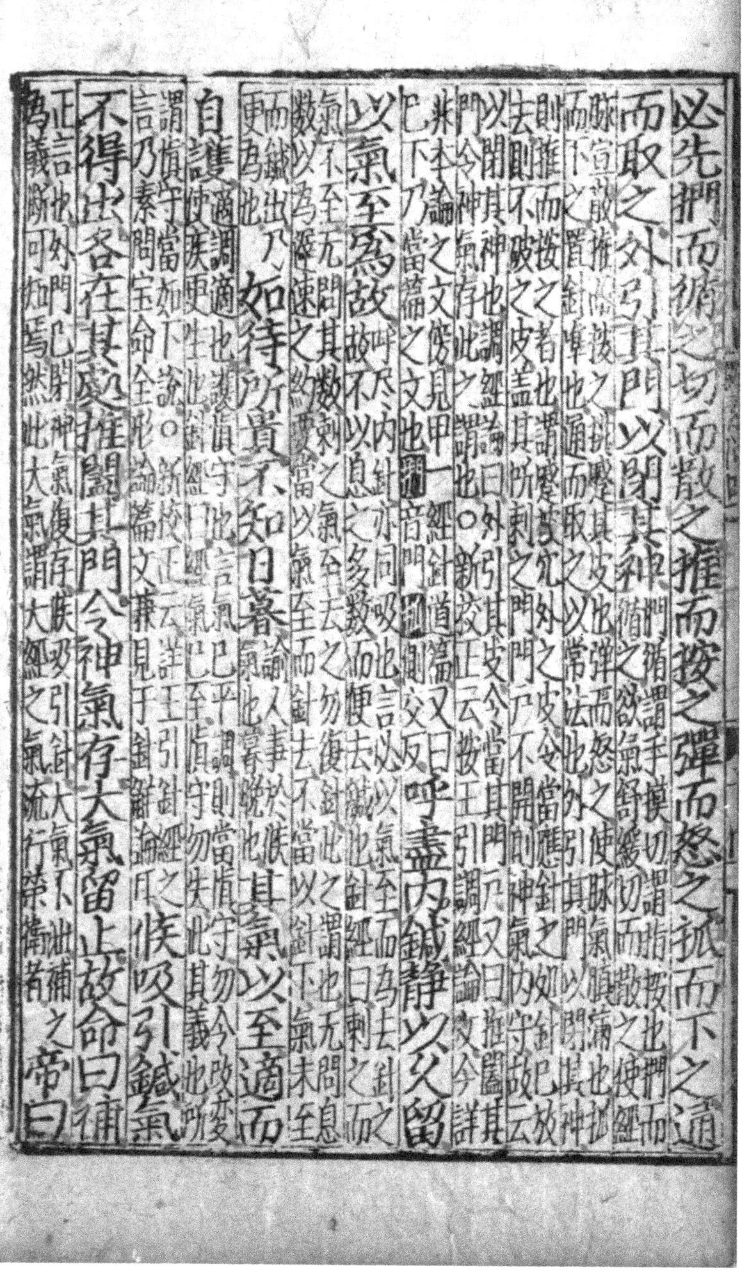

必先捫而循之切而散之推而按之彈而怒之抓而下之通而取之外引其門以閉其神捫循謂手摸切謂指按也捫而循之欲氣舒緩切而散之使經脉宣散推而按之排蹙其皮也彈而怒之使脉氣䐜滿也抓而下之置鍼準也通而取之以常法也外引其門以閉其神則推而按之者也謂蹙按穴外之皮令當應鍼之處鍼已放去則不破之皮蓋其所刺之門門户不開則神氣內守故云以閉其神也調經論曰外引其皮令當其門户又曰推闔其門令神氣存此之謂也○新校正云按王引調經論文今詳此本論之文傍見甲乙經鍼道篇又曰也下乃當篇之文也釋音捫音門抓側交反呼盡內鍼靜以久留以氣至為故呼盡內鍼亦同吸也言必以氣至而為去鍼之故不以息之多數而便去鍼也鍼經曰刺之而氣不至无問其數刺之氣至去之勿復鍼此之謂也无問息數以為遲速之約要當以氣至而鍼去不當以鍼下氣未至而鍼出乃更為也如待所貴不知日暮諭人事於候氣也寄說也其氣以至適而自護適調適也護慎守也言氣已平調則當慎守勿令改變使疾更生也鍼經曰經氣已至慎守勿失此其義也所謂慎守當如下說○新校正云詳王引鍼經之言乃素問寶命全形論篇文兼見于鍼解論耳候吸引鍼氣不得出各在其處推闔其門令神氣存大氣留止故命曰補正言也外門已閉神氣復存候吸引鍼大氣不泄補之為義斷可知焉然此大氣謂大經之氣流行榮衛者帝曰

候氣奈何謂候可取之氣也岐伯曰夫邪去絡入於經也舍於血脈之中繆刺論曰邪之客於形也必先舍於皮毛留而不去入舍於孫脈留而不去入舍於絡脈留而不去入舍於經脈故云去絡入於經也其寒溫未相得如涌波之起也時來時去故不常在以周游於十六丈二尺經脈之分故不常在於所候之處也故曰方其來也必按而止之止而取之無逢其衝而瀉之衝謂應水刻數之平氣也靈樞經曰水下一刻人氣在太陽水下二刻人氣在少陽水下三刻人氣在陽明水下四刻人氣在陰分然氣在太陽則太陽独盛氣在少陽則少陽獨盛夫見獨盛者便謂邪來以鍼瀉之則反傷真氣故下文曰真氣者經氣也經氣大虛故曰其來不可逢此之謂也經氣應刻乃謂為邪工若寫之則深誤也故曰其來不可逢故曰候邪不審大氣已過瀉之則真氣脫脫則不復邪氣復至而病益蓄不悟其邪反誅無罪則真氣泄脫邪氣復侵經氣大虛故病弥蓄積故曰其往不可追此之謂也已隨經脈之流去不可復追召使還不可挂以髮者待邪之至時而發鍼瀉矣言輕微而有尚且知之况若涌波不知其至也若先若後者血氣已盡其病不可下言不可取而取失時也。新校正云按全元起本作血氣已虛盡字當作虛字之誤也故曰知其可取如發機，不知其取如扣椎，故曰知機道者不可掛以髮，不知機者扣之不發，此之謂也。（機者動之微，言貴知其微也。）帝曰：補寫奈何？岐伯曰：此攻邪也。疾出以去盛血，而復其眞氣，（視有血者乃取之。）此邪新客，溶溶未有定處也，推之則前，引之則止，逆而刺之，溫血也。（言邪之新客，未有定居，推針補之，則隨補而前進，若引針致之，則隨引而留止也。若不出盛血而反溫之，則邪氣內勝，反增其害，故下文曰。）刺出其血，其病立已。帝曰：善。然眞邪以合，波隴不起，候之奈何？岐伯曰：審捫循三部九候之盛虛而調之，（盛者寫之，虛者補之，不盛不虛，以經取之，則其法也。）察其左右上下相失及相減者，審其病藏以期之。（氣之在陰，則候其氣之在於陰分而刺之；氣之在陽，則候其氣之在於陽分而刺之，是謂逢時。靈樞經曰：水下一刻，人氣在太陽；水下四刻，人氣在陰分也。積刻不已，氣亦隨在，周而復始，故審其病藏以期其氣而刺之。）不知三部者，陰陽不別，天地不分。地以候地，天以候天，人以候人，調之中府，以定三部。故曰刺不知三部九候病脈之處，雖有大過且至，工不能禁也。（禁謂禁止也。然候邪之如

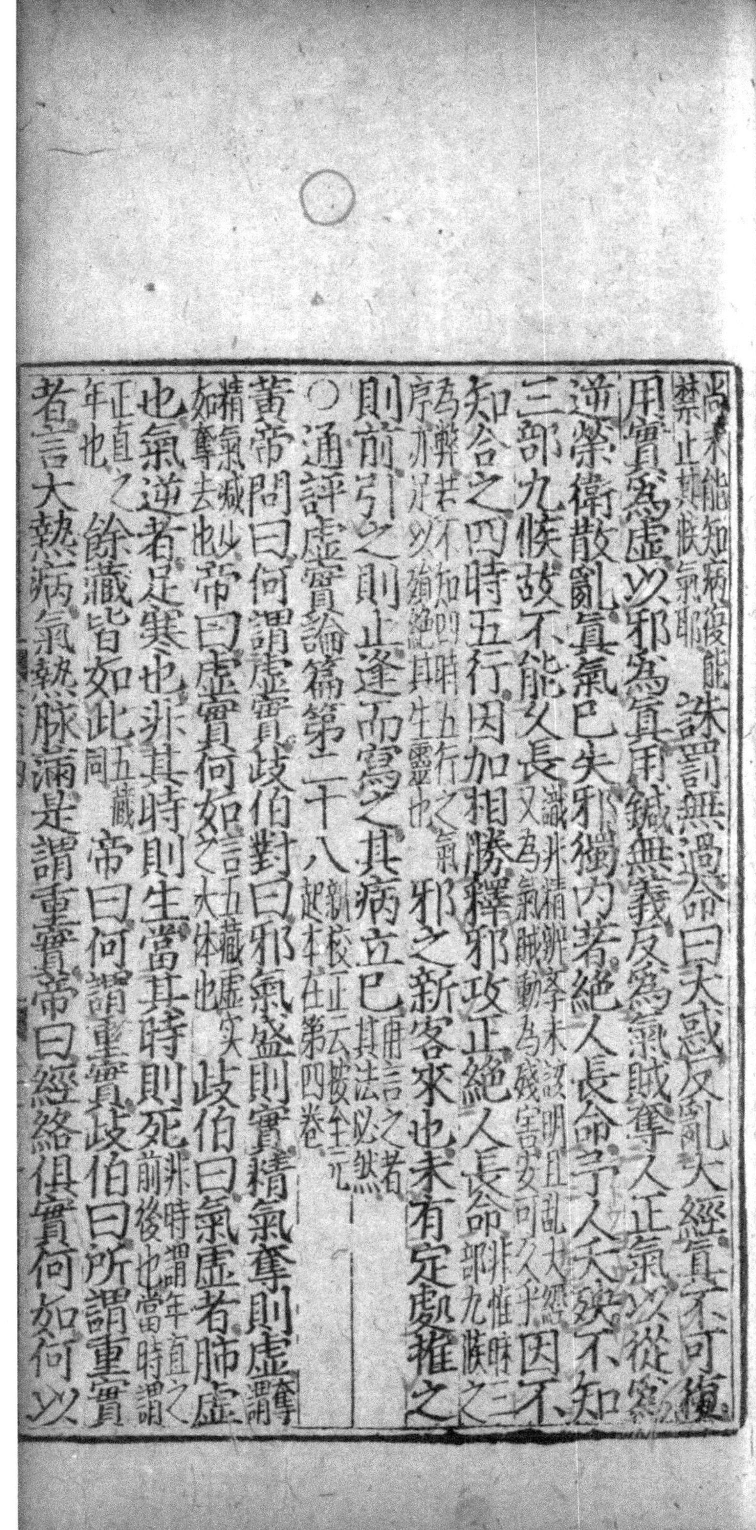
尚未能知病復能禁止其候氣耶誅罰無過命曰大惑反亂大經眞不可復
用實爲虛以邪爲眞用鍼無義反爲氣賊奪人正氣以從爲
逆榮衛散亂眞氣已失邪獨內著絶人長命予人夭殃不知
三部九候故不能久長識非精辨學未該明且亂大經又爲氣賊動爲殘害安可久乎因不
知合之四時五行因加相勝釋邪攻正絶人長命非惟昧三部九候之
爲弊若不知四時五行之氣序亦足以殞絶其生靈也邪之新客來也未有定處推之
則前引之則止逆而寫之其病立已通言之者其法必然
○通評虛實論篇第二十八新校正云按全元起本在第四卷
黃帝問曰何謂虛實岐伯對曰邪氣盛則實精氣奪則虛奪謂
精氣減少如奪去也帝曰虛實何如言五藏虛實之大体也岐伯曰氣虛者肺虛
也氣逆者足寒也非其時則生當其時則死非時謂年直之前後也當時謂
正直之年也餘藏皆如此五藏同帝曰何謂重實岐伯曰所謂重實
者言大熱病氣熱脉滿是謂重實帝曰經絡俱實何如何以

治之岐伯曰經絡皆實是寸脉急而尺緩也皆當治之故曰
滑則從濇則逆也脉急謂脉口也夫虛實者皆從其物類始故五藏
骨肉滑利可以長久也物之生則滑利物之死則枯濇故濇為逆滑為從從謂順也帝曰
絡氣不足經氣有餘何如岐伯曰絡氣不足經氣有餘者脉
口熱而尺寒也秋冬為逆春夏為從治主病者春夏陽氣高故脉口熱尺
中寒為順也十二經十五絡各隨左右而有大過不足工當尋其至中應以鍼艾故云治主病者也帝曰經
虛絡滿何如岐伯曰經虛絡滿者尺熱滿脉口寒濇也此春
夏死秋冬生也秋冬陽氣下故尺中熱脉口寒為順也帝曰治此者奈何岐伯
曰絡滿經虛灸陰刺陽經滿絡虛刺陰灸陽以陰分主絡陽分主經故耳
帝曰何謂重虛此反問前重實也岐伯曰脉氣上虛尺虛是謂重虛
言尺寸脉俱虛○新校正云按甲乙經作脉虛氣虛尺虛是謂重虛此少一虛字多一上字王注言尺寸脉俱虛則不兼
氣虛也詳前熱病氣熱脉滿為重實此脉虛氣虛尺虛為重虛是脉与氣俱實為重實俱虛為重虛不但尺寸俱虛為重
虛也帝曰何以治之岐伯曰所謂氣虛者言無常也尺虛者行

步恇然（寸虚則脉動无常尺虚則行步恇然不足○新校正云按楊上善云氣虚者膻中氣不定也王謂寸虚則脉動无常非也）脉虚者不象陰也（不象太陰之候也何以言之氣口者脉之要會手太陰之動也）如此者滑則生濇則死也帝曰寒氣暴上脉滿而實何如（言氣熱脉滿已謂重实滑則從濇則逆本氣寒脉滿亦可謂重实乎其於滑濇生死逆從何如）岐伯曰實而滑則生實而逆則死（逆謂濇也○新校正云詳王氏以逆為濇大非古文簡略辭多互文上言滑而下言逆舉滑則從可知言逆則濇可見非謂逆為濇也）帝曰脉實滿手足寒頭熱何如岐伯曰春秋則生冬夏則死（大略言之夏手足寒非病也是夏行冬令夏得則冬死冬脉实滿頭熱亦非病也是冬行夏令冬得則夏亡反冬夏以言之則皆不死春秋得之是病故生死皆在時之孟月也）脉浮而濇濇而身有熱者死（新校正云按甲乙經移續於此舊在後帝曰形度骨度脉度筋度何以知其度也下對問義不相類王氏頗知其錯簡而不知皇甫士安嘗移附於此今去後條移從於此）帝曰其形盡滿何如岐伯曰其形盡滿者脉急大堅尺濇而不應也（形盡滿謂四形藏盡滿也○新校正云按甲乙經太素濇作滿）如是者從則生逆則死帝曰何謂從則生逆則死岐伯曰所謂從者手足溫也所謂逆者手足

寒也帝曰乳子而病熱脈懸小者何如（懸謂如懸物之動也）岐伯曰手足溫則生寒則死（新校正云按太素无手字楊上善云足溫氣下故生足寒氣不下者逆而致死）帝曰乳子中風熱喘鳴肩息者脈何如岐伯曰喘鳴肩息者脈實大也緩則生急則死（緩謂如縱緩急謂如弦張之急非往來之緩急也正理傷寒論曰緩則中風故乳子中風脈緩則生急則死）帝曰腸澼便血何如岐伯曰身熱則死寒則生（熱為血敗故死寒為榮氣在故生）帝曰腸澼下白沫何如岐伯曰脈沉則生脈浮則死（陰病而見陽脈与證相反故死）帝曰腸澼下膿血何如岐伯曰脈懸絕則死滑大則生帝曰腸澼之屬身不熱脈不懸絕何如岐伯曰滑大者曰生懸濇者曰死以藏期之（肝見庚辛死心見壬癸死肺見丙丁死腎見戊己死脾見甲乙死是謂以藏期之）帝曰癲疾何如岐伯曰脈搏大滑久自已脈小堅急死不治（脈小堅急為陰陽病而見陰脈故死不治○新校正云按巢元方云脈沉小急實死不治小牢急亦不可治）帝曰癲疾之脈虛實何如岐伯曰虛則可治實則死（以反證故）帝曰消癉虛實何如岐伯曰脈實大

病久可治脈懸小堅病久不可治久病血氣衰脈不當實大故不可治○新校正云詳經言實大病久可治注意以為不可治按甲乙經太素全元起本並云可治又按巢元方云脈數大者生細小浮者死又云沈小者生實牢大者死［釋］[illegible]徒用反勞病也帝曰形度骨度脈度筋度何以知其度也形度具三備經筋度脈度骨度並具在靈樞經中此問亦合在彼經篇首錯簡也一經以此問為逆從論首非也帝曰春亟治經絡夏亟治經俞秋亟治六府冬則閉塞閉塞者用藥而少鍼石也亟猶急也閉塞謂氣之門戶閉塞也所謂少鍼石者非癰疽之謂也冬月雖氣門閉塞然癰疽氣烈內作大膿不急寫之則爛筋腐骨故雖冬月亦宜鍼石以開除之癰疽不得頃時回所以癰疽之病冬月猶得用鍼石者何此病頃時回轉之間過而不寫則內爛筋骨穿通藏府癰不知所按之不應手乍來乍已刺手太陰傍三痏與纓脈各二但覓似有癰疽之疾不的知發在何處故按之不應手也乍來乍已言不定痛於一處也手太陰傍足陽明脈謂胸部氣戶等六穴之分也纓脈亦足陽明脈也近纓之脈故曰纓脈纓謂冠帶也以有左右故云各二掖癰大熱刺足少陽五刺而熱不止刺手心主三刺手太陰經絡者大骨之會各三大骨會肩也謂肩貞穴在肩髃後骨解間陷者中暴癰筋緛

隨分而痛魄汗不盡胞氣不足治在經俞癰若暴發隨脈所過筋怒緩急肉分中痛汗液滲泄如不盡兼胞氣不足者悉可以本經脈穴俞補寫之。新校正云按此二條舊散在篇中今移使相從

腹暴滿按之不下取太陽經絡者胃之募也太陽為手太陽也手太陽經絡之所生故取中脘穴即胃之募也中誥曰中脘胃募也居蔽骨与齊之中手太陽少陽足陽明脈所生故云經絡者胃之募也。新校正云按甲乙經云取太陽經絡血者則已无胃之募也等字又楊上善註云足太陽其說各不同未知孰是

少陰俞去脊椎三寸傍五用員利鍼謂取足少陰俞外去脊椎三寸兩傍穴各五痏也少陰俞謂第十四椎下兩傍腎之俞也。新校正云按甲乙經云用員利鍼刺已如食頃久立已必視其經之過於陽者數刺之

霍亂刺俞傍五霍乱者取少陰俞傍志室穴。新校正云按楊上善云刺主霍乱俞傍五取之

足陽明及上傍三足陽明言胃俞也取胃俞兼取少陰俞外兩傍向上第二穴則胃倉穴也

刺癇驚脉五謂陽陵泉在膝上外陷者中也鍼手太陰各五刺經太陽五刺手少陰經絡傍者一足陽明一上踝五寸刺三鍼經太陽謂足太陽也手太陰五謂魚際穴在手大指本節後內側散脉經太陽五謂承山穴在足踹腸下分肉間陷者中也手少陰經絡傍者謂支正穴在腕後同身寸之五寸骨上廉肉分間手太陽絡別走少陰者足陽明一者謂解谿穴在足腕上陷者中也上踝五寸[illegible]

足少陽絡穴明穴按内經明堂中誥圖經悉主霍乱各具明文○新校正云按別本註云悉不主霍乱未詳所謂又按甲乙經太素刺癎驚脉五至此為刺驚癎王註為刺霍乱者王註非也凡治消癉仆擊偏枯痿厥氣滿發逆肥貴人則高梁之疾也隔則閉絶上下不通則暴憂之病也暴厥而聾偏塞閉不通内氣暴薄也不從内外中風之病故瘦留著也蹠跛寒風濕之病也消謂内消癉謂伏熱厥謂氣逆高膏也梁粱也蹠謂足也夫肥者令人熱中甘者令人中滿故熱氣内薄發為消渴偏枯氣滿逆也逆者謂違背常候與平人異也然愁憂者氣閉塞而不行故隔塞否閉氣脉斷絶而上下不通也氣固於内則大小便道偏不得通泄也何者藏府氣不化禁固而不宣散故外風中人伏藏不去則陽氣内受為熱外燔肌肉消爍故留薄肉分消瘦而皮膚著於筋骨也濕勝於足則筋不利寒勝於足則攣急風濕寒勝則衛氣結聚衛氣結聚則肉痛故足跛而不可履也蹠之石反黃帝曰黃疸暴痛癲疾厥狂久逆之所生也五藏不平六府閉塞之所生也頭痛耳鳴九竅不利腸胃之所生也足之三陽從頭走足然久厥逆而不下行則氣怫積於上焦故為黃疸暴痛癲狂氣逆矣食飲失宜吐利過節故六府閉塞而令五藏之氣不和平也腸胃否塞則氣不順序氣不順序則上下中外互相勝負故頭痛耳鳴九竅不利也

○太陰陽明論篇第二十九新校正云按全元起本在第四卷

黄帝問曰太陰陽明為表裏脾胃脈也生病而異者何也脾胃藏府皆舍於土病生而異故問不同岐伯對曰陰陽異位更虛更實更逆更從或從內或從外所從不同故病異名也脾藏為陰胃府為陽陽脈下行陰脈上行陽脈從外陰脈從内故言所從不同病異名也○新校正云按楊上善云春夏陽明為實太陰為虛秋冬太陰為實陽明為虛即更實更虛也春夏太陰為逆陽明為從秋冬陽明為逆太陰為從即更逆更從也帝曰願聞其異狀也岐伯曰陽者天氣也主外陰者地氣也主內是所謂陰陽異位也故陽道實陰道虛是所謂更實更虛也故犯賊風虛邪者陽受之食飲不節起居不時者陰受之是所謂或從内或從外也陽受之則入六府陰受之則入五藏入六府則身熱不時臥上為喘呼入五藏則䐜滿閉塞下為飧泄久為腸澼是所謂所從不同病異名也故喉主天氣咽主地氣故陽受風氣陰受濕氣同氣相求尔故陰氣從足上行至頭而下行循臂至指端陽氣從手上行至頭而下行至足

是所謂更逆更從也。靈樞經曰：手之三陰從藏走手，手之三陽從手走頭，足之三陽從頭走足，足之三陰從足走腹。所行而異，故更逆更從也。故曰：陽病者上行極而下，陰病者下行極而上。此言其大凡爾。然足少陰脉下行，則不同諸陰之氣也。故傷於風者上先受之，傷於濕者下先受之。陽氣炎上，故受風；陰氣潤下，故受濕。蓋同氣相合爾。帝曰：脾病而四支不用何也？岐伯曰：四支皆稟氣於胃，而不得至經，新校正云：按太素至經作徑至。楊上善云：胃以水穀資四支，不能徑至四支，要因於脾，得水穀津液營衛於四支。必因於脾，乃得稟也。脾氣布化水穀精液，四支乃可以稟受也。今脾病不能為胃行其精液，四支不得稟水穀氣，日以衰，脉道不利，筋骨肌肉皆無氣以生，故不用焉。帝曰：脾不主時何也？肝主春，心主夏，肺主秋，腎主冬，四藏皆有正應，而脾無正主也。岐伯曰：脾者土也，治中央，常以四時長四藏，各十八日寄治，不得獨主於時也。脾藏者常著胃土之精也，土者生萬物而法天地，故上下至頭足，不得主時也。治，主也。著，謂常約著於胃也。土氣於四時之中，各於季終寄王十八日，則五行之氣各王七十二日，以終一歲之日矣。外主四季，則在人內應於手足也。帝曰：脾與胃以膜相連耳（新校正云按太素作以募相逆楊上善云脾陰胃陽脾内胃外其位各異故相逆也）而能爲之行其津液何也岐伯曰足太陰者三陰也其脉貫胃屬脾絡嗌故太陰爲之行氣於三陰陽明者表也（胃是脾之表也）五藏六府之海也亦爲之行氣於三陽藏府各因其經而受氣於陽明故爲胃行其津液四支不得稟水穀氣日以益衰陰道不利筋骨肌肉無氣以生故不用焉（又摽明脾主四支之義也）

○陽明脉解篇第三十（新校正云按全元起本在第三卷）

黄帝問曰足陽明之脉病惡人與火聞木音則惕然而驚鍾鼓不爲動聞木音而驚何也願聞其故（前篇言入六府則身熱不時卧上爲喘呼然陽明者胃脉也今病不如前篇之旨而反聞木音而驚故問其異也）岐伯對曰陽明者胃脉也胃者土也故聞木音而驚者土惡木也（陰陽書曰木剋土故土惡木也）帝曰善其惡火何也岐伯曰陽明主肉其脉（新校正云按甲乙經脉作肌）血氣盛邪客之則熱熱甚則惡火帝曰其惡人何也岐伯曰陽

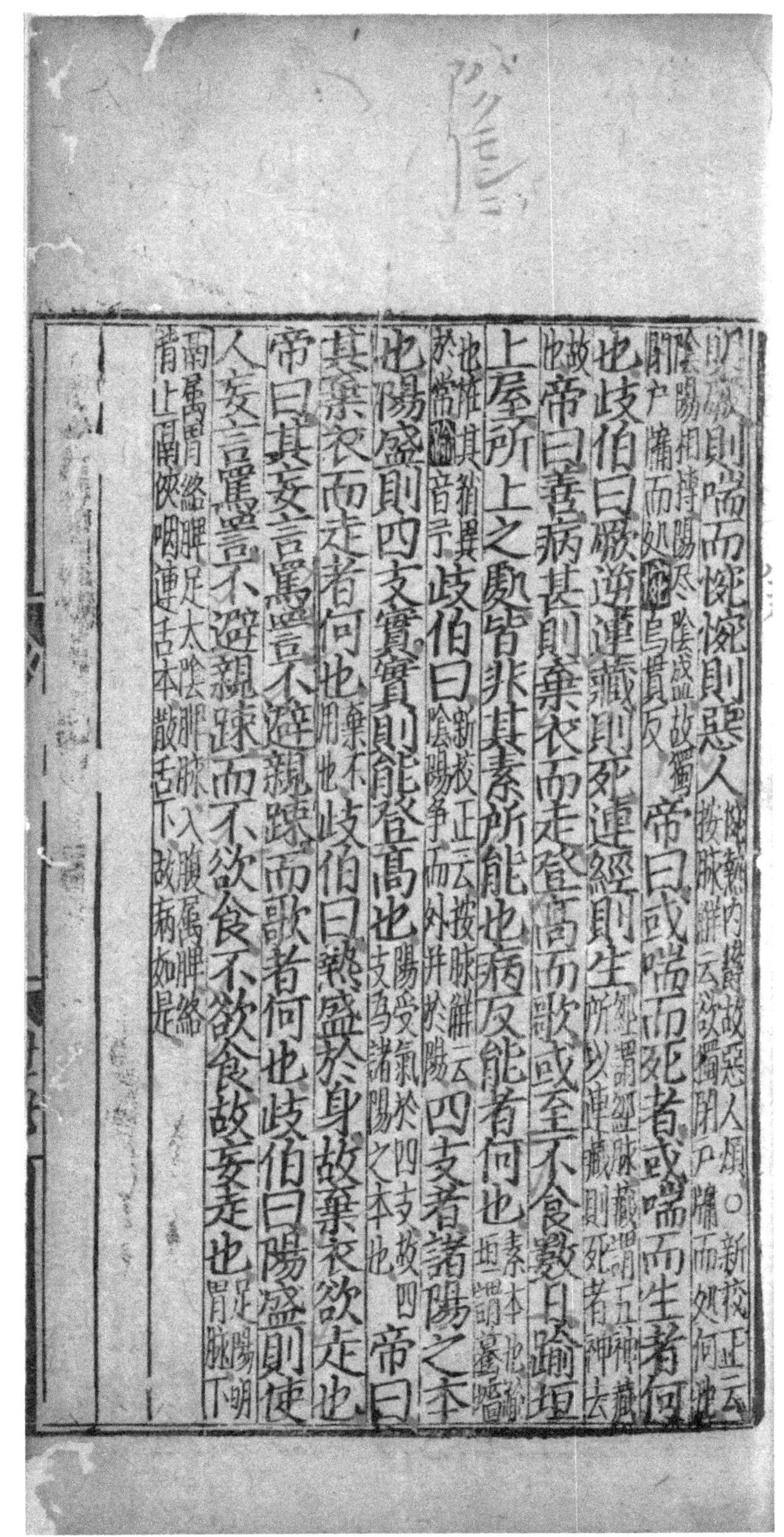

則厥則喘而惋，惋則惡人。（惋熱內鬱，故惡人煩。○新校正云：按《脈解》云：欲獨閉戶牖而處，何也？陰陽相搏，陽盡陰盛，故獨閉戶牖而處。惋，烏貫反）帝曰：或喘而死者，或喘而生者，何也？岐伯曰：厥逆連藏則死，連經則生。（經謂經脈，藏謂五神藏。所以連藏則死者，神去故也）帝曰：善。病甚則棄衣而走，登高而歌，或至不食數日，踰垣上屋，所上之處，皆非其素所能也，病反能者何也？（素，本也。踰垣，謂驀越也。惟其稍異於常。踰音于）岐伯曰：（新校正云：按《脈解》云：陰陽爭而外并於陽）四支者，諸陽之本也。陽盛則四支實，實則能登高也。（陽受氣於四支，故四支為諸陽之本也）帝曰：其棄衣而走者何也？（棄不用也）岐伯曰：熱盛於身，故棄衣欲走也。帝曰：其妄言罵詈，不避親疎而歌者何也？岐伯曰：陽盛則使人妄言罵詈，不避親疎，而不欲食，不欲食故妄走也。（足陽明胃脈下鬲屬胃絡脾，足太陰脾脈入腹屬脾絡胃，上鬲俠咽，連舌本，散舌下，故病如是）

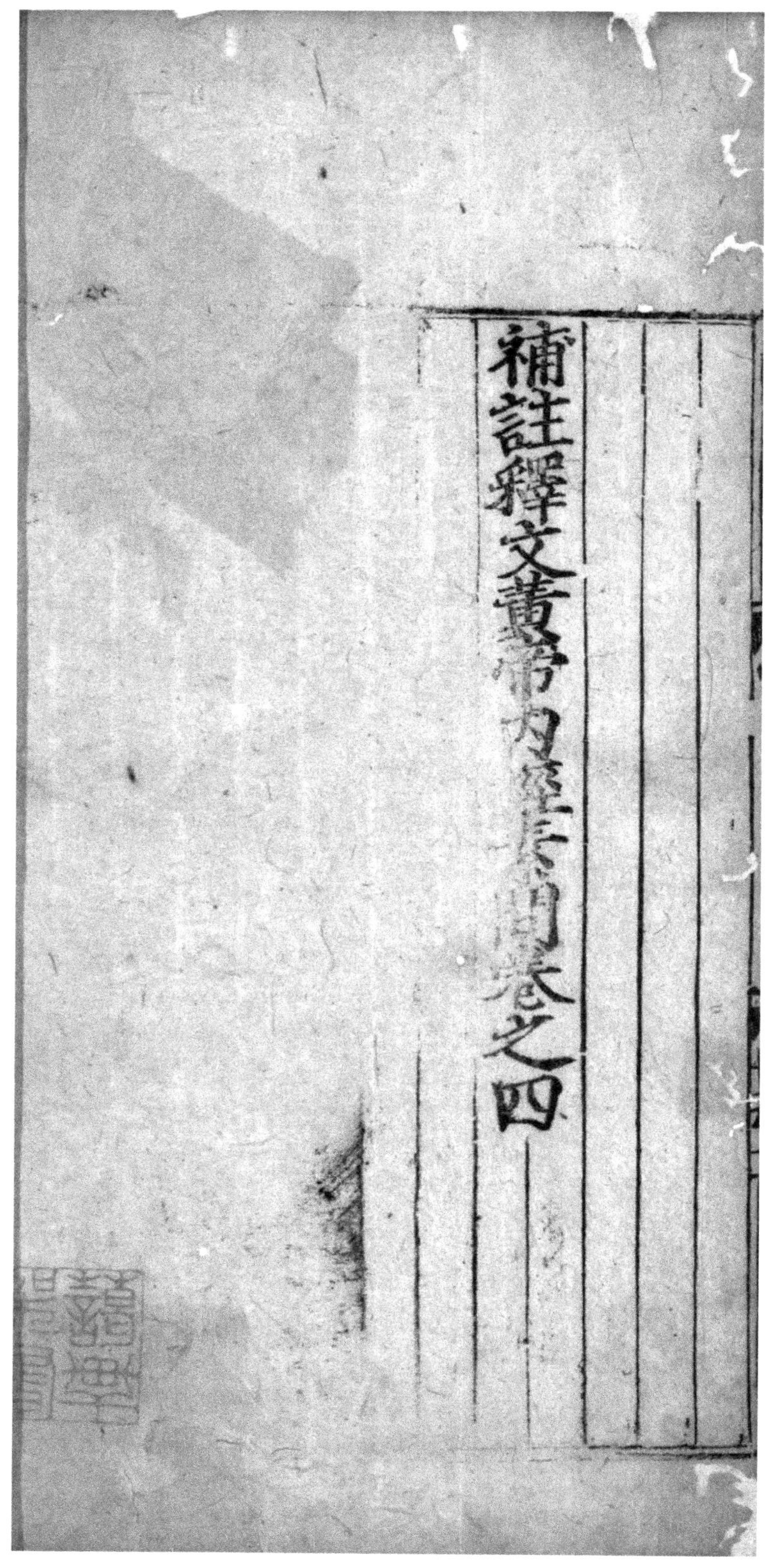

補註釋文黃帝内經素問卷之四

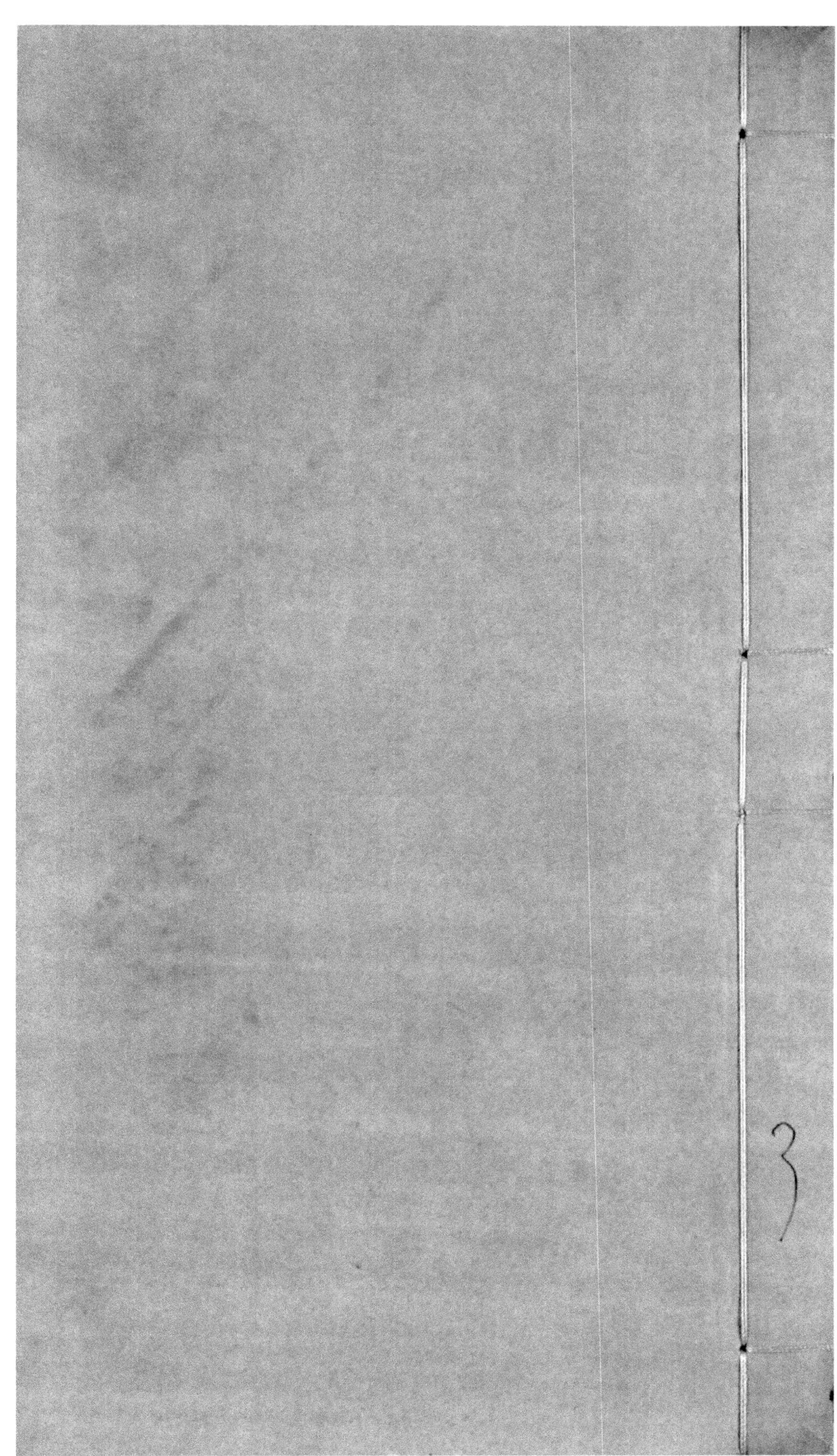
3

傷寒

補註釋文黃帝内經素問卷之五

熱論篇第三十一 新校正云按全元起本在第五卷

黃帝問曰今夫熱病者皆傷寒之類也或愈或死其死皆以六七日之間其愈皆以十日已上者何也不知其解願聞其故寒者冬之氣也冬時嚴寒萬類深藏君子固密不傷於寒觸冒之者乃名傷寒其傷於四時之氣皆能為病以傷寒為毒者最乘殺厲之氣中而即病名曰傷寒不即病者寒毒藏於肌膚至夏至前變為溫病夏至後變為熱病然其發起皆為傷寒致之故曰熱病者皆傷寒之類也○新校正云按傷寒論云至春變為溫病至夏變為暑病与王注異王注本素問為說傷寒論本於陰陽大論為說故此不同岐伯對曰巨陽者諸陽之屬也巨大也大陽之氣經絡氣血榮衛於身故諸陽氣皆所宗屬其脉連於風府風府穴名也在項上入髮際同身寸之一寸宛宛中是故為諸陽主氣也足太陽脉浮氣之在頭中者凡五行故統主諸陽之氣人之傷於寒也則為病熱熱雖甚不死寒毒薄於肌膚陽氣不得散發而内怫結故傷寒者反為病熱其兩感於寒而病者必不免於死藏府相應而俱受寒謂之兩感帝

曰願聞其狀謂非兩感者之形證岐伯曰傷寒一日巨陽受之三陽之氣大陽
脉浮脉浮者外在於皮毛故傷寒一日大陽先受之故頭項痛腰脊強上文云其脉連於風府畧言也
細而言之者足大陽脉從巔入絡腦還出別下項循肩髆內俠脊抵腰中故頭項痛腰脊強○新校正云按甲乙經及大
素作頭項腰脊皆強二日陽明受之以陽感熱同氣相求故自大陽入陽明也陽明主肉其
脉俠鼻絡於目故身熱目疼而鼻乾不得卧也身熱者以肉受邪胃中熱
煩故不得卧餘隨脉絡之所生也三日少陽受之少陽主膽新校正云按全元起本膽作骨其脉循脇
元起注云少陽者肝之表肝候筋筋會於骨是少陽之氣所榮故言主於骨甲乙經大素等並作骨
絡於耳故胸脇痛而耳聾三陽經絡皆受其病而未入於藏
者故可汗而已以病在表故可汗也○新校正云按全元起本藏作府元起注云傷寒之病始入皮膚之
腠理漸勝於諸陽而未入府故須汗發其寒熱而散之大素亦作府四日太陰受之陽極而太陰受也
陰脉布胃中絡於嗌故腹滿而嗌乾五日少陰受之少陰脉
貫腎絡於肺繫舌本故口燥舌乾而渴六日厥陰受之厥陰
脉循陰器而絡於肝故煩滿而囊縮三陰三陽五藏六府皆

受病榮衛不行五藏不通則死矣（死猶澌也言精氣皆澌也是以其死皆病六七日間者此也嚏息次反）其不兩感於寒者七日巨陽病衰頭痛少愈（邪氣漸退經氣漸和故少愈）八日陽明病衰身熱少愈九日少陽病衰耳聾微聞十日太陰病衰腹減如故則思飲食十一日少陰病衰渴止不滿舌乾已而嚏十二日厥陰病衰囊縱少腹微下大氣皆去病日已矣（大氣謂大邪之氣也是故其愈皆病十日已上者以此也）帝曰治之奈何岐伯曰治之各通其藏脈病日衰已矣其未滿三日者可汗而已其滿三日者可泄而已（此言表裏之大體也正理傷寒論曰脈大浮數病為在表可發其汗脈細沉數病為在裏可下之由此則雖日過多但有表証而脈大浮數猶宜發汗日數雖少即有裏証而脈細沉數猶宜下之正應隨脈証以汗下之）帝曰熱病已愈時有所遺者何也（邪氣衰去不盡如遺之在人也）岐伯曰諸遺者熱甚而強食之故有所遺也若此者皆病已衰而熱有所藏因其穀氣相薄兩熱相合故有所遺也帝曰善治遺奈何岐伯曰視其虛實調其逆從可使必已

矣（審其虛實而補寫之則必已）帝曰病熱當何禁之岐伯曰病熱少愈食肉則復多食則遺此其禁也（是所謂戒食勞也熱雖少愈猶未盡除脾胃氣虛故未能消化肉堅食駐故熱復生復謂復舊病也）帝曰其病兩感於寒者其脈應與其病形何如岐伯曰兩感於寒者病一日則巨陽與少陰俱病則頭痛口乾而煩滿（新校正云按傷寒論云煩滿而渴）二日則陽明與太陰俱病則腹滿身熱不欲食譫言（譫言謂妄謬而不次也○新校正云按楊上善云多言也譫之閻反）三日則少陽與厥陰俱病則耳聾囊縮而厥水漿不入不知人六日死（巨陽與少陰為表裏陽明與太陰為表裏少陽與厥陰為表裏故兩感寒氣同受其邪）帝曰五藏已傷六府不通榮衛不行如是之後三日乃死何也岐伯曰陽明者十二經脈之長也其血氣盛故不知人三日其氣乃盡故死矣（以上承氣海故三日氣盡乃死）凡病傷寒而成溫者先夏至日者為病溫後夏至日者為病暑暑當與汗皆出勿止（此以熱多少盛衰而為義也陽熱未盛為寒所制故為病曰溫陽熱大盛寒不能制故為病曰暑然暑病者當與汗之令愈勿反止

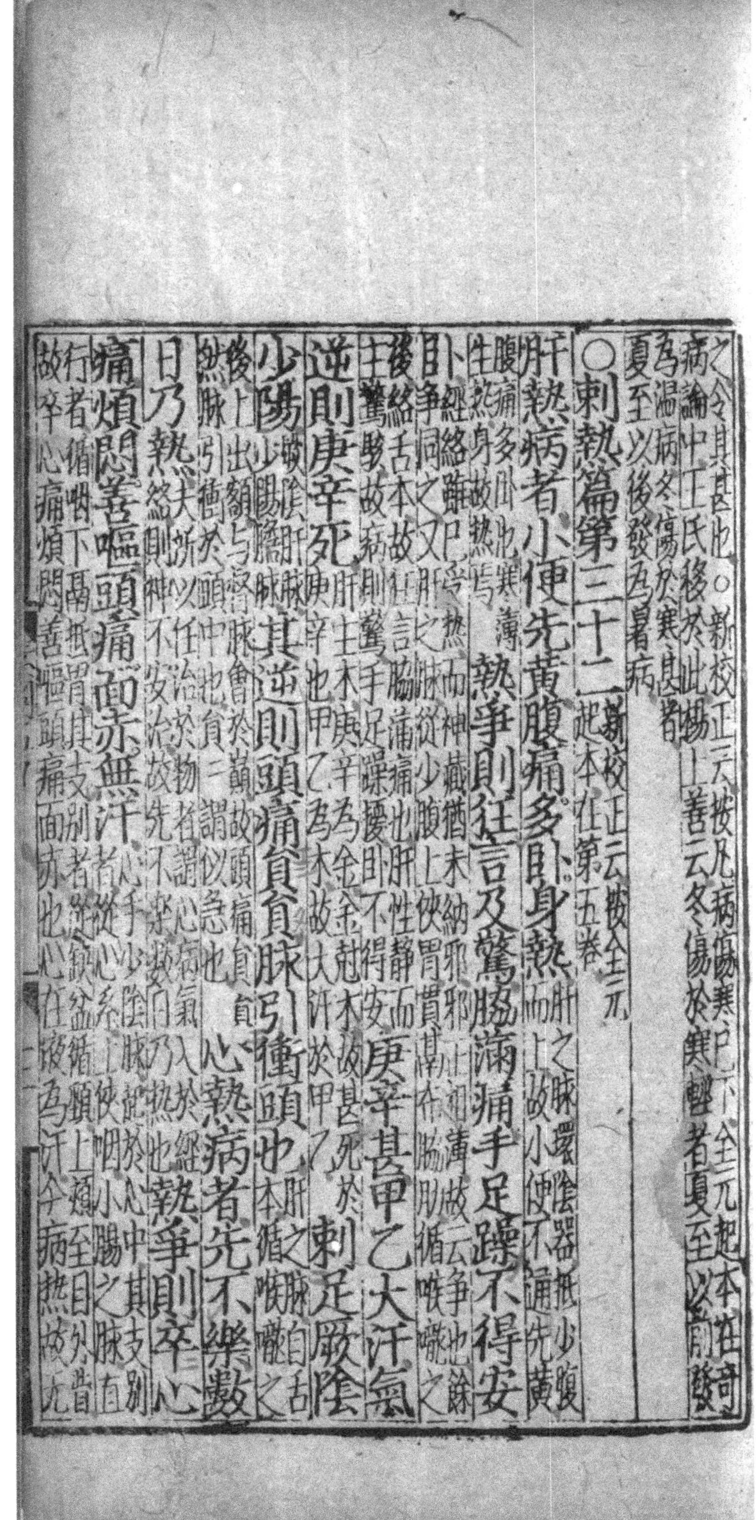

之今其甚也○新校正云按凡病傷寒已下全元起本在奇病論中王氏移於此楊上善云冬傷於寒輕者夏至以前發為溫病冬傷於寒甚者夏至以後發為暑病

○刺熱篇第三十二新校正云按全元起本在第五卷

肝熱病者小便先黃腹痛多臥身熱肝之脈環陰器抵少腹而上故小便不通先黃腹痛多臥也寒薄生熱身故熱焉熱爭則狂言及驚脇滿痛手足躁不得安卜經絡雖已受熱而神藏猶未納邪邪正相薄故云爭也餘目爭同之又肝之脈從少腹上俠胃貫膈布脇肋循喉嚨之後絡舌本故狂言脇滿痛也肝性靜而主驚駭故病則驚手足躁擾臥不得安庚辛甚甲乙大汗氣逆則庚辛死肝主木庚辛為金金尅木故甚死於庚辛也甲乙為木故大汗於甲乙刺足厥陰少陽厥陰肝脈少陽膽脈其逆則頭痛員員脈引衝頭也肝之脈自舌本循喉嚨之後上出額與督脈會於巔故頭痛員員然脈引衝於頭中也員員謂似急也心熱病者先不樂數日乃熱夫所以任治於物者謂心病氣入於經絡則神不安治故先不樂數日乃熱也熱爭則卒心痛煩悶善嘔頭痛面赤無汗心手少陰脈起於心中其支別者從心系上俠咽小腸之脈直行者循咽下鬲抵胃其支別者從缺盆循頸上頰至目外眥故卒心痛煩悶善嘔頭痛面赤也心在液為汗今病熱故无

汗以出○新校正云按甲乙經外皆作兌皆王注瘧論亦作兌皆外當作兌壬癸甚丙丁大汗氣
逆則壬癸死心主火壬癸為水水滅火故甚死於壬癸也丙丁為火故大汗於丙丁氣逆之証經闕其文
也刺手少陰太陽少陰心脈太陽小腸脈脾熱病者先頭重頰痛煩心
顏青欲嘔身熱胃之脈起於鼻交頞中下循鼻外入上齒中還出俠口環脣下交承漿却循頤後下廉出
大迎循頰車上耳前過客主人循髮際至額顱故先頭重頰痛頰青也脾之脈支別者復從胃別上鬲注心中其直行者
上鬲俠咽故煩心欲嘔而身熱也○新校正云按甲乙經大素云脾熱病先頭重頰痛無顏青二字熱爭則腰
痛不可用俛仰腹滿泄兩頷痛胃之脈支別者起胃下口循腹裏下至氣街中而合以下
髀氣街者腰之前故腰痛也脾之脈入腹屬脾絡胃又胃之脈自交承漿却循頤後下廉出大迎循頰車故腹滿泄而兩
頷痛頷胡感反甲乙甚戊己大汗氣逆則甲乙死脾主土甲乙為木木伐土故甚死於
甲乙也戊己為土故大汗於戊己氣逆之証經所未論刺足太陰陽明大陰脾脈陽明胃脈○新校正
云按甲乙經熱病下篇云病先頭重頰痛煩心身熱熱爭則腰痛不可用俛仰腹滿兩頷痛其暴泄善飢而不欲食善噫
熱中足清腹脹食不化善嘔泄有膿血苦嘔无所出先取三里後取太白章門肺熱病者先淅然厥
起毫毛惡風寒舌上黃身熱肺主皮膚外養於毛故熱中之則先淅然惡風寒起毫毛也

之脉起於中焦下絡大腸還循胃口今肺熱入胃胃熱上升故舌上黃而身熱熱爭則喘欬痛走胷
膺背不得大息頭痛不堪汗出而寒肺居鬲上氣主胷膺復在變動為欬又藏氣而
主呼吸背復為胷中之府故喘欬痛走胷膺背不得息也肺之絡脉上會耳中今熱氣上熏故頭痛不堪汗出而寒丙
丁甚庚辛大汗氣逆則丙丁死肺主金丙丁為火火爍金故甚死於丙丁也庚辛為金故
大汗於庚辛也氣逆之証經闕未書刺手大陰陽明出血如大豆立已大陰肺脉陽明
大腸脉當視其絡脉盛者乃刺而出之腎熱病者先腰痛胻痠苦渴數飲身熱
膀胱之脉從肩髆內俠脊抵腰中又腰為腎之府故先腰痛也入腎之脉自循內踝之後上腨內出膕內廉又直行者從
腎上貫肝鬲入肺中循喉嚨俠舌本故胻痠苦渴數飲身熱痠音酸胻戶當反熱爭則項痛而強胻
寒且痠足下熱不欲言膀胱之脉從腦出別下項又腎之脉起於小指之下斜趨足心出於然骨
之下循內踝之後別入跟中以上腨內又其直行者從腎上貫肝鬲入肺中循喉嚨俠舌本故項痛而強胻寒且痠足下
熱不欲言也○新校正云按甲乙經然骨作然谷跟音根其逆則項痛員員澹澹然腎之循
脊內俠膂上至項結于枕骨与膀胱之脉合膀胱之脉又並下于頭故項痛員員然也澹澹為似欲不定也戊己
甚壬癸大汗氣逆則戊己死腎主水戊己為土土刑水故甚死於戊己也壬癸為水故大汗

於壬癸刺足少陰大陽少陰腎脉大陽膀胱脉諸汗者至其所勝日汗出
也氣王日爲所勝王則勝邪故各當其王日汗肝熱病者左頰先赤肝氣合木木氣應春南面
正理之則其左也心熱病者顏先赤心氣合火火氣炎上指象明候故候於顏顏額也脾熱
病者鼻先赤脾氣合土土王於中鼻處面中故占鼻也肺熱病者右頰先赤肺氣合金
金氣應秋南面正理之則其右頰也腎熱病者頤先赤腎氣合水水性潤下指象明候故候於頤也
病雖未發見赤色者刺之名曰治未病聖人不治已病治未病不治已亂治未亂
此之謂也熱病從部所起者至期而已期爲大汗之日也如肝甲乙心丙丁脾戊己肺庚辛
腎壬癸是爲期日也其刺之反者三周而已反謂反取其氣也如肝病刺脾脾病刺腎腎病刺心
心病刺肺肺病刺肝者皆是反刺五藏之氣也三周謂三周於三陰三陽之脉狀也又如大陽病而刺寫陽明陽明病而刺
寫少陽少陽病而刺寫大陰大陰病而刺寫少陰少陰病而刺寫厥陰如此是爲反取三陰三陽之脉氣也重逆
則死先刺已反病氣流傳又反刺之是爲重逆一逆刺之尚至三周乃已況其重逆而得生耶諸當汗者
至其所勝日汗大出也王則勝邪故各當其王日汗○新校正云按此條文注二十四字与前文
重複當刪去甲乙經大素亦不重出諸治熱病以飲之寒水乃刺之必寒衣之

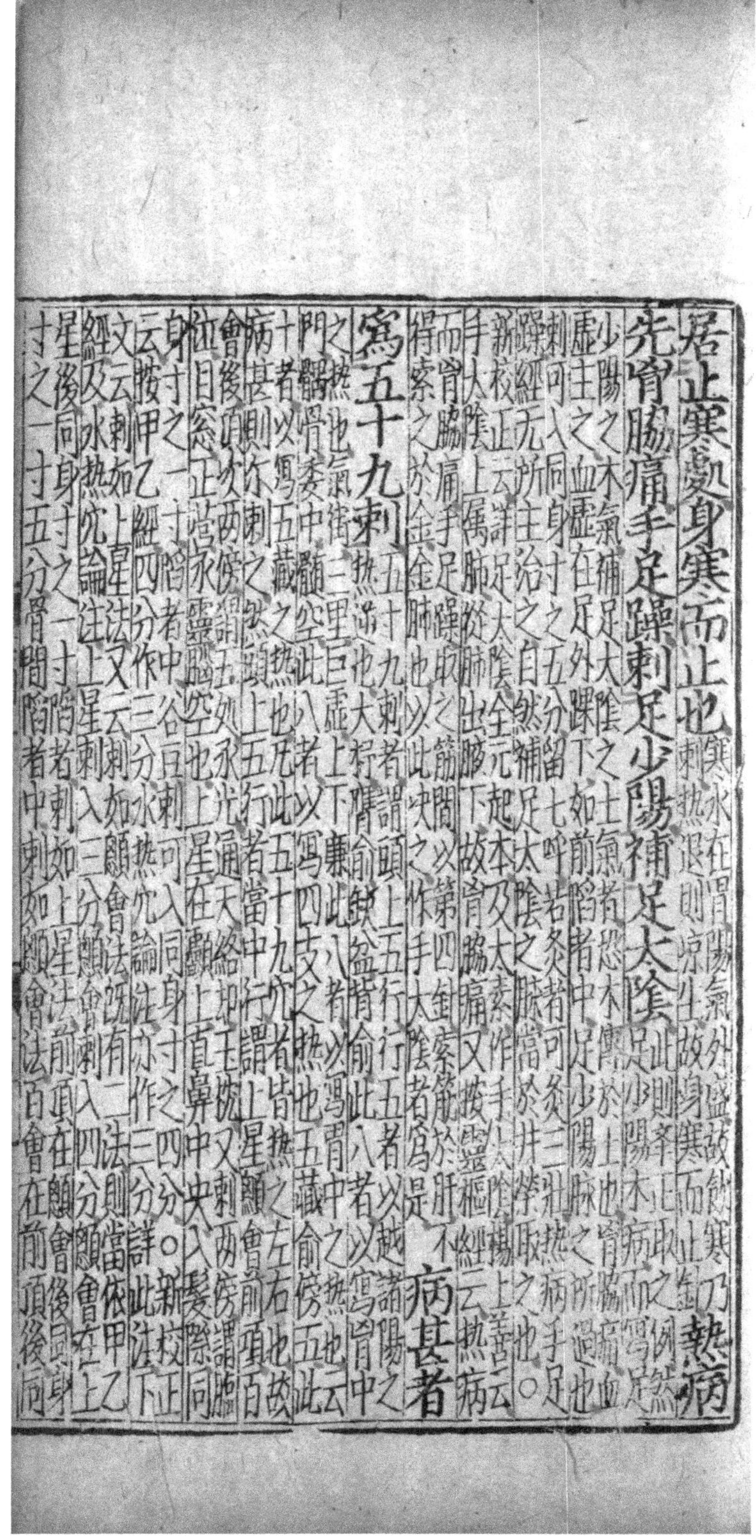

居止寒處身寒而止也寒水在胃陽氣外盛故飲寒乃刺熱退則涼生故身寒而止針熱病先胷脇痛手足躁刺足少陽補足太陰此則举正取之例然足少陽木病而寫足少陽之木氣補足太陰之土氣者恐木傳於上也胷脇痛丘虛主之丘虛在足外踝下如前陷者中足少陽脉之所過也刺可入同身寸之五分留七呼若灸者可灸三壯熱病手足躁經无所主治之自然補足太陰之脉當於井滎取之也○新校正云詳足太陰全元起本及太素作手太陰楊上善云手太陰上屬肺從肺出腋下故胷脇痛又按靈樞經云熱病而胷脇痛手足躁取之筋間以第四針索筋於肝不得索之於金金肺也以此决之作手太陰者爲是病甚者爲五十九刺五十九刺者謂頭上五行行五者以越諸陽之熱逆也大杼膺俞缺盆背俞此八者以寫胷中之熱也氣街三里巨虛上下廉此八者以寫胃中之熱也云門髃骨委中髓空此八者以寫四支之熱也五藏俞傍五此十者以寫五藏之熱也凡此五十九穴者皆熱之左右也故病甚則尒刺之然頭上五行者當中行謂上星顖會前頂百會後頂次兩傍謂五處承光通天絡却玉枕又刺兩傍謂臨泣目窻正營承靈腦空也上星在顖上直鼻中央入髮際同身寸之一寸陷者中容豆刺可入同身寸之四分○新校正云按甲乙經四分作三分水熱穴論注亦作三分詳此注下文云刺如上星法又云刺如顖會法既有二法則當依甲乙經及水熱穴論注上星刺入三分顖會刺入四分顖會在上星後同身寸之一寸陷者中刺如上星法前頂在顖會後同身寸之一寸五分骨間陷者中刺如顖會法百會在前頂後同

身寸之一寸三分項中央旋毛中陷容指督脈足太陽脈之交會刺如上星法後頂在百會後同身寸之一寸五分枕骨上刺如顖會法然是五者皆督脈氣之所發也上星留六呼若灸者並灸五壯次兩傍穴五處在上星兩傍同身寸之一寸五分承光在五處後同身寸之一寸通天在承光後同身寸之一寸五分絡却在通天後同身寸之一寸五分玉枕在絡却後同身寸之七分然是五者並足太陽脈氣所發刺可入同身寸之三分五處通天各留七呼絡却留五呼玉枕留三呼若灸者可灸三壯。新校正云按甲乙經承光不可灸玉枕刺入二分又次兩傍臨泣在頭直目上入髮際同身寸之五分足太陽少陽陽維三脈之會目窻正營遞相去同身寸之一寸承靈腦空遞相去同身寸之一寸五分然是五者並足少陽陽維二脈之會腦空一穴刺可入同身寸之四分餘並可刺入同身寸之三分臨泣留七呼若灸者可灸五壯大杼在項第一椎下兩傍相去各同身寸之一寸半陷者中督脈別絡足太陽手太陽三脈氣之會刺可入同身寸之三分留七呼若灸者可灸五壯。新校正云按甲乙經作七壯氣穴注作七壯刺瘧注熱穴注作五壯膂俞者膂中俞也正名中府在胷中行兩傍相去同身寸之六寸云門下一寸乳上三肋間動脈應手陷者中仰而取之手足太陰脈之會刺可入同身寸之三分留五呼若灸者可灸五壯缺盆在肩上横骨陷者中手陽明脈氣所發刺可入同身寸之三分留七呼若灸者可灸三壯背俞當是風門熱府在第二椎下兩傍各同身寸之一寸半督脈足太陽脈之會刺可入同身寸之五分留七呼若灸者可灸五壯驗今明堂中誥圖經不言背俞未詳果何處也。新校正云按王注水熱穴論以風門

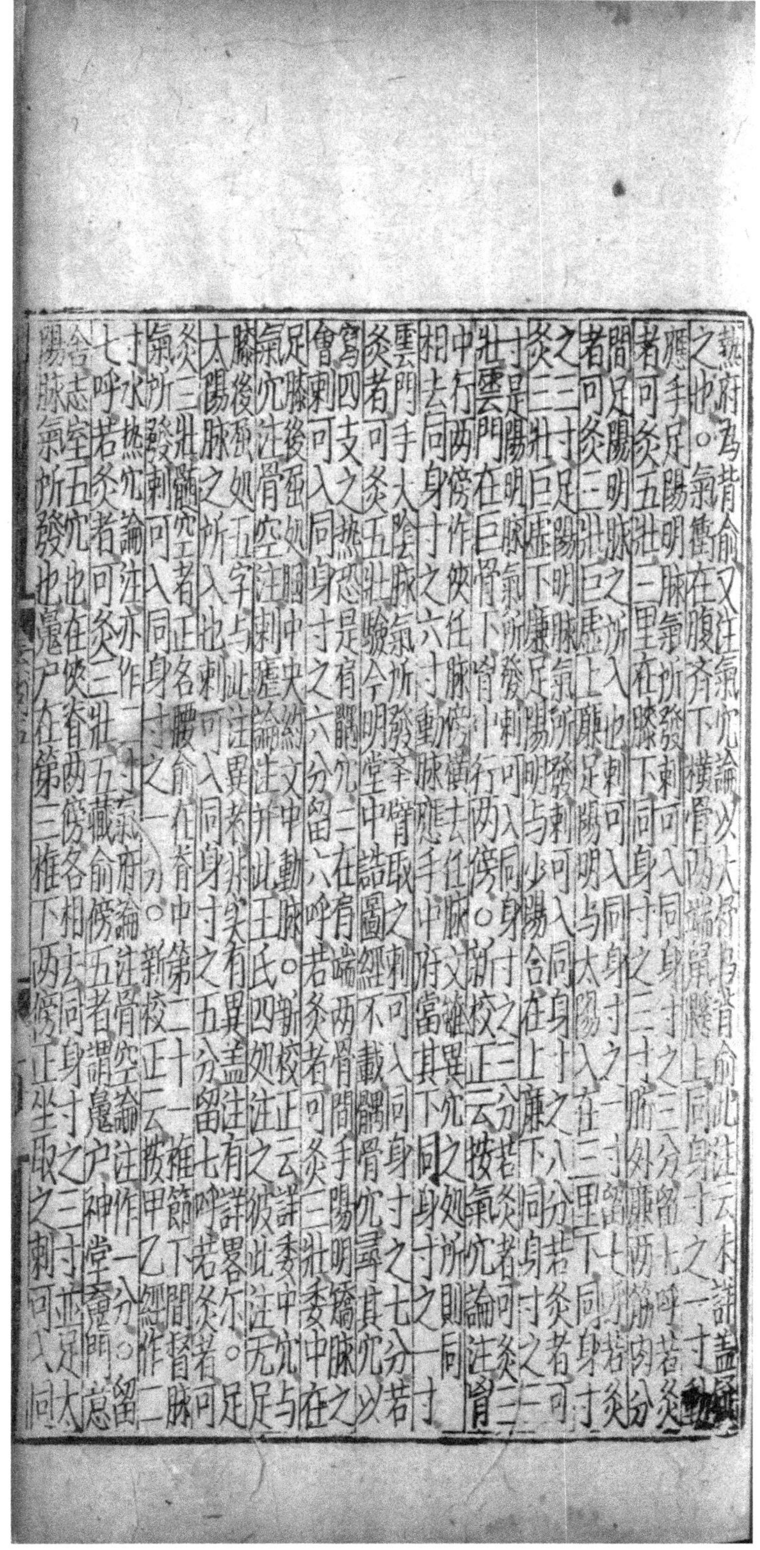

熱府為背俞又注氣穴論以大杼爲背俞此注云未詳[illegible]之也。氣衝在腹齊下橫骨兩端鼠鼷上同身寸之一寸[illegible]
應手足陽明脉氣所發刺可入同身寸之三分留七呼若灸者可灸五壯三里在膝下同身寸之三寸䯒外廉兩筋肉分
間足陽明脉之所入也刺可入同身寸之一寸留七呼若灸者可灸三壯巨虛上廉足陽明與大腸合在三里下同身寸
之三寸足陽明脉氣所發刺可入同身寸之八分若灸者可灸三壯巨虛下廉足陽明與少陽合在上廉下同身寸之三
寸足陽明脉氣所發刺可入同身寸之三分若灸者可灸三壯雲門在巨骨下胷中行兩傍。新校正云按氣穴論注胷
中行兩傍作俠任脉傍橫去任脉文雖異穴之處所則同相去同身寸之六寸動脉應手中府當其下同身寸之一寸
雲門手太陰脉氣所發舉臂取之刺可入同身寸之七分若灸者可灸五壯驗今明堂中誥圖經不載髃骨穴尋其穴以
寫四支之熱恐是肩髃穴二在肩端兩骨間手陽明蹻脉之會刺可入同身寸之六分留六呼若灸者可灸三壯委中在
足膝後屈處如膕中央約文中動脉。新校正云詳委中穴与氣穴注骨空注刺瘧論注并此王氏四處注之彼此注无足
膝後屈處如五字与此注異者非実有異盖注有詳畧尔。足太陽脉之所入也刺可入同身寸之五分留七呼若灸者可
灸三壯髓空者正名腰俞在脊中第二十一椎節下間督脉氣所發刺可入同身寸之二分。新校正云按甲乙經作二
寸水熱穴論注亦作二寸氣府論注骨空論注作二分。留七呼若灸者可灸三壯五藏俞傍五者謂魄户神堂䰟門意
舍志室五穴也在俠脊兩傍各相去同身寸之三寸並足太陽脉氣所發也魄户在第三椎下兩傍正坐取之刺可入同

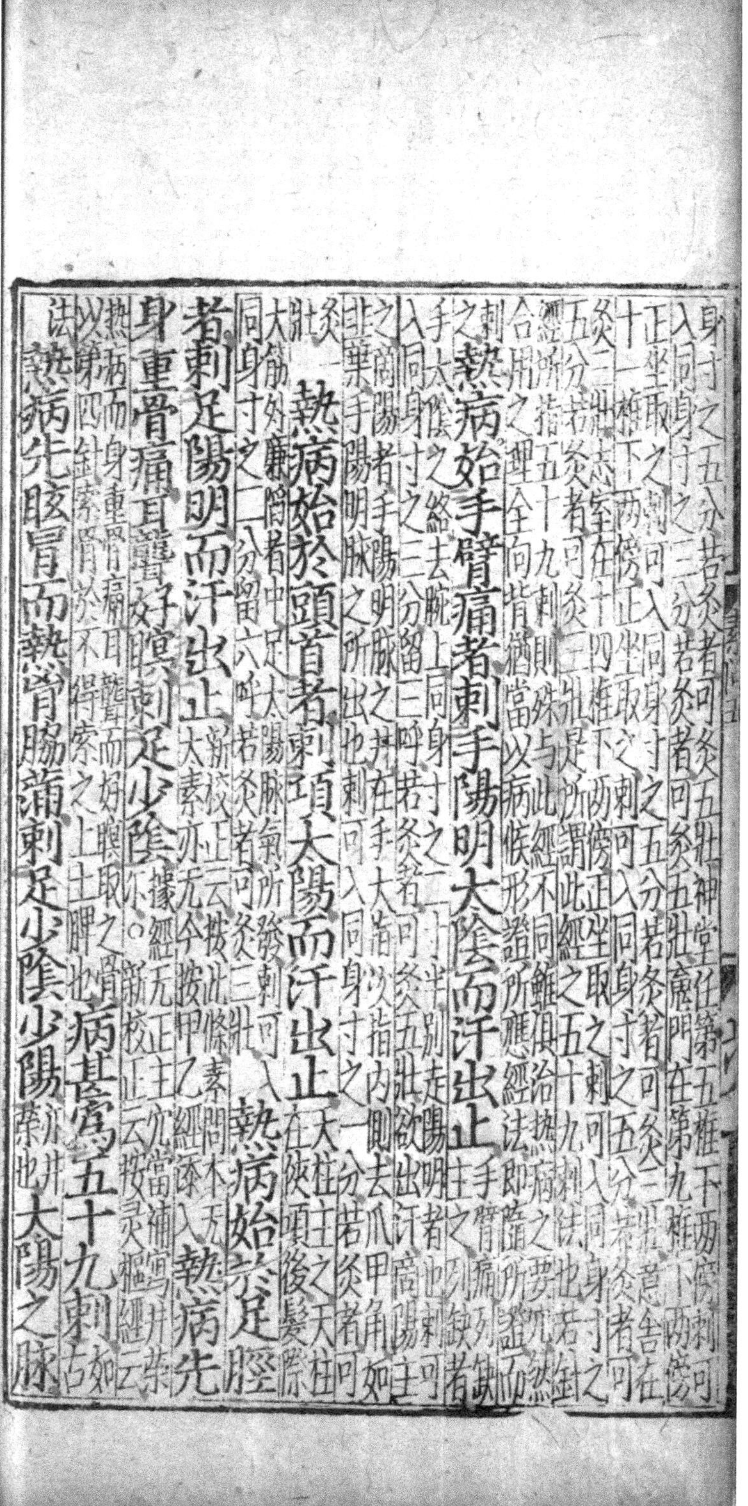

身寸之五分若灸者可灸五壯神堂在第五椎下兩傍刺可入同身寸之三分若灸者可灸五壯魂門在第九椎下兩傍正坐取之刺可入同身寸之五分若灸者可灸三壯意舍在十一椎下兩傍正坐取之刺可入同身寸之五分若灸者可灸三壯志室在十四椎下兩傍正坐取之刺可入同身寸之五分若灸者可灸三壯是所謂此經之五十九刺法也若鍼經所指五十九刺則殊与此經不同雖俱治熱病之要穴然合用之理全向背猶當以病候形證所應經法即隨所證而刺之

熱病始手臂痛者刺手陽明太陰而汗出止手臂痛列缺主之列缺者手太陰之絡去腕上同身寸之一寸半別走陽明者也刺可入同身寸之三分留三呼若灸者可灸五壯欲出汗商陽主之商陽者手陽明脈之井在手大指次指內側去爪甲角如韭葉手陽明脈之所出也刺可入同身寸之一分若灸者可灸一壯

熱病始於頭首者刺項太陽而汗出止天柱主之天柱在俠項後髮際大筋外廉陷者中足太陽脈氣所發刺可入同身寸之二分留六呼若灸者可灸三壯

熱病始於足脛者刺足陽明而汗出止新校正云按此條素問本无大素亦无今按甲乙經添入

熱病先身重骨痛耳聾好瞑刺足少陰據經无正主穴當補寫井滎亦。新校正云按靈樞經云熱病而身重骨痛耳聾而好瞑取之骨以第四針索骨於腎不得索之土土脾也病甚爲五十九刺如古法

熱病先眩冒而熱胸脅滿刺足少陰少陽亦井滎也太陽之脈

色榮顴骨熱病也榮飾也謂赤色見於顴骨如榮飾也顴骨謂目下當外眥也太陽合火故見色赤○
新校正云按楊上善云赤色榮顴者骨熱病也与王氏注不同榮未交新校正云按甲乙經太素作榮未夭下文
榮未交亦作夭曰今且得汗待時而已榮一為營字之誤也日者引古經法之端由也言色雖明
盛但陰陽之氣不交錯者故法云今且得汗之而已待時者謂肝病待甲乙心病待丙丁脾病待戊己肺病待庚辛腎病
待壬癸是謂待時而已所謂交者次如下句與厥陰脉爭見者死期不過三日外見
太陽之赤色內見厥陰之弦脉然太陽受病當傳入陽明今又厥陰之脉來見者是土敗而木賊之也故死然土氣已敗
木復狂行木生數三故期不過三日其熱病內連腎少陽之脉色也病或為氣恐字誤也
若赤色氣內連鼻兩傍者是少陽之脉色非厥陰色何者腎部近於鼻也○新校正云詳或者欲改腎作鼻按甲乙經太
素並作腎楊上善云太陽水也厥陰木也水以生木木盛水衰故太陽水色見時有木爭見者水死以其熱病內連於腎
腎為熱傷故死本旧无少陽之脉色也六字乃王氏所添王注非當從上善之義少陽之脉色榮頰
前熱病也頰前即顴骨下近鼻兩傍也○新校正云按甲乙經太素前字作筋楊上善云足少陽部在頰赤色
榮之即知筋熱病也榮未交曰今且得汗待時而已與少陰脉爭見者
死期不過三日少陽受病當傳入於太陰今反少陰少陰脉來見亦土敗而木賊之也故死不過三日亦

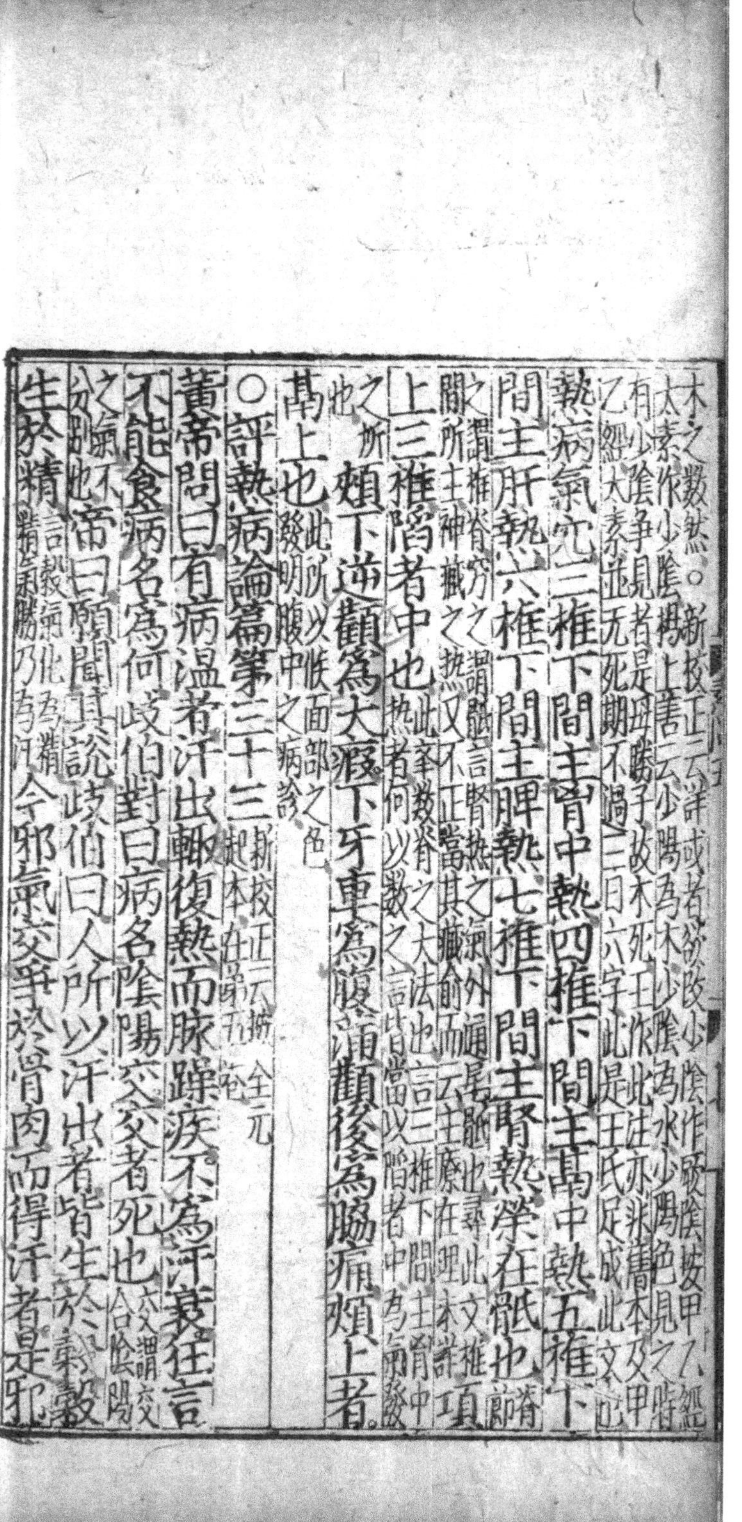

木之數然。新校正云詳或者欲改少陰作厥陰按甲乙經太素作少陰楊上善云少陽為木少陰為水少陽色見之時有少陰爭見者是母勝子故木死王作此注亦非舊本及甲乙經太素並无死期不過三日六字此是王氏足成此文也

熱病氣穴三椎下間主胷中熱四椎下間主鬲中熱五椎下間主肝熱六椎下間主脾熱七椎下間主腎熱榮在骶也脊節之謂椎脊穴之謂髓言腎熱之氣外通尾骶也尋此文椎項閒所主神藏之熱又不正當其藏俞而云主療在理未詳

上三椎陷者中也此舉數脊之大法也言三椎下間主胷中熱者何以數之言皆當以陷者中為氣發之所也頰下逆顴為大瘕下牙車為腹滿顴後為脇痛頰上者鬲上也此所以候面部之色發明腹中之病診

○評熱病論篇第三十三新校正云按全元起本在第五卷

黃帝問曰有病溫者汗出輒復熱而脉躁疾不為汗衰狂言不能食病名為何岐伯對曰病名陰陽交交者死也交謂交合陰陽之氣不分別也帝曰願聞其說岐伯曰人所以汗出者皆生於穀穀生於精言穀氣化為精精氣勝乃為汗今邪氣交爭於骨肉而得汗者是邪

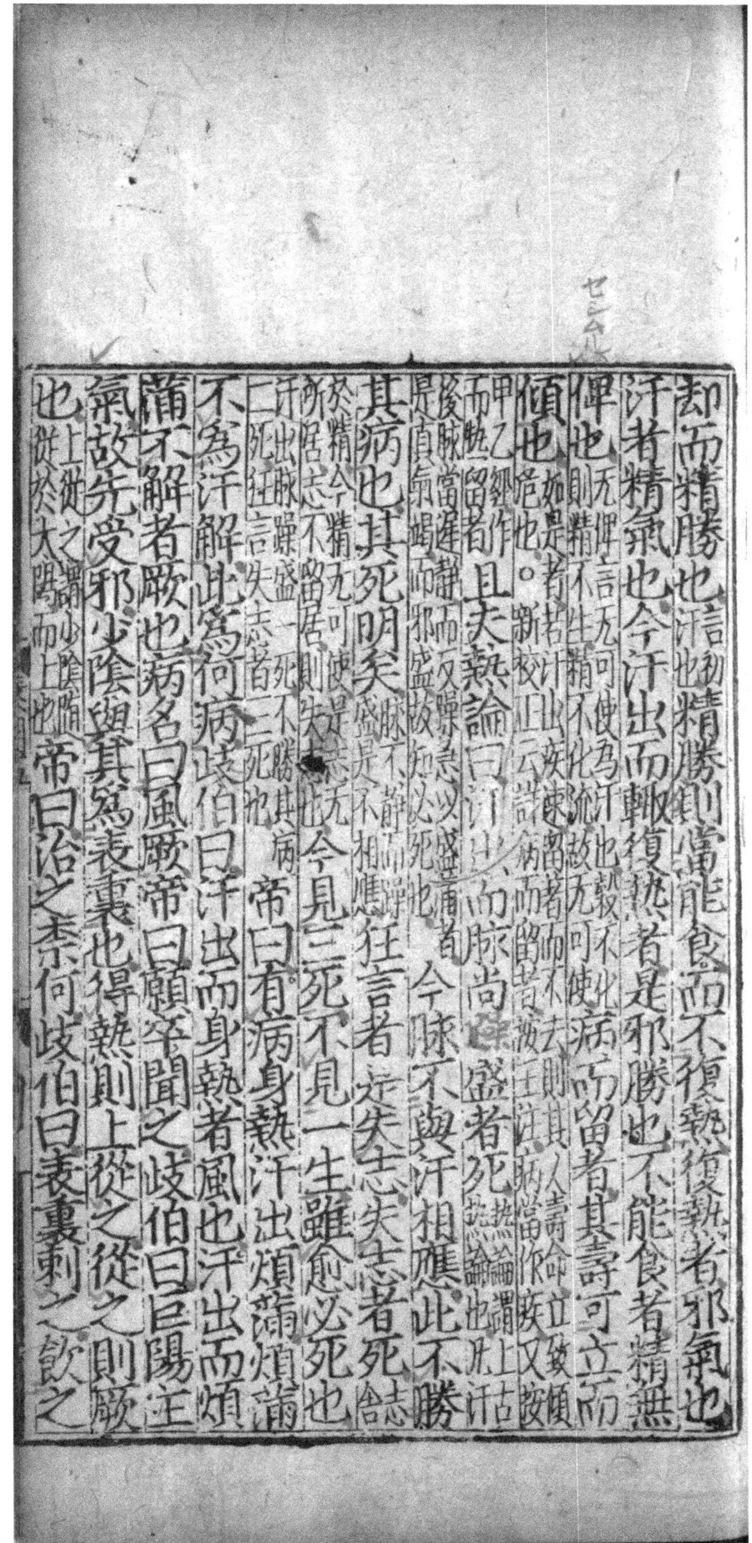
却而精勝也言初汗也精勝則當能食而不復熱復熱者邪氣也汗者精氣也今汗出而輒復熱者是邪勝也不能食者精無俾也無俾言無可使為汗也穀不化則精不生精不化流故無可使病而留者其壽可立而傾也如是者若汗出疾速留著而不去則其人壽命立致傾危也。新校正云詳病而留者按王注病當作疾又按甲乙經作而熱留者且夫熱論曰汗出而脈尚躁盛者死熱論謂上古熱論也汗後脈當遲靜而反躁急以盛滿者是真氣竭而邪盛故知必死也今脈不與汗相應此不勝其病也其死明矣脈不靜而躁盛是不相應狂言者是失志失志者死志舍於精今精無可使是志無所居志不留居則失志也今見三死不見一生雖愈必死也汗出脈躁盛一死不勝其病二死狂言失志者三死也帝曰有病身熱汗出煩滿煩滿不為汗解此為何病岐伯曰汗出而身熱者風也汗出而煩滿不解者厥也病名曰風厥帝曰願卒聞之岐伯曰巨陽主氣故先受邪少陰與其為表裏也得熱則上從之從之則厥也上從之謂少陰隨從於太陽而上也帝曰治之奈何岐伯曰表裏刺之飲之

服湯謂寫大陽補少陰也飲之湯者謂止逆上之腎氣也帝曰勞風為病何如岐伯曰勞風法在肺下從勞風生故曰勞風勞謂腎勞也腎脉者從腎上貫肝鬲入肺中故腎勞風生上居肺下也其為病也使人強上冥視新校正云按楊上善云強上好仰也冥視謂合眼視不明也又千金方冥視作目眩唾出若涕惡風而振寒此為勞風之病膀胱脉起於目內眥上額交巔上入絡腦還出別下項循肩髆內俠脊抵腰中入循膂絡腎今腎精不足外吸膀胱膀胱氣不能上營故使人頭項強而視不明也肺被風薄勞氣上熏故令唾出若鼻涕狀腎氣不足陽氣內攻勞熱相合故惡風而振寒帝曰治之奈何岐伯曰以救俛仰救尤止也俛仰謂屈伸也言止屈伸於動作不使勞氣滋蔓巨陽引精者三日中年者五日不精者七日新校正云按甲乙經作三日中若五日千金方作候之三日及五日中不精明者是也与此不同欬出青黃涕其狀如膿大如彈丸從口中若鼻中出不出則傷肺傷肺則死也巨陽者膀胱之脉也膀胱与腎為表裏故巨陽引精也巨大也然大陽之脉吸引精氣上攻於肺者三日中年者五日素不以精氣用事者七日當欬出稠涕其色青黃如膿狀平調欬者從咽而上出於口暴卒欬者氣衝突於蓄門而出於鼻夫如是者皆腎氣勞竭肺氣內虛陽氣奔迫之所為故不出則傷肺也肺傷則榮衛散解魄不內治故死○新校正云按王氏云卒暴欬

者氣衝突於蓄門而出於鼻昇拔難經云衝喉門元蓄門之名頏眞賁門頏顙一云賁者鬲也胃氣之所出胃出谷氣以傳於肺肺在鬲上故胃為賁門帝曰有病腎風者面胕痝然壅害於言可刺不痝然腫起貌壅謂目下壅如臥蠶形也腎之脉從腎上貫肝鬲入肺中循喉嚨俠舌本故妨害於言語痝莫江反岐伯曰虛不當刺不當刺而刺後五日其氣必至至謂病氣來至也然謂藏配一日而五日至腎夫腎已不足風內薄之謂腫為實以鍼大泄反傷藏氣眞氣不足不可復故刺後五日其氣必至也帝曰其至何如岐伯曰至必少氣時熱時熱從胸背上至頭汗出手熱口乾苦渴小便黄目下腫腹中鳴身重難以行月事不來煩而不能食不能正偃正偃則欬病名曰風水論在刺法中刺法篇名今經亡帝曰願聞其說岐伯曰邪之所湊其氣必虛陰虛者陽必湊之故少氣時熱而汗出也小便黄者少腹中有熱也不能正偃者胃中不和也正偃則欬甚上迫肺也諸有水氣者微腫先見於目下也帝曰何以言岐伯曰水者陰也目下亦陰也腹者至陰之所居故水在腹者必使目下

腫也真氣上逆故口苦舌乾臥不得正偃正偃則欬出清水也諸水病者故不得臥臥則驚驚則欬甚也腹中鳴者病本於胃也薄脾則煩不能食食不能下者胃脘隔也身重難以行者胃脉在足也月事不來者胞脉閉也胞脉者屬心而絡於胞中今氣上迫肺心氣不得下通故月事不來也考上文所釋之義未辭熱從胸背上至頭汗出手熱口乾苦渴之義應古論簡脫而此差謬之亦如是者何腎脉云之脉從腎上貫肝膈入肺中循喉嚨挾舌本又膀胱太陽之脉從目內眥上額交巔上其支者從巔至耳上角其直者從巔入絡腦還出別下項循肩髆內挾脊抵腰中入循膂絡腎今陰不足而陽有餘故熱從胸背上至頭而汗出口乾苦渴也然心者陽藏也其脉行於背手腎者陰藏也其脉循於骨足腎不足則心氣有餘故手熱矣又以心腎之脉俱是少陰脉也帝曰善

○逆調論篇第三十四新校正云按全元起本在第四卷

黃帝問曰人身非常溫也非常熱也爲之熱而煩滿者何也異於常候故曰非常○新校正云按甲乙經無爲之熱三字岐伯對曰陰氣少而陽氣勝故熱而煩滿也帝曰人身非衣寒也中非有寒氣也寒從中

生者何（言不知誰為元主邪）岐伯曰是人多痺氣也陽氣少陰氣多故身寒如從水中出（言自由形氣陰陽之為是非衣寒而中有寒也）帝曰人有四支熱逢風寒如炙如火者何也（新校正云按全元起本无如火二字太素云如炙於火當從太素云）岐伯曰是人者陰氣虛陽氣盛四支者陽也兩陽相得而陰氣虛少少水不能滅盛火而陽獨治獨治者不能生長也獨勝而止耳（水為陰火為陽今陽氣有餘陰氣不足故云少水不能滅盛火也治者王也勝者盛也故云獨勝而止）逢風而如炙如火者是人當肉爍也（爍者言消也言久久此人當肉消削也○新校正云詳如炙如火當從太素作如炙於火）帝曰人有身寒湯火不能熱厚衣不能溫然不凍慄是為何病岐伯曰是人者素腎氣勝以水為事太陽氣衰腎脂枯不長一水不能勝兩火腎者水也而生於骨腎不生則髓不能滿故寒甚至骨也（以水為事言盛欲也）所以不能凍慄者肝一陽也心二陽也腎孤藏也一水不能勝二火故不能凍慄病名曰骨痺是人當攣節也（腎不生則髓不滿髓不滿則筋乾縮）

故節攣拘帝曰人之肉苛者雖近於衣絮猶尚苛也是謂何疾瘴重苛胡歌反岐伯曰榮氣虛衛氣實也榮氣虛則不仁衛氣虛則不用榮衛俱虛則不仁且不用肉如故也人身與志不相有曰死○身用志不應志為身不就兩者似不相有也新校正云按甲乙經曰死作三十日死也帝曰人有逆氣不得臥而息有音者有不得臥而息無音者有起居如故而息有音者有得臥行而喘者有不得臥不能行而喘者有不得臥臥而喘者皆何藏使然願聞其故岐伯曰不得臥而息有音者是陽明之逆也足三陽者下行今逆而上行故息有音也陽明者胃脈也胃者六府之海水穀海也其氣亦下行陽明逆不得從其道故不得臥也下經曰胃不和則臥不安此之謂也下經上古經也夫起居如故而息有音者此肺之絡脈逆也絡脈不得隨經上下故留經而不行絡脈之病人也微故起居如故而息有音也夫不得臥臥則喘者是水氣之客也

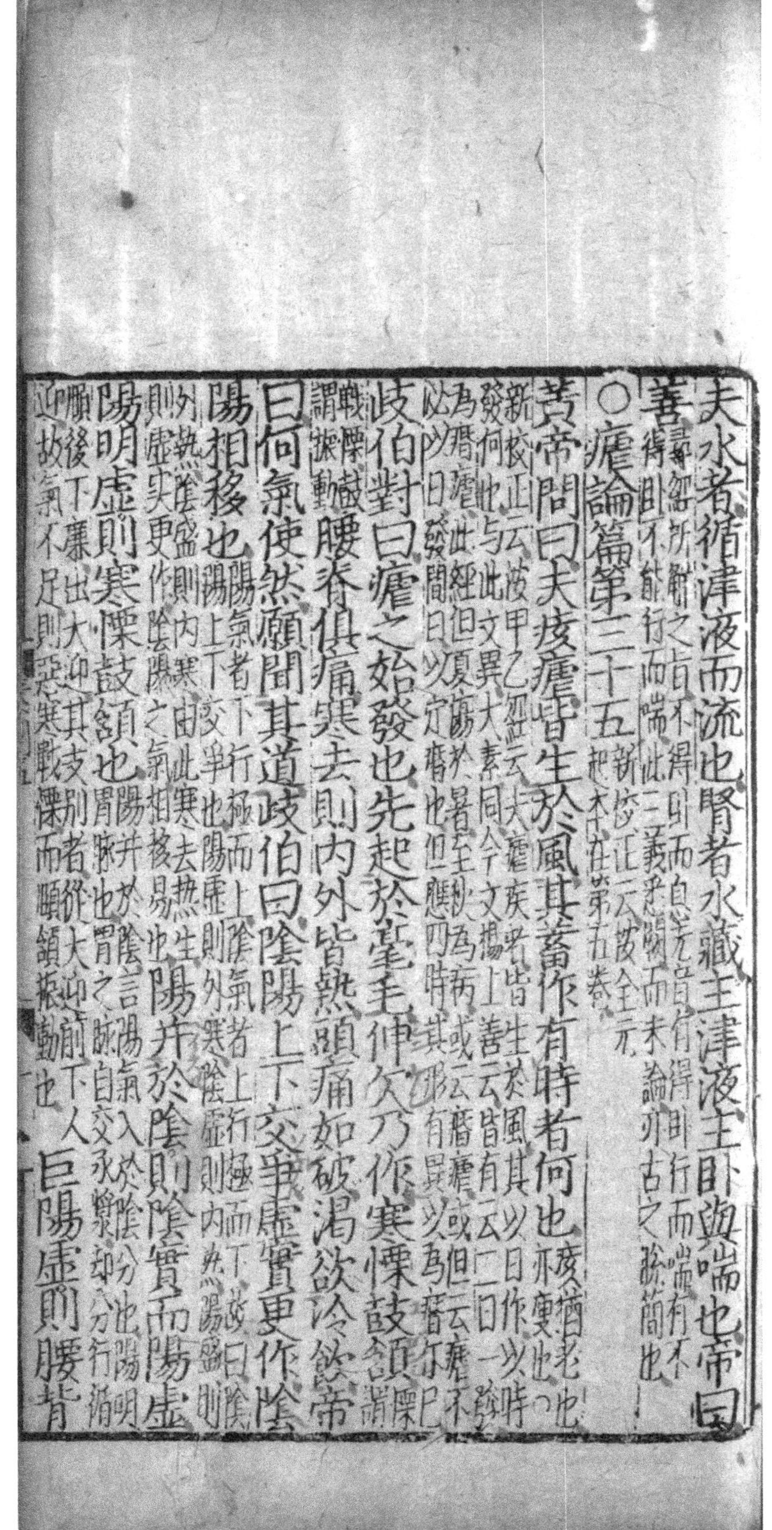

夫水者循津液而流也腎者水藏主津液主臥與喘也帝曰善尋經所解之旨不得臥而息有音有得臥行而喘有不得臥不能行而喘此三義悉闕而未論亦古之脫簡也

○瘧論篇第三十五新校正云按全元起本在第五卷

黃帝問曰夫痎瘧皆生於風其蓄作有時者何也痎猶老也亦瘦也新校正云按甲乙經云夫瘧疾皆生於風其以日作以時發何也與此文異太素同今文揚上善云皆有云二日一發為痎瘧此經但夏傷於暑至秋為病或云痎瘧或但云瘧不必以日發間日以定痎也但應四時其形有異以為痎爾岐伯對曰瘧之始發也先起於毫毛伸欠乃作寒慄鼓頷慄謂戰慄鼓謂振動腰脊俱痛寒去則內外皆熱頭痛如破渴欲冷飲帝曰何氣使然願聞其道岐伯曰陰陽上下交爭虛實更作陰陽相移也陽氣者下行極而上陰氣者上行極而下故曰陰陽上下交爭也陽虛則外寒陰虛則內熱陽盛則外熱陰盛則內寒由此寒去熱生則虛實更作陰陽之氣相移易也陽并於陰則陰實而陽虛陽明虛則寒慄鼓頷也陽并於陰言陽氣入於陰分也陽明胃脈也胃之脈自交承漿却分行循頤後下廉出大迎其支別者從大迎前下人迎故氣不足則惡寒戰慄而頤頷振動也巨陽虛則腰背

頭項痛（巨陽者膀胱脉其脉從頭別下項循肩髆內俠脊抵腰中故氣不足則腰背頭項痛也髆音博）三陽俱虛則陰氣勝陰氣勝則骨寒而痛寒生於內故中外皆寒陽盛則外熱陰虛則內熱外內皆熱則喘而渴故欲冷飲也（熱盛陽氣故內外皆熱則喘而渴）此皆得之夏傷於暑熱氣盛藏於皮膚之內腸胃之外此榮氣之所舍也（腸胃之外榮氣所主故云榮氣所舍也舍猶居也）此令人汗空踈（新校正云按全元起本作汗出空踈甲乙經太素同）腠理開因得秋氣汗出遇風及得之以浴水氣舍於皮膚之內與衛氣并居衛氣者晝日行於陽夜行於陰此氣得陽而外出得陰而內薄內外相薄是以日作（作發作也）帝曰其間日而作者何也（間日謂隔日也）岐伯曰其氣之舍深內薄於陰陽氣獨發陰邪內著陰與陽爭不得出是以間日而作也（不與衛氣相逢會故隔日發也）帝曰善其作日晏與其日早者何氣使然（晏猶日暮也）岐伯曰邪氣客於風府循膂而下（風府穴名在項上入髮際同身寸之一寸大筋內宛宛中也膂謂脊兩傍）衛氣一日一夜大會

於風府其明日日下一節故其作也晏此先客於脊背也每至於風府則腠理開腠理開則邪氣入邪氣入則病作以此日作稍益晏也節謂脊骨之節然邪氣遠則逢會遲故發暮也其出於風府日下一節二十五日下至骶骨二十六日入於脊內注於伏膂之脉項已下至尾骶凡二十四節故日下一節二十五日下至骶骨二十六日入於脊內注於伏膂之脉也伏膂之脉者謂膂筋之間腎脉之伏行者也腎之脉循股內後廉貫脊屬腎其直行者從腎上貫肝鬲入肺中以其貫脊又不正應行穴但循膂伏行故謂之伏膂脉○新校正云按全元起本二十五日作二十一日二十六日作二十二日甲乙經太素並同伏膂之脉甲乙經作太衝之脉巢元方作伏衝其氣上行九日出於缺盆之中其氣日高故作日益早也以腎脉貫脊屬腎上入肺中肺者缺盆為之道其氣之行速故其氣上行九日出於缺盆之中其間日發者由邪氣內薄於五藏橫連募原也其道遠其氣深其行遲不能與衛氣俱行不得皆出故間日乃作也募原謂鬲募之原系○新校正云按全元起本募作膜太素巢元方並同舉痛論亦作膜原帝曰夫子言衛氣每至於風府腠理乃發發則邪氣入入則病作今衛

氣日下一節，其氣之發也不當風府，其日作者奈何？岐伯曰：新校正云：按全元起本及甲乙經、太素，自此邪氣客於頭項至下則病作故八十八字並無。此邪氣客於頭項，循膂而下者也，故虛實不同，邪中異所，則不得當其風府也。故邪中於頭項者，氣至頭項而病；中於背者，氣至背而病；中於腰脊者，氣至腰脊而病；中於手足者，氣至手足而病。故下篇各以居邪之所而刺之。衛氣之所在，與邪氣相合則病作。故風無常府，衛氣之所發，必開其腠理，邪氣之所合，則其府也。虛實不同，邪中異所，衛邪相合，病則發焉，不必悉當風府而發作也。○新校正云：按甲乙經并太素則其府也作其病作。帝曰：善。夫風之與瘧也，相似同類，而風獨常在，瘧得有時而休者何也？風瘧皆有盛衰，故云相似同類。岐伯曰：風氣留其處，故常在；瘧氣隨經絡沉以內薄，新校正云：按甲乙經作次以內傳。故衛氣應乃作。留謂留止，隨謂隨從。帝曰：瘧先寒而後熱者何也？岐伯曰：夏傷於大暑，其汗大出，腠理開發，因遇夏氣淒滄之水寒，新校正云：按甲乙經、太素水寒作小寒迫之。藏於腠理皮膚之中，秋傷於風，則病成矣。暑為陽氣，中風者陽氣受之，故秋傷於風則病成矣。夫寒者陰氣也，風者陽氣也，先傷於寒而後傷於風，故先寒而後熱也，病以時作，名曰寒瘧。露形觸冒，則風寒傷之。帝曰：先熱而後寒者何也？岐伯曰：此先傷於風而後傷於寒，故先熱而後寒也，亦以時作，名曰溫瘧。以其先熱，故謂之溫。其但熱而不寒者，陰氣先絕，陽氣獨發，則少氣煩冤，手足熱而欲嘔，名曰癉瘧。癉，熱也，極熱為之也。癉，徒干反。帝曰：夫經言有餘者寫之，不足者補之。今熱為有餘，寒為不足。夫瘧者之寒，湯火不能溫也，及其熱，冰水不能寒也，此皆有餘不足之類。當此之時，良工不能止，必須其自衰乃刺之，其故何也？願聞其說。言何暇不早使其盛極而自止乎？岐伯曰：經言無刺熇熇之熱，新校正云：按全元起本及《太素》"熱"作"氣"。熇，火沃反。無刺渾渾之脉，無刺漉漉之汗，故為其病逆，未可治也。熇熇，盛熱也。渾渾，言无端緒也。漉漉，言汗大出也。漉，音鹿。夫瘧之始發也，陽氣并於陰，當是之時，陽虛而陰盛，外無氣故先寒慄也陰氣逆極則復出之陽陽與陰復并於外則陰虛而陽實故先熱而渴陰盛則胃寒故先寒戰慄陽盛則胃熱故先熱欲飲也夫瘧氣者并於陽則陽勝并於陰則陰勝陰勝則寒陽勝則熱瘧者風寒之氣不常也病極則復復謂復舊也言其氣發至極還復如舊至新校正云按甲乙經作瘧者風寒之暴氣不常病極則復至全元起本及太素作瘧風寒氣也不常病極則復至至字連上句与王氏之意異病之發也如火之熱如風雨不可當也以其盛熾故不可當也故經言曰方其盛時必毀新校正云按太素云勿敢必毀因其衰也事必大昌此之謂也方正也正盛寫之或傷眞氣故必毀病氣衰已補其經氣則邪氣弭退正氣安平故必大昌也夫瘧之未發也陰未并陽陽未并陰因而調之眞氣得安邪氣乃亡所寫必中所補必當故眞氣得安邪氣乃亡也故工不能治其已發爲其氣逆也眞氣寖自邪氣大行眞不勝邪是為逆也帝曰善攻之奈何早晏何如岐伯曰瘧之且發也陰陽之且移也必從四末始也陽已傷陰從之故先其時堅束其處令邪氣不得入陰氣不得出審候見

之在孫絡盛堅而血者皆取之此眞往而未得并者也言牛縛四支令氣各在其処則邪所居処必自見之既見之則刺出其血尔往猶去也○新校正云按甲乙經眞往作其往太素作直往帝曰瘧不發其應何如岐伯曰瘧氣者必更盛更虛當氣之所在也病在陽則熱而脉躁在陰則寒而脉靜陰靜陽躁故脉亦隨之極則陰陽俱衰衛氣相離故病得休衛氣集則復病也相薄至極物極則反故極則陰陽俱衰帝曰時有間二日或至數日發或渴或不渴其故何也岐伯曰其間日者邪氣與衛氣客於六府而有時相失不能相得故休數日乃作也氣不相會故數日不能發也瘧者陰陽更勝也或甚或不甚故或渴或不渴陽勝陰甚則渴陽勝陰不甚則不渴也勝謂強盛於彼之氣也帝曰論言夏傷於暑秋必病瘧新校正云按生氣通天論并陰陽應象大論二論俱云夏傷於暑秋必痎瘧今瘧不必應者何也言不必皆然岐伯曰此應四時者也其病異形者反四時也其以秋病者寒甚秋氣清涼陽氣下降熱藏肌肉故寒甚也以冬病者寒不甚冬氣嚴冽陽氣伏藏不与寒争故寒不甚以春

病者惡風（春氣溫和，陽氣外泄，內腠開發，故惡於風）。以夏病者多汗（夏氣暑熱，津液充盈，外泄皮膚，故多汗也）。帝曰：夫病溫瘧與寒瘧而皆安舍？舍於何藏（安，何也。舍，居止也。藏，謂五神藏也）？岐伯曰：溫瘧得之冬中於風寒，氣藏於骨髓之中，至春則陽氣大發，邪氣不能自出，因遇大暑，腦髓爍，肌肉消，腠理發泄，或有所用力，邪氣與汗皆出，此病藏於腎，其氣先從內出之於外也（腎主於冬，冬主骨髓，腦為髓海，上下相應，厥熱上熏，故腦髓銷爍，銷爍則熱氣外薄，故肌肉減削而病藏於腎也）。如是者，陰虛而陽盛，陽盛則熱矣（陰虛，謂腎藏氣虛。陽盛，謂膀胱太陽氣盛），衰則氣復反入，入則陽虛，陽虛則寒矣，故先熱而後寒，名曰溫瘧（衰，謂病衰退也。復反入，謂入腎陰脈中）。帝曰：癉瘧何如？岐伯曰：癉瘧者，肺素有熱，氣盛於身，厥逆上衝，中氣實而不外泄，因有所用力，腠理開，風寒舍於皮膚之內、分肉之間而發，發則陽氣盛，陽氣盛而不衰則病矣。其氣不及於陰（新校正云：按全元起本及太素作不反之陰，巢元方作不及之陰），故但熱而不寒，氣內藏於心，而外舍於

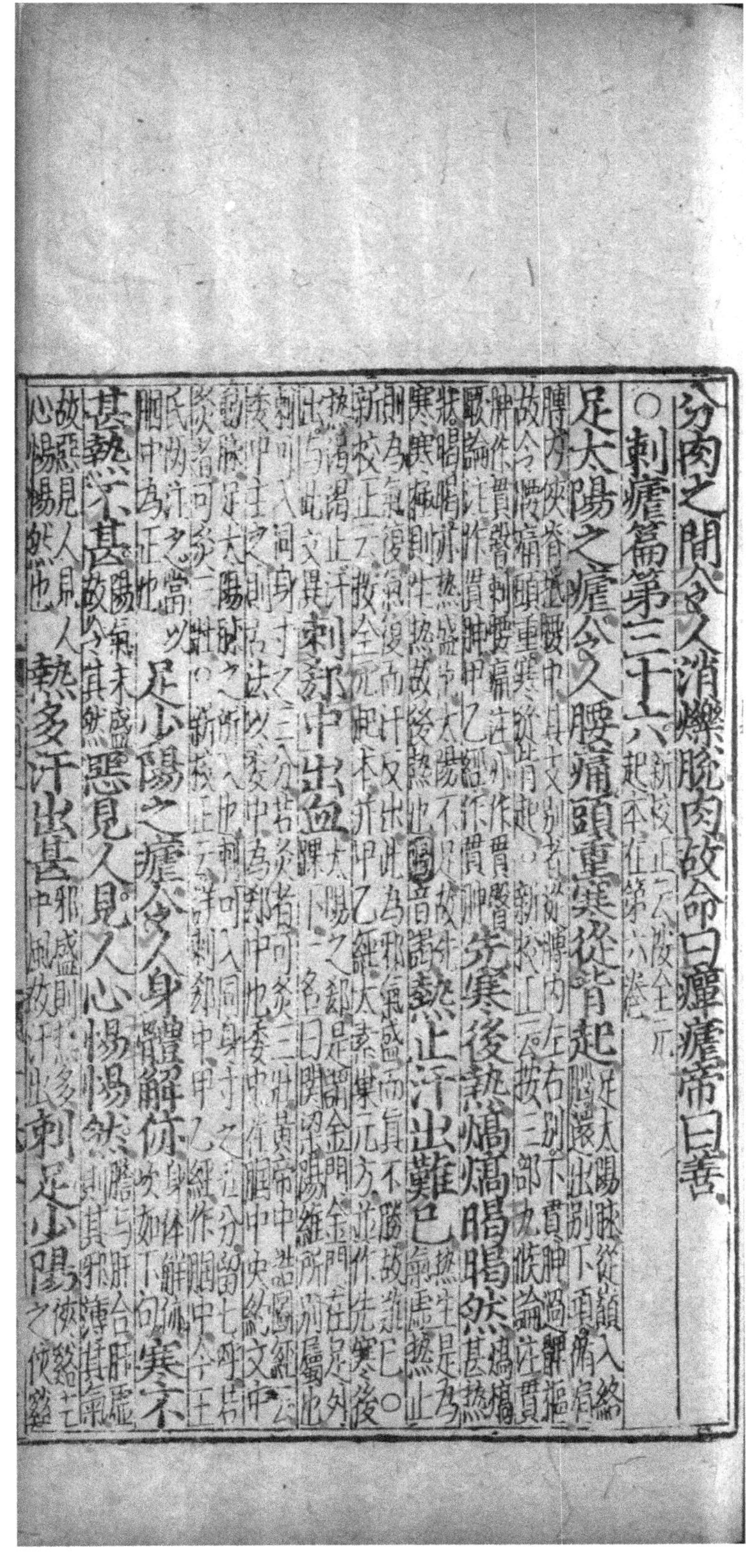
分肉之間，令人消爍脫肉，故命曰癉瘧。帝曰：善。

○刺瘧篇第三十六 新校正云：按全元起本在第六卷。

足太陽之瘧，令人腰痛頭重，寒從背起，足太陽脈從巔入絡腦，還出別下項，循肩髆內，俠脊抵腰中；其支別者，從髆內左右別下貫胛，過髀樞。故令腰痛頭重，寒從背起。○新校正云：按三部九候論注貫胛作貫臀，刺腰痛注亦作貫臀，骨空論注作貫胂，甲乙經作貫胂。先寒後熱，熇熇暍暍然，熇熇，甚熱狀。暍暍，亦熱盛也。太陽不足，故先寒；寒極則生熱，故後熱也。暍，音謁。熱止汗出難已，熱生是爲氣虛，熱止則爲氣復，氣復而汗反出，此爲邪氣盛而真不勝，故難已。○新校正云：按全元起本并甲乙經、太素、巢元方並作先寒後熱渴，渴止汗出，與此文異。刺郄中出血。太陽之郄，是謂金門，金門在足外踝下，一名曰關梁，陽維所別屬也，刺可入同身寸之三分，若灸者可灸三壯。黃帝中誥圖經云：委中主之，則古法以委中爲郄中也。委中在膕中央約文中動脈，足太陽脈之所入也，刺可入同身寸之五分，留七呼，若灸者可灸三壯。○新校正云：詳刺郄中，甲乙經作膕中，今王氏以汗之，當以膕中爲正也。

足少陽之瘧，令人身體解㑊，身體解㑊，次如下句。寒不甚，熱不甚，陽氣未盛，故令其然。惡見人，見人心惕惕然，膽與肝合，肝虛則其邪薄其氣，故惡見人，見人心惕惕然也。熱多汗出甚，邪盛則熱多，中風故汗出。刺足少陽。俠谿主之，俠谿

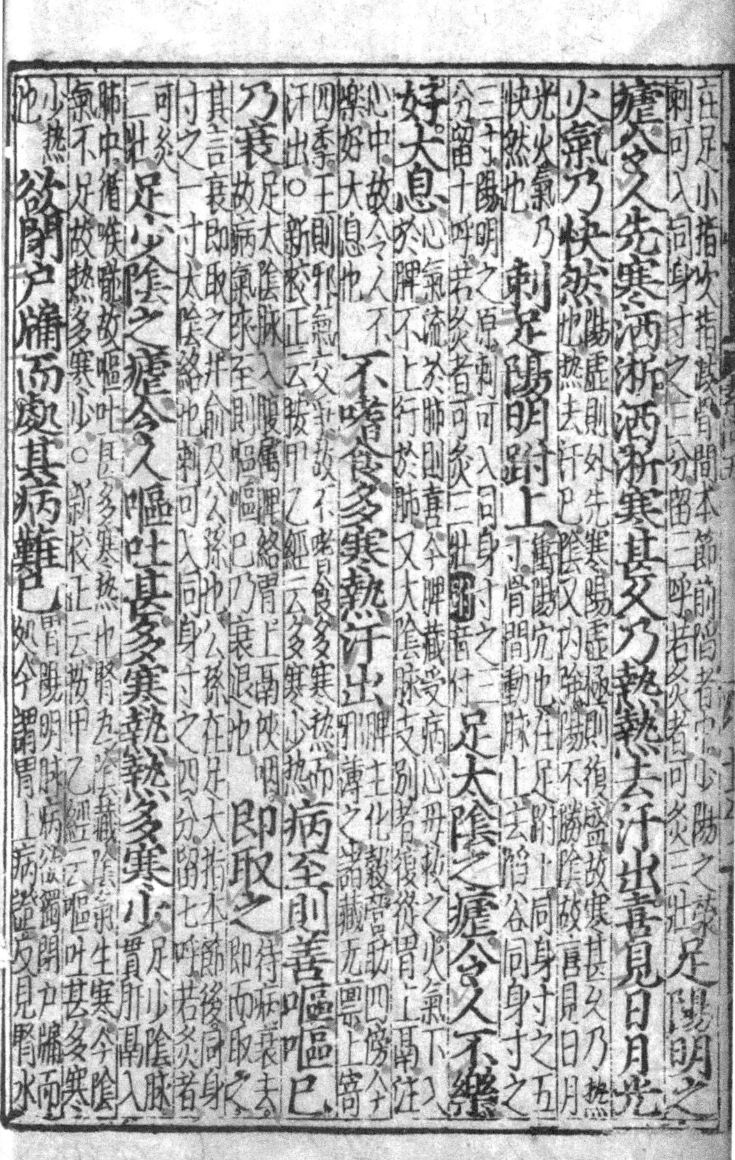

在足小指次指歧骨間本節前陷者中，少陽之滎。刺可入同身寸之三分，留三呼；若灸者可灸三壯。

瘧令人先寒洒淅，洒淅寒甚，久乃熱，熱去汗出，喜見日月光、火氣乃快然。陽虛則外先寒，陽虛極則復盛，故寒甚久乃熱也。熱去汗已，陰又內強，陽不勝陰，故喜見日月光、火氣乃快然也。刺足陽明跗上。跗上，衝陽穴也。在足跗上同身寸之五寸骨間動脈上，去陷谷同身寸之三寸，陽明之原。刺可入同身寸之三分，留十呼；若灸者可灸三壯。跗音付。

足太陰之瘧，令人不樂，好大息，心氣流於肺則喜。今脾藏受病，心母救之，火氣下入於脾，不上行於肺，又太陰脈支別者，復從胃上鬲注心中，故令人不樂、好大息也。不嗜食，多寒熱，汗出，脾主化穀，營助四傍。今邪薄之，諸藏無禀，土寄四季，王則邪氣交爭，故不嗜食，多寒熱而汗出。○新校正云：按《甲乙經》云：多寒少熱。病至則善嘔，嘔已乃衰，足太陰脈，入腹屬脾絡胃，上鬲俠咽，故病氣來至則嘔，嘔已乃衰退也。即取之。待病衰去，即而取之。其言衰即取之，井俞及公孫也。公孫在足大指本節後同身寸之一寸，太陰絡也。刺可入同身寸之四分，留七呼；若灸者可灸三壯。

足少陰之瘧，令人嘔吐甚，多寒熱，熱多寒少，足少陰脈，貫肝鬲，入肺中，循喉嚨，故嘔吐甚，多寒熱也。腎為陰藏，陰氣生寒，今陰氣不足，故熱多寒少。○新校正云：按《甲乙經》云：嘔吐甚，多寒少熱也。欲閉戶牖而處，其病難已。胃陽明脈病，欲獨閉戶牖而處，今謂胃土病證反見腎水

之中上刺於水故其病難已也太鍾大谿悉主之太鍾在足內踝後街中少陰絡也刺可以同身寸之二分留七呼若灸者可灸三壯大谿在足內踝後跟骨上動脈陷者中少陰俞也刺可入同身寸之三分留七呼若灸者可灸三壯○新校正云按甲乙經云其病難已取太谿又按太鍾穴甲乙經作跟後衝中刺腰痛篇注作跟後街中動脈水泉注云在內踝後此注云內踝後街中諸注不同當以甲乙經為正

足厥陰之瘧令人腰痛少腹滿小便不利如癃狀非癃也數便意恐懼氣不足腹中悒悒足厥陰循股陰入髦中環陰器抵少腹故病如是癃謂不得小便也悒悒不暢之貌○新校正云按甲乙經數便意三字作數噫二字刺足厥陰太衝主之在足大指本節後同身寸之二寸陷者中厥陰俞也刺可入同身寸之三分留十呼若灸者可灸三壯○新校正云按刺腰痛篇注云在本節後內間動脈應手

肺瘧者令人心寒寒甚熱熱間善驚如有所見者刺手太陰陽明列缺主之列缺在手腕後同身寸之一寸半手太陰絡也刺可入同身寸之三分留三呼若灸者可灸五壯陽明穴合谷主之合谷在手大指次指岐骨間手陽明脈之所過也刺可入同身寸之三分留六呼若灸者可灸三壯

心瘧者令人煩心甚欲得清水反寒多不甚熱刺手少陰神門主之神門在掌後銳骨之端陷者中手少陰俞也刺可入同身寸之三分留七呼若灸者可灸三壯○新校正云按太素云欲得清水及寒多寒不甚熱甚

肝瘧者令人

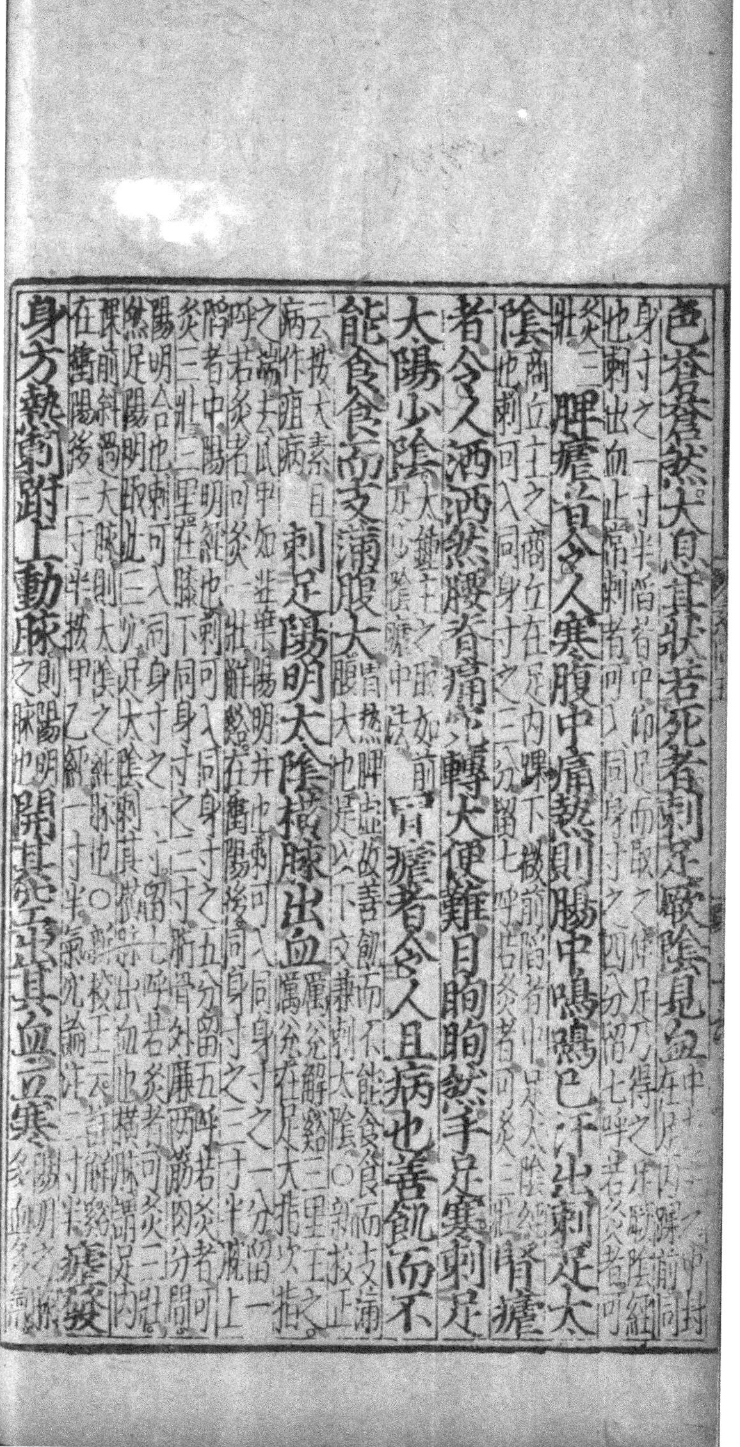
色蒼蒼然太息其狀若死者刺足厥陰見血中封主之中封在足內踝前同身寸之一寸半陷者中仰足而取之伸足乃得之足厥陰經也刺出血止常刺者可入同身寸之四分留七呼若灸者可灸三壯脾瘧者令人寒腹中痛熱則腸中鳴鳴已汗出刺足太陰商丘主之商丘在足內踝下微前陷者中足太陰經也刺可入同身寸之三分留七呼若灸者可灸三壯腎瘧者令人洒洒然腰脊痛宛轉大便難目眴眴然手足寒刺足太陽少陰太鍾主之取如前足少陰瘧中法胃瘧者令人且病也善飢而不能食食而支滿腹大胃熱脾虛故善飢而不能食食而支滿腹大也是以下文兼刺太陰○新校正云按太素曰病作疸病刺足陽明太陰橫脈出血厲兌解谿三里主之厲兌在足大指次指之端去爪甲如韭葉足陽明井也刺可入同身寸之一分留一呼若灸者可灸一壯解谿在衝陽後同身寸之三寸半腕上陷者中足陽明經也刺可入同身寸之五分留五呼若灸者可灸三壯三里在膝下同身寸之三寸䯒骨外廉兩筋肉分間足陽明合也刺可入同身寸之一寸留七呼若灸者可灸三壯然足陽明取此三穴足太陰刺其橫脈出血也橫脈謂足內踝前斜過大脈則太陰之經脈也○新校正云詳解谿在衝陽後三寸半按甲乙經一寸半氣穴論注二寸半瘧發身方熱刺跗上動脈則陽明之脈也開其空出其血立寒陽明之脈多血多氣

熱盛氣壯故出其血而立可寒也瘧方欲寒刺手陽明太陰足陽明太陰亦謂開穴而出其血也當隨井俞而刺之也瘧脉滿大急刺背俞用中針傍五胠俞各一適肥瘦出其血也瘦者淺刺少出血肥者深刺多出血背俞謂大杼五胠俞謂譩譆胠去魚反瘧脉小實急灸脛少陰刺指井灸脛少陰是謂復溜在內踝上同身寸之二寸陷者中足少陰經也刺可入同身寸之三分留三呼若灸者可灸五壯刺指井謂刺至陰至陰在足小指外側去爪甲角如韭葉足太陽井也刺可入同身寸之一分留五呼若灸者可灸三壯瘧脉滿大急刺背俞用五胠俞背俞各一適行於血也謂調適肥瘦穴度深淺循三備法以行針令至於血脈也謂大杼五胠俞謂譩譆之○新校正云詳此條從瘧脉滿大至此注然文注共五十五字當從刪削經文當次前經文重複王氏隨而注之別无義例不若王安之精審不複出也瘧脉緩大虛便用藥不宜用針緩者中風大為氣實虛者血虛血虛氣實風又攻之故宜藥治以遣其邪不宜針寫而出血也凡治瘧先發如食頃乃可以治過之則失時也先其發時真邪異居波隴不起故可治過時則真邪相合攻之則反傷真氣故曰失時○新校正云詳從前瘧脉滿大至此全元起本在第四卷中王氏後續於此也諸瘧而脉不見刺十指間出血血去必已先視身之赤如小

豆者盡取之十二瘧者其發各不同時察其病形以知其何脉之病也隨其形證而病脉可知先其發時如食頃而刺之一刺則衰二刺則知三刺則巳不巳刺舌下兩脉出血釋具下文不巳刺郄中盛經出血又刺項巳下俠脊者必巳並足太陽之脉氣也郄中則委中也俠脊者謂大杼風門熱府穴也大杼在項第一椎下兩傍相去各同身寸之一寸半陷者中刺可入同身寸之三分留七呼若灸者可灸五壯風門熱府在第七椎下兩傍各同身寸之一寸半刺可入同身寸之五分留七呼若灸者可灸五壯○新校正云詳大杼穴灸五壯按甲乙經作七壯氣穴論注作七壯刺熱及熱穴注作五壯舌下兩脉者廉泉也廉泉穴各在頷下結喉上舌本下陰維任脉之會刺可入同身寸之三分留三呼若灸者可灸三壯刺瘧者必先問其病之所先發者先刺之先頭痛及重者先刺頭上及兩額兩眉間出血頭上謂上星百會兩額謂懸顱兩眉間謂攢竹等穴也先項背痛者先刺之項風池風府主之背大杼神道主之先腰脊痛者先刺郄中出血先手臂痛者先刺手少陰陽明十指間新校正云按別本作手陰陽全本亦作手陰陽先足脛痠痛者先刺足陽明十指間出血各以邪居之所以瀉之風

風瘧瘧發則汗出惡風刺三陽經背俞之血者三陽太陽也○新校正云按甲乙經云足三陽胻痠痛甚按之不可名曰胕髓病以鑱針針絶骨出血立已陽輔穴也取如氣穴論中府俞法鑱士咸反鑱仕衘反身體小痛刺至陰新校正云按甲乙經无至陰二字諸陰之井無出血間日一刺諸井皆在指端足少陰井在足心宛中瘧不渴間日而作刺足太陽新校正云按九卷云足陽明太素同渴而間日作刺足少陽新校正云按九卷云手少陽太素同溫瘧汗不出為五十九刺自胃瘧下至此尋黄帝中誥圖經所主或有不与此文同應古之别法也

○氣厥論篇第三十七新校正云按全元起本在第九卷与厥論相併

黄帝問曰五藏六府寒熱相移者何岐伯曰腎移寒於肝癰腫少氣肝藏血然寒入則陽氣不散陽氣不散則血聚氣澀故為癰腫又為少氣也○新校正云按全元起本云腎移寒於脾元起注云腎傷於寒而傳於脾脾主肉寒生於肉則結為堅堅化為膿故為癰也血傷氣少故曰少氣甲乙經亦作移寒於脾王因誤本遂解為肝亦智者之一失也脾移寒於肝癰腫筋攣脾藏主肉肝藏主筋肉溫則筋舒肉冷則筋急故筋攣也肉寒則衛氣結聚故為癰腫肝移寒於心狂隔中心為

陽藏神然其中寒薄之則神亂离故狂也陽氣与寒相薄故陽塞而中不通也心移寒於肺肺消肺消者飲一溲二死不治心為陽藏反受諸寒寒氣不消乃移於肺寒隨心火內爍金精金受火邪故中消也然肺藏消鑠氣无所持故令飲一而溲二也金火相賊故死不能治肺移寒於腎為涌水涌水者按腹不堅水氣客於大腸疾行則鳴濯濯如囊裹漿水之病也肺藏氣腎主水夫肺寒入腎腎氣有餘腎氣有餘則上奔於肺故云涌水也大腸為肺之府然肺腎俱為寒薄上下皆无所之故水氣客於大腸也腎受凝寒不能化液大腸積水而不流通故其疾行則腸鳴而濯濯有声如囊裹漿而為水病也○新校正云按甲乙經水之病也作治主肺者脾移熱於肝則為驚衄肝藏血又主驚故熱薄之則驚而鼻中血出肝移熱於心則死兩陽和合火木相燔故肝熱入心則當死也陰陽別論曰肝之心謂之生陽生陽之屬不過四日而死○新校正云按陰陽別論之文義与此殊王氏不當引彼誤文附會此義心移熱於肺傳為鬲消心肺兩間中有斜鬲膜鬲膜下際內連於橫鬲膜故心熱入肺久久傳化內為鬲熱消渴而多飲也肺移熱於腎傳為柔痓柔謂筋柔而无力痓謂骨痓而不隨氣骨皆熱髓不內充故骨痓強而不舉筋柔緩而无力也痓音熾腎移熱於脾傳為虛腸澼死不可治脾土制水腎反移熱以与之是脾土不能制水而受病故久久傳為虛損也腸澼死者腎

主下焦象水而冷今乃移熱是精氣內消下焦无主以守持故腸澼除而氣不禁止胞移熱於膀胱則癃溺血膀胱為津液之府胞為受納之司故熱入膀胱胞中外熱陰絡內溢故不得小便而溺血也正理論曰熱在下焦則溺血此之謂也膀胱移熱於小腸鬲腸不便上為口糜小腸脉絡心循咽下鬲抵胃屬小腸故受熱以下令腸鬲塞而不便上則口生瘡而糜爛也糜謂爛也糜亡悲反小腸移熱於大腸為虙瘕為沉小腸熱已移入大腸兩熱相薄則血溢而為伏瘕也血澀不利則月事沉滯而不行故云為伏瘕為沉也虙与伏同瘕一為疝傳寫誤也大腸移熱於胃善食而瘦入謂之食亦胃為水穀之海其氣外養肌肉熱消水穀又鑠肌肉故善食而瘦入也食亦者謂食入移易而過不生肌膚也亦易也○新校正云按甲乙經入作又王氏注云善食而瘦入也殊為无義不若甲乙經作又讀連下文胃移熱於膽亦曰食亦義同上膽移熱於腦則辛頞鼻淵鼻淵者濁涕下不止也腦液下滲則為濁涕涕下不止如彼水泉故曰鼻淵也頞謂鼻頞也足太陽脉起於目內眥上額交巔上入絡腦足陽明脉起於鼻交頞中傍約太陽之脉今腦熱則足太陽逆與陽明之脉俱盛薄於頞中故鼻頞辛也辛謂酸痛故下文曰傳為衄衊瞑目以足陽明脉交頞中傍約太陽之脉故耳熱盛則陽絡溢陽絡溢則衄出汗血也衊謂汗血也血出甚陽明太陽脉衰不能榮養於目故目瞑瞑瞎也衊莫結反故得之氣

厥也嚥者氣逆也皆由氣逆而得之

○欬論篇第三十八新校正云按全元起本在第九卷

黃帝問曰肺之令人欬何也岐伯對曰五藏六府皆令人欬非獨肺也帝曰願聞其狀岐伯曰皮毛者肺之合也皮毛先受邪氣邪氣以從其合也邪謂寒氣其寒飲食入胃從肺脈上至於肺則肺寒肺寒則外內合邪因而客之則為肺欬肺脈起於中焦下絡大腸還循胃口上鬲屬肺故云從肺脈上至於肺也五藏各以其時受病非其時各傳以與之時謂王月也非王月則不受邪故各傳以與之人與天地相參故五藏各以治時感於寒則受病微則為欬甚者為泄為痛寒氣微則外應皮毛內通肺故欬寒氣甚則入於內內裂則痛入於腸胃則泄痢乘秋則肺先受邪乘春則肝先受之乘夏則心先受之乘至陰則脾先受之乘冬則腎先受之以當用事之時故先受邪氣○新校正云按全元起本及太素無乘秋則三字疑此文誤多也帝曰何以異之欲明其證也岐伯曰肺欬之狀欬而喘息有音甚則唾血

肺藏氣而應息故欬則喘息而喉中有聲甚則肺絡逆故唾血也心欬之狀欬則心痛喉中介介如梗狀甚則咽腫喉痹手心主脈起於胸中出屬心包少陰之脈起於心中出屬心系其支別者從心系上挾咽喉故病如是○新校正云按甲乙經介介如梗狀作喝喝又少陰之脈上挾咽不言挾喉肝欬之狀欬則兩脇下痛甚則不可以轉轉則兩胠下滿足厥陰脈上貫鬲布脇肋循喉嚨之後故如是胠亦脇也脾欬之狀欬則右胠下痛陰陰引肩背甚則不可以動動則欬劇足太陰脈上貫鬲挾咽其支別者後從胃別上鬲故病如是也脾氣連肺故痛引肩背也脾氣主右故右胠下陰陰然深慢痛也劇音極腎欬之狀欬則腰背相引而痛甚則欬涎足少陰脈上股內後廉貫脊屬腎絡膀胱其直行者從腎上貫肝鬲入肺中循喉嚨挾舌本又膀胱脈從肩髆內別下挾脊抵腰中入循膂絡腎故病如是帝曰六府之欬奈何安所受病岐伯曰五藏之久欬乃移於六府脾欬不已則胃受之胃欬之狀欬而嘔嘔甚則長蟲出脾與胃合又胃之脈循喉嚨入缺盆下鬲屬胃絡脾故脾欬不已胃受之也胃寒則嘔嘔甚則腸氣逆上故蚘出蚘音回肝欬不已則膽受之膽欬之狀欬嘔膽汁肝與膽合又膽之脈從缺盆以下胸中貫鬲絡肝故肝欬不已膽受之也膽氣好逆

故嘔溫苦汁也肺欬不已則大腸受之大腸欬狀欬而遺失肺与大腸合又大腸脉入缺盆絡肺故肺欬不已大腸受之大腸為傳送之府故寒入則氣不禁焉○新校正云按甲乙經遺失作遺矢心欬不已則小腸受之小腸欬狀欬而失氣氣與欬俱失心与小腸合又小腸脉入缺盆絡心故心欬不已小腸受之小腸寒盛氣入大腸欬則小腸氣下奔故失氣也腎欬不已則膀胱受之膀胱欬狀欬而遺溺腎与膀胱合又膀胱脉從肩髆內俠脊抵腰中入循膂絡腎屬膀胱故腎欬不已膀胱受之膀胱為津液之府是故遺溺久欬不已則三焦受之三焦欬狀欬而腹滿不欲食飲此皆聚於胃關於肺使人多涕唾而面浮腫氣逆也三焦者非謂手少陽也正謂上焦中焦耳何者上焦者出於胃上口並咽以上貫鬲布胸中走腋中焦者亦至於胃口出上焦之後此所受氣者泌糟粕蒸津液化其精微上注於肺脉乃化而為血故言皆聚於胃關於肺也兩焦受病則邪氣熏肺而肺氣滿故使人多涕唾而面浮腫氣逆也腹滿不欲食者胃寒故也胃脉者從缺盆下乳內廉下循腹至氣街其支者復從胃下口循腹裏至氣街中而合今胃受邪故病如是也何以明其不謂下焦然下焦者別於回腸注於膀胱故水穀者常并居於胃中盛糟粕而俱下於大腸泌別汁循下焦而滲入膀胱尋此行化乃与胃口懸遠故不謂此也○新校正云按甲乙經胃脉下循腹作俠臍帝曰治之奈何

岐伯曰治藏者治其俞治府者治其合浮腫者治其經諸藏俞者皆脉之所起第三穴諸府合者皆脉之所起第六穴也經者藏脉之所起第四穴府脉之所起第五穴靈樞經曰脉之所注爲俞所行爲經所入爲合此之謂也帝曰善

補註釋文黃帝內經素問卷之五

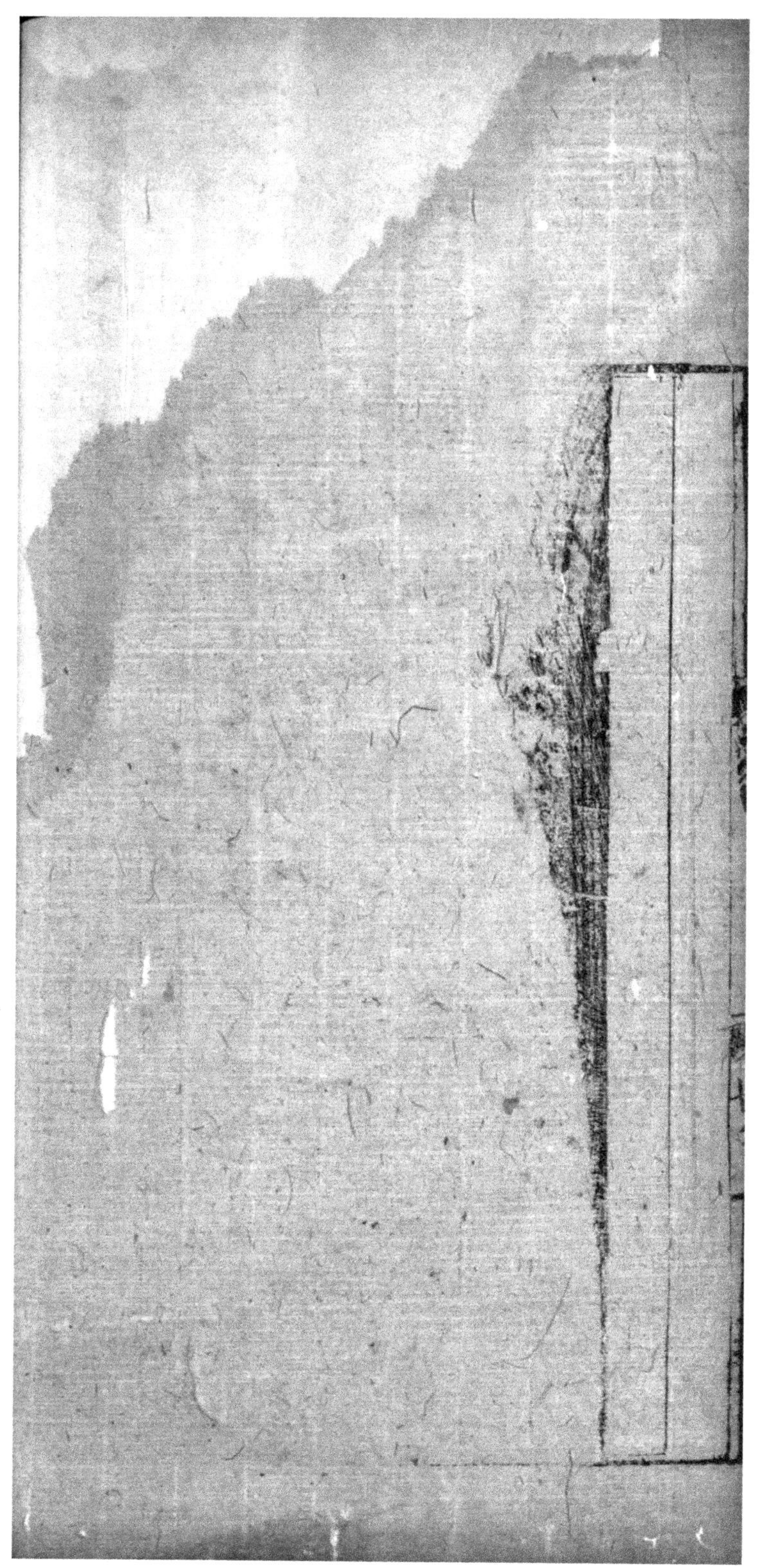

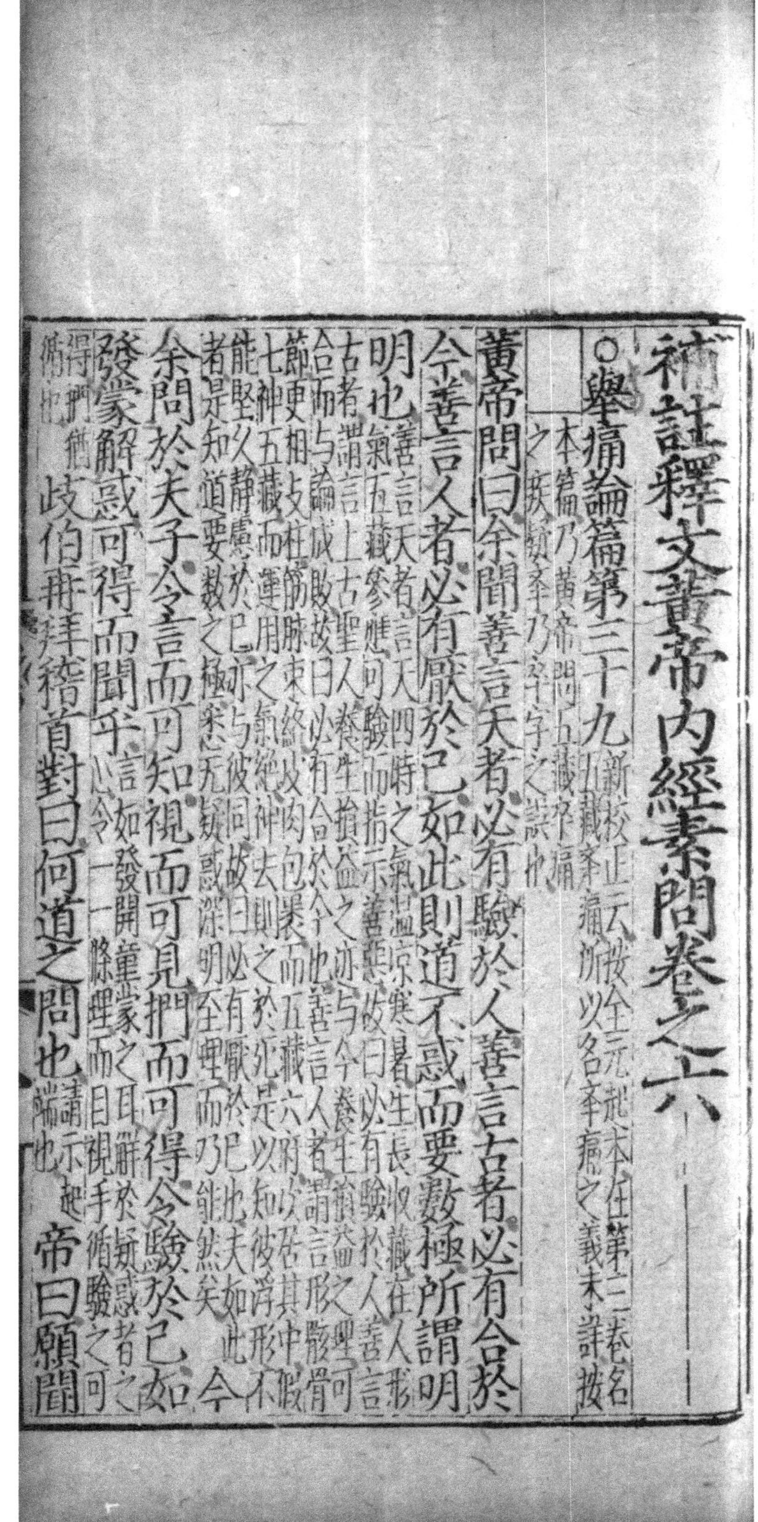

補註釋文黃帝內經素問卷之六

○舉痛論篇第三十九 新校正云按全元起本在第三卷名五藏舉痛所以名舉痛之義未詳按本篇乃黃帝問五藏卒痛之疾疑舉乃卒字之誤也

黃帝問曰余聞善言天者必有驗於人善言古者必有合於今善言人者必有厭於己如此則道不惑而要數極所謂明明也 善言天者言天四時之氣溫涼寒暑生長收藏在人形氣五藏參應可驗而指示善惡故曰必有驗於人善言古者謂言上古聖人養生損益之迹与今養生損益之理可合而与論成敗故曰必有合於今也善言人者謂言形骸骨節更相支拄筋脉束絡皮肉包裹而五藏六府次居其中假七神五藏而運用之氣絕神去則之於死是以知彼浮形不能堅久靜慮於己亦与彼同故曰必有厭於己也夫如此者是知道要數之極悉无疑惑深明至理而乃能然矣

今余問於夫子令言而可知視而可見捫而可得令驗於己如發蒙解惑可得而聞乎 言如發開童蒙之耳解於疑惑者之心令一一條理而目視手循驗之可得捫循也

岐伯再拜稽首對曰何道之問也 請示起端也

帝曰願聞

人之五藏卒痛何氣使然岐伯對曰經脉流行不止環周不
休寒氣入經而稽遲泣音澁而不行客於脉外則血少客於脉
中則氣不通故卒然而痛帝曰其痛或卒然而止者或痛甚
不休者或痛甚不可按者或按之而痛止者或按之無益者
或喘動應手者或心與背相引而痛者或脇肋與少腹相引
而痛者或腹痛引陰股者或痛宿昔而成積者或卒然痛死
不知人少間復生者或痛而嘔者或腹痛而後泄者或痛而
閉不通者凡此諸痛各不同形別之柰何欲明異候之所起岐伯曰
寒氣客於脉外則脉寒脉寒則縮踡縮踡則脉絀急絀急則
外引小絡故卒然而痛得炅則痛立止脉左右環故得寒則縮踡絀急縮踡絀急
則衛氣不得流通故外引於小絡脉也衛氣不入寒內薄之脉急不縱故痛生也得熱則衛氣復行寒氣退辟故痛止炅
熱也止巳也絀丁骨反因重中於寒則痛久矣重寒難釋故痛久不消寒氣客於
經脉之中與炅氣相薄則脉滿滿則痛而不可按也按之痛甚者其

義具下文。寒氣稽留，炅氣從上，則脈充大而血氣亂，故痛甚不可按也。脈滿痛大，血氣復亂，按之則邪氣攻內，故不可按也。寒氣客於腸胃之間膜原之下，血不得散，小絡急引故痛，按之則血氣散，故按之痛止。膜謂鬲間之膜，原謂鬲肓之原。血不得散，謂鬲膜之中小絡脈內血也。絡滿則急，故牽引而痛生也。手按之則寒氣散，小絡緩，故痛止。寒氣客於俠脊之脈則深，按之不能及，故按之無益也。俠脊之脈者，當中督脈也，次兩傍足太陽脈也。督脈者循脊裏，太陽者貫脊筋，故深按之不能及也。若按當中則脊節曲，按兩傍則脊筋蹙，合曲與蹙，合皆衛氣不得行過，寒氣益聚而內畜，故按之無益。寒氣客於衝脈，衝脈起於關元，隨腹直上，寒氣客則脈不通，脈不通則氣因之，故喘動應手矣。衝脈，奇經脈也。關元，穴名，在齊下三寸。言起自此穴，即附腹而上，非生出於此也。其本生出乃起於腎下也。直者，謂行會於咽喉也。氣因之，謂衝脈不通，足少陰氣因之上滿。衝脈與少陰並行，故喘動而應手也矣。寒氣客於背俞之脈則血脈泣，脈泣則血虛，血虛則痛，其俞注於心，故相引而痛，按之則熱氣至，熱氣至則痛止矣。背俞謂心俞脈，亦足太陽脈也。夫俞者皆內通於藏，故曰其俞注於心，相引而痛也。按之則溫氣入，溫氣入則心氣外發，故痛止寒氣客於厥陰之脉厥陰之脉者絡陰器繫於肝寒氣客於脉中則血泣脉急故脇肋與少腹相引痛矣厥陰者肝之脉入髦中環陰器抵少腹上貫肝鬲布脇肋故曰絡陰器繫於肝脉急引脇与少腹痛也厥氣客於陰股寒氣上及少腹血泣在下相引故腹痛引陰股亦厥陰肝脉之氣也以其脉循陰股入毛中環陰器上抵少腹故曰厥氣客於陰股寒氣上及於少腹也寒氣客於小腸膜原之間絡血之中血泣不得注於大經血氣稽留不得行故宿昔而成積矣言血為寒氣之所凝結而乃成積寒氣客於五藏厥逆上泄陰氣竭陽氣未入故卒然痛死不知人氣復反則生矣言藏氣被寒擁胃而不行氣復得通則已也。新校正云詳注中擁胃疑作擁冐寒氣客於腸胃厥逆上出故痛而嘔也腸胃客寒留止則陽氣不得下流而反上行寒不去則痛生陽上行則嘔逆故痛而嘔也寒氣客於小腸小腸不得成聚故後泄腹痛矣小腸為受盛之府中滿則寒邪不居故不得結聚而傳下入於迴腸迴腸廣腸也為傳導之府物不得停留故後泄而痛熱氣留於小腸腸中痛癉熱焦渴則堅乾不得出故痛而閉不通矣熱[illegible]

曰所謂言而可知者也，視而可見奈何？謂候色也。岐伯曰：五藏六府固盡有部，謂面上之分部。視其五色，黃赤為熱，中熱則色黃赤。白為寒，陽氣少血不上榮故色白。青黑為痛，血凝泣則變惡，故色青黑則痛。此所謂視而可見者也。帝曰：捫而可得奈何？捫摸也，以手循摸也。岐伯曰：視其主病之脈，堅而血及陷下者，皆可捫而得也。帝曰：善。余知百病生於氣也，夫氣之為用，虛實逆順緩急皆能為病，故發此問端。怒則氣上，喜則氣緩，悲則氣消，恐則氣下，寒則氣收，炅則氣泄，驚則氣亂，新校正云：按太素驚作憂。勞則氣耗，思則氣結，九氣不同，何病之生？岐伯曰：怒則氣逆，甚則嘔血及飧泄，新校正云：按甲乙經及太素飧泄作食而氣逆。故氣上矣。怒則陽氣逆上而肝氣乘脾，故甚則嘔血及飧泄也。何以明其然？怒則面赤，甚則色蒼。靈樞經曰：盛怒而不止則傷志。明怒則氣逆上而不下也。喜則氣和志達，榮衛通利，故氣緩矣。氣脉和調，故志達暢；榮衛通利，故氣徐緩。悲則心系急，肺布葉舉，而上焦不通，榮衛不散，熱氣在中，故氣消矣。布葉謂布蓋之大葉。○新校正云：按甲乙經及太素而上焦不通作兩焦不通。又王注肺布葉舉謂布蓋之大葉，疑非全元起云悲則損於心心系急則動於肺肺氣繫諸經逆故肺布而葉舉安得謂肺布為肺布蓋之大葉恐則精却則上焦閉閉則氣還還則下焦脹故氣不行矣恐則陽精却上而不下流故却則上焦閉也上焦既閉氣不行流下焦陰氣亦還迴不散而聚為張也然上焦固禁下焦氣還各守一處故氣不行也○新校正云詳氣不行當作氣不行也寒則腠理閉氣不行故氣收矣腠謂津液滲泄之所理謂文理逢會之中閉謂密閉氣謂衛氣行謂流行收謂收斂也身寒則衛氣沉故皮膚文理及滲泄之處皆閉密而氣不流行衛氣收斂於中而不發散也○新校正云按甲乙經氣不行作營衛不行炅則腠理開榮衛通汗大泄故氣泄矣人在陽則舒在陰則慘故熱則膚腠開發榮衛大通津液外滲而汗大泄驚則心無所倚神無所歸慮無所定故氣亂矣氣奔越故不調理○新校正云按太素驚作憂字勞則喘且汗出外內皆越故氣耗矣疲力役則氣奔速故喘息氣奔速則陽外發故汗出然喘且汗出內外皆踰越腠常細故氣耗損也思則心有所存神有所歸正氣留而不行故氣結矣繫心不散故氣亦停留○新校正云按甲乙經歸正二字作止字

○腹中論篇第四十新校正云按全元起本在第五卷

黃帝問曰有病心腹滿旦食則不能暮食此爲何病岐伯對
曰名爲鼓脹心腹脹滿不能再食形如鼓脹故名鼓脹也○新校正云按大素鼓作穀字帝曰治
之柰何岐伯曰治之以雞矢醴一劑知二劑已按古本草雞矢並不治鼓
脹惟大利小便微寒今方制法當取用處湯漬服之帝曰其時有復發者何也復謂再發言如
舊也岐伯曰此飲食不節故時有病也雖然其病且已時故當
病氣聚於腹也飲食不節則傷胃胃脈者循腹裏而下行故飲食不節時有病者復病氣聚於腹中也
帝曰有病胷脇支滿者妨於食病至則先聞腥臊臭出清液
先唾血四支清目眩時時前後血病名爲何何以得之清液清水
也亦謂之清涕清涕者謂從窈漏中漫液而下水出清冷也眩謂目視眩轉也前後血謂前陰後陰出血也岐伯
曰病名血枯此得之年少時有所大脫血若醉入房中氣竭
肝傷故月事衰少不來也出血多者謂之脫血漏中鼻衂嘔吐出血皆同焉夫醉則血
脈盛則內熱因而入房髓液皆下故腎中氣竭也肝藏血以少大脫血故肝傷也然於丈夫則精液衰乏若女子則月事
衰少而不來帝曰治之柰何復以何術岐伯曰以四烏鰂骨一藘

茹二物并合之丸以雀卵大如小豆以五丸爲後飯飲以鮑魚汁利腸中新校正云按別本一作傷中鰂昨則反藘茹上力居反下音如字及傷肝也飯後藥先謂之後飯按古本草經云烏鰂魚骨藘茹等並不治血枯然經法用之是攻其所生所起爾夫醉勞力以入房則腎中精氣耗竭月事衰少不至則中有惡血淹留精氣耗竭則陰萎不起而無精惡血淹留則血痹著中而不散故先兹四藥用入方焉古本草經曰烏鰂魚骨味鹹冷平無毒主治女子血閉藘茹味辛寒平有小毒主散惡血雀卵味甘溫平無毒主治男子陰萎不起强之令熱多精有子鮑魚味辛臭溫平無毒主治瘀血血痹在四支不散者尋文會意方義如此而處治之也○新校正云按甲乙經及太素藘茹作蕳茹詳王注性味乃蕳茹當改藘作蕳又按本草烏鰂魚骨冷作微溫雀卵甘作酸与王注異帝曰病有少腹盛上下左右皆有根此爲何病可治不岐伯曰病名曰伏梁伏梁心之積也○新校正云詳此伏梁与心積之伏梁大異病有名同而實異者非一如此之類是也帝曰伏梁何因而得之岐伯曰裹大膿血居腸胃之外不可治治之每切按之致死帝曰何以然岐伯曰此下則因陰必下膿血上則迫胃脘生鬲俠胃脘内癰正當衝脉帶脉之部分也帶脉者起於季脇迴身一周橫絡於齊下衝脉者与足少陰之絡起於腎下出於氣街循陰股

其上行者出齊下同身寸之三寸關元之分俠齊直上循腹各行會於咽喉故病當其分則少腹盛上下左右皆有根也以其上下堅盛如有潛梁故曰病名伏梁不可治也以裹大膿血居腸胃之外按之痛悶不堪故每切按之致死也以衝脈下行者絡陰上行者循腹故也上則迫近於胃脘下則因薄於陰器也若因薄於陰則便下膿血若迫近於胃則病氣上出於鬲復俠胃脘內長其癰也何以然哉以本有大膿血在腸胃之外故也生當為出傳文誤也○新校正云按太素俠胃作使胃此久病也難治居齊上為逆居齊下為從勿動亟奪若裹大膿血居齊上則漸傷心藏故為逆居齊下則去心稍遠猶得漸攻故為從從順也亟數也奪去也言不可移動但數數去之則可矣論在刺法中今經亡帝曰人有身體髀股䯒皆腫環齊而痛是為何病岐伯曰病名伏梁此二十六字錯簡在奇病論中若不有此二十六字則下文無據也新校正云詳此並無注解尺在下卷奇病論中此風根也此四字此錯簡本有奇病論中亦有之其氣溢於大腸而著於肓肓之原在齊下故環齊而痛也不可動之動之為水溺濇之病亦衝脈也齊下謂脖胦在齊下同身寸之一寸半靈樞經曰肓之原名曰脖胦脖蒲沒反胦烏朗反帝曰夫子數言熱中消中不可服高梁芳草石藥石藥發瘨芳草發狂多飲數溲謂之熱中多食數溲謂之消中多喜曰瘨

多怒曰狂芳美味也夫熱中消中者，皆富貴人也。今禁高梁，是不合其
心；禁芳草石藥，是病不愈，願聞其說。熱中消中者脾氣之上溢甘肥之所致故禁食
高梁芳美之草也通評虛實論曰凡治消癉甘肥貴人則高梁之疾也又奇病論曰夫五味入於口藏於胃脾為之行其
精气津液在脾故令人口甘此肥美之所發也此人以數食甘美而多肥也肥者令人內熱甘者令人中滿故其气上溢
轉為消渴此之謂也夫富貴人者驕恣縱欲輕人而无推一之禁之則逆其志順之則加其病帝思難詰故發問之氣冐
梁米也石藥英乳也芳草濃美也然此五者富貴人常服之推禁也岐伯曰：夫芳草之氣美，石
藥之氣悍，二者其氣急疾堅勁，故非緩心和人，不可以服此
二者。脾氣溢而生病氣美則重盛於脾消熱之氣躁疾氣悍則又滋其熱若人性和心緩氣候舒勻不与物爭釋然
寬泰則神不躁迫无懼內傷故非緩心和人不可以服此二者悍利也堅定也固也勁剛也言其芳草石藥之氣堅定固
久剛烈而卒不歇滅此二者是也帝曰：不可以服此二者，何以然？岐伯曰：夫
熱氣慓悍，藥氣亦然，二者相遇，恐內傷脾。慓疾也脾者土也，而
惡木，服此藥者，至甲乙日更論。熱氣慓盛則木氣內餘故心非和緩則躁怒數起躁怒數
起則熱氣因木以傷脾甲乙日木故至甲乙日更論脾病之增减也帝曰：善。有病膺腫新校正云按甲

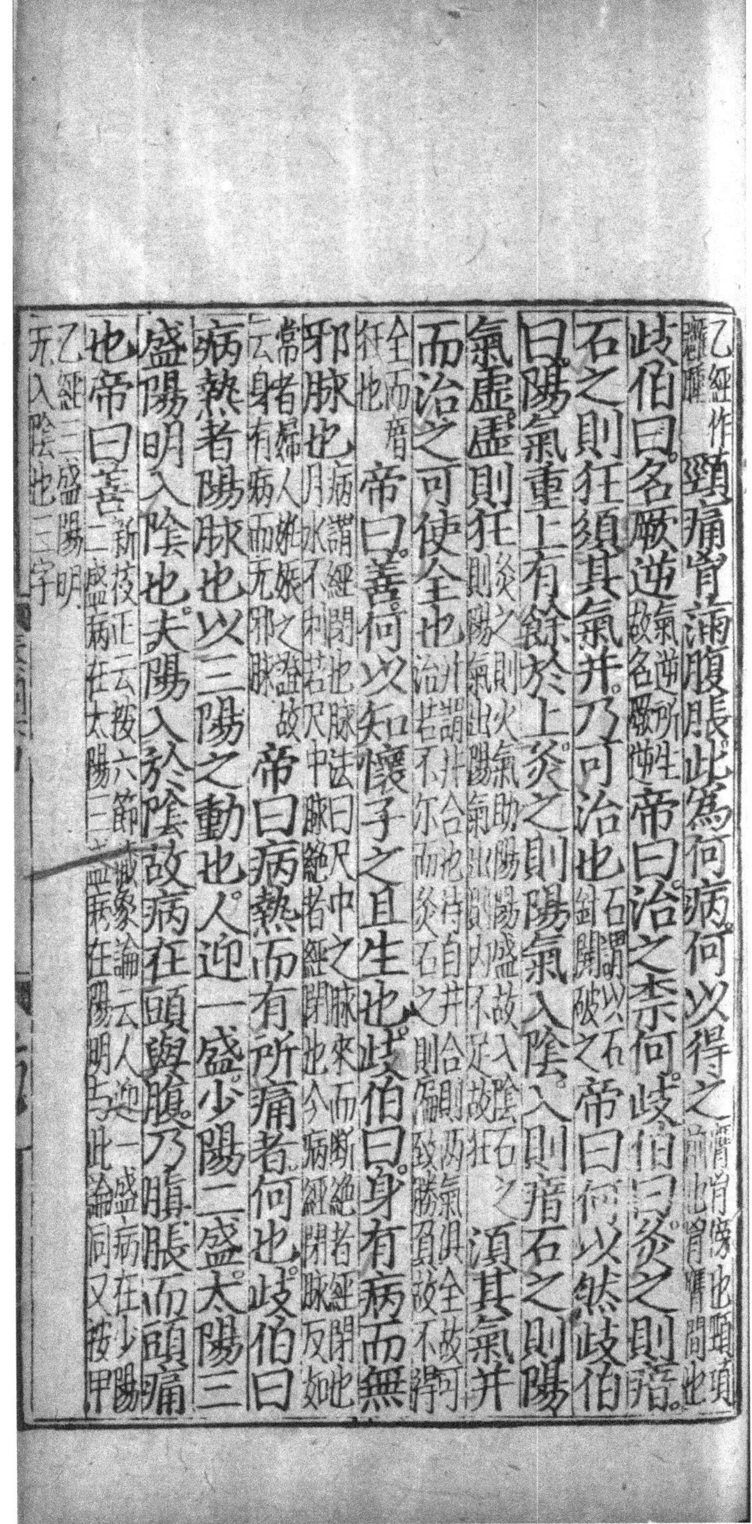

乙經作頸癰。頸痛胷滿腹脹。此爲何病。何以得之。膺胷傍也。頸項前也。胷膺間也。
岐伯曰。名厥逆。氣逆所生。故名厥逆。帝曰。治之柰何。岐伯曰。灸之則瘖。
石之則狂。須其氣并。乃可治也。石謂以石針開破之。帝曰。何以然。岐伯
曰。陽氣重上。有餘於上。灸之則陽氣入陰。入則瘖。石之則陽
氣虛。虛則狂。灸之則火氣助陽。陽盛故入陰。石之則陽氣出。陽氣出則內不足。故狂。須其氣并
而治之。可使全也。并謂并合也。待自并合。則兩氣俱全。故可治。若不尔而灸石之。則偏致勝負。故不得全而瘖狂也。
帝曰。善。何以知懷子之且生也。岐伯曰。身有病而無
邪脉也。病謂經閉也。脉法曰。尺中之脉來而斷絕者。經閉也。月水不利。若尺中脉絕者。經閉也。今病經閉脉反如常者。婦人姙娠之證。故云身有病而无邪脉。
帝曰。病熱而有所痛者何也。岐伯曰。
病熱者陽脉也。以三陽之動也。人迎一盛少陽。二盛太陽。三
盛陽明。入陰也。夫陽入於陰。故病在頭與腹。乃䐜脹而頭痛
也。帝曰。善。新校正云。按六節藏象論云。人迎一盛病在少陽。二盛病在太陽。三盛病在陽明。与此論同。又按甲乙經三盛陽明。无入陰也三字。

○刺腰痛篇第四十一新校正云按全元起本在第六卷
足太陽脈令人腰痛引項脊尻背如重狀足太陽脈別下項循肩髆內俠脊抵
腰中別下貫臀故令人腰痛引項脊尻背如重狀也○新校正云按甲乙經貫臀作貫胂刺經注亦作貫胂三部九候注
作貫臀尻苦熬反刺其郄中太陽正經出血春無見血郄中委中也在膝後屈處
膕中央約文中動脈足太陽脈之所入也刺可入同身寸之五分留七呼若灸者可灸三壯太陽合腎腎王於冬水衰於
春故春无見血也少陽令人腰痛如以鍼刺其皮中循循然不可以
俛仰不可以顧足少陽脈遶髮際橫入髀厭中故令腰痛如以針刺其皮中循循然不可俛仰少陽之脈
起於目銳眥上抵頭角下耳後循頸行手少陽之前至肩上交出手少陽之後其支別者目銳眥下大迎合手少陽於䪼
下加頰車下頸合缺盆故不可以顧○新校正云按甲乙經行手陽明之前作行手少陽之前也刺少陽成
骨之端出血成骨在膝外廉之骨獨起者夏無見血成骨謂膝外近
下䯒骨上端兩起骨相並間陷容指者也䯒骨所成柱膝髀骨故謂之成骨也少陽合肝肝王於春木衰於夏故无見血
也陽明令人腰痛不可以顧顧如有見者善悲足陽明脈起於鼻交頞中
下循鼻外入上齒中還出俠口環脣下交承漿却循頤後下廉出大迎其支別者從大迎前下人迎循喉嚨入缺盆又其

支別者起胃下口循腹裏至氣街中而合以下髀故令人腰痛不可顧顧如有見者陽虛故悲也刺陽明於胻前三痏上下和之出血秋無見血按內經中誥流注圖經陽明脉穴俞之所主此腰痛者悉刺胻前三痏則正三里穴也三里穴在膝下同身寸之三寸胻骨外廉兩筋肉分間刺可入同身寸之一寸留七呼若灸者可灸三壯陽明合脾脾王長夏土衰於秋故秋無見血○新校正云按甲乙經胻作骭足少陰令人腰痛引脊內廉足少陰脉上股內後廉貫脊屬腎故令人腰痛引脊內廉也○新校正云按全元起本脊內廉作脊內痛太素亦同此前少足太陰腰痛證并刺足太陰法應古文脫簡也刺少陰於內踝上二痏春無見血出血太多不可復也按內經中誥流注圖經少陰脉穴俞所主此腰痛者當刺內踝上則正復溜穴也復溜見內踝後上同身寸之二寸動脉陷者中刺可入同身寸之三分留三呼若灸者可灸五壯厥陰之脉令人腰痛腰中如張弓弩弦足厥陰脉自陰股環陰器抵少腹其支別者与太陰少陽結於腰髁下俠脊第三第四骨空中其穴即中髎下髎故腰痛則中如張弓弩之弦也如張弦者言強急之甚刺厥陰之脉在腨踵魚腹之外循之累累然乃刺之腨踵者言脉在腨外側下當足跟也腨形勢如卧魚之腹故曰魚腹之外也循其分肉有血絡累累然乃刺出之此正當蠡溝穴分足厥陰之絡在內踝上五寸別走少陽者刺可入同身寸之二分留三呼若灸者可灸三壯厥陰三

經作居陰是傳寫草書厥字爲居也。新校正按經云厥陰之脉令人腰痛次言刺厥陰之脉注言刺厥陰之絡經注相違疑經中脉字乃絡字之誤也臨時轉反其病令人善言嘿嘿然不慧刺之三痏厥陰之脉循喉嚨之後上入頏顙絡於舌本故病則善言風盛則昏冒故不爽慧也三刺其処腰痛乃除○新校正云按經云善言嘿二然不慧詳善言嘿嘿二病難相兼全元起本无善字於義爲允又按甲乙經厥陰之脉不絡舌本王氏於素問之中五処引注而注厥論与刺熱及此三篇皆云絡舌本注風論注痺論二篇不言絡舌本蓋王氏亦疑而爲言之也解脉令人腰痛而引肩目䀮䀮然時遺溲解脉散行脉也言不合而別行也此足太陽之經起於目內眥上額交巔上循肩髆俠脊抵腰中入循膂絡腎屬膀胱下入膕中故病斯候也又其支別者從髆內別下貫胂循髀外後廉而下合於膕中二脉如繩之解股故名解脉也刺解脉在膝筋肉分間郄外廉之横脉出血血變而止膝後兩傍大筋雙上股之後兩筋之間横文之處努肉高起則郄中之分也古中誥以膕中爲太陽之郄當取郄外廉有血絡横見迢然紫黑而盛滿者乃刺之當見黑血必候其血色變赤乃止血不變赤極而寫之必行血色變赤乃止此太陽中經之爲腰痛也解脉令人腰痛如引帶常如折腰狀善恐足太陽之別脉自肩而別下循背脊至腰而横入髀內後廉而下合膕中故若引帶如折腰之狀○新校正云按甲乙經如引帶作如裂善恐作善怒刺解脉在郄中結絡如黍米，刺之血射以黑，見赤血而已。郄中則委中穴，足太陽合也，在膝後屈處膕中央約文中動脈，刺可入同身寸之五分，留七呼，若灸者可灸三壯。此經刺法也。今則取其結絡大如黍米者，當黑血箭射而出，見血變赤然可止也。新校正云：按全元起云：有兩解脈，病源名異，恐誤，未詳。

同陰之脈，令人腰痛，痛如小錘居其中，怫然腫。足少陽之別絡也，並少陽經上行，去足外踝上同身寸之五寸，乃別走厥陰，並經下絡足跗，故曰同陰脈也。怫，怒也，言腫如嗔怒也。新校正云：按太素小錘作小鍼。怫音弗。

刺同陰之脈，在外踝上絕骨之端，為三痏。絕骨之端，如前同身寸之三分，陽輔穴也，足少陽脈所行，刺可入同身寸之五分，留七呼，若灸者可灸三壯。

陽維之脈，令人腰痛，痛上怫然腫。陽維起於陽，則太陽之所生，奇經八脈此其一也。

刺陽維之脈，脈與太陽合腨下間，去地一尺所。太陽所主，與正經並行而上，至腨下，復與太陽合而上也。腨下去地正同身寸之一尺，是則承光穴，在銳腨腸下肉分間陷者中，刺可入同身寸之七分，若灸者可灸五壯。以其取腨腸下肉分間，故云合腨下間。新校正云：按穴之所在，乃承山穴，非承光也，山字誤為光。

衡絡之脈，令人腰痛，不可以俛仰，仰則恐仆，得之舉重傷腰，衡絡絕，惡血歸之。衡，橫也，謂太陽之外絡，自腰中橫入髀外後廉，而下與中經合於膕中者。今舉重傷腰，則橫絡絕，中經獨盛，故腰痛不可以俛仰矣二經作行經之脉傳寫魚魯之誤也若是足行脉中誤不應取太陽脉委陽殷門之穴也刺之在郄陽筋之間。上郄數寸。衡居為二痏出血横居二穴謂委陽殷門平視横相當也郄陽謂浮郄穴上側委陽穴也筋之間謂膝後膕上兩筋之間殷門穴也二穴各去臀下横文同身寸之六寸故曰上郄數寸也委陽刺可入同身寸之七分留五呼若灸者可灸三壯殷門刺可入同身寸之五分留七呼若灸者可灸三壯故曰衡居為二痏。新校正云詳王氏云浮郄穴上側委陽穴也按甲乙經委陽在浮郄穴下一寸不得言上側也會陰之脉令人腰痛，痛上漯漯然汗出，汗乾令人欲飲，飲已欲走，足太陽之中經也其脉循腰下會於後陰故曰會陰之脉其經自腰下行至足今陽氣大盛故痛上漯漯然汗出汗液既出則腎燥陰虛故汗乾令人欲飲水以救腎也水入腹已腎氣復生陰氣流行太陽又盛故飲水已反欲走也刺直陽之脉上三痏，在蹻上郄下五寸橫居，視其盛者出血。直陽之脉則大陽之脉俠脊下行貫臀下至膕中下循腨過外踝之後條直而行者故曰直陽之脉也蹻謂陽蹻所生申脉穴在外踝下也郄下則膕下也言此刺處在膕下同身寸之五寸上承郄中之穴下當申脉之位是謂承筋穴即腨中央如外陷者中也太陽脉氣所發禁不可刺可灸三壯今云刺者謂刺其血絡之盛滿者也兩腨皆有太陽經氣下行當視兩腨中央有血絡盛滿者乃刺出之故曰視其盛者出血。新校正云詳上云會陰之脉令人腰痛此云刺直陽之脉者詳此直陽之脉即會陰之脉也文變而事不殊又承筋穴注云腨中央如外按甲乙經及骨空論注无如外二字飛陽之脉令人腰痛痛上怫怫然甚則悲以恐是陰維之脉也去内踝上同身寸之五寸腨分中並少陰經而上也少陰之脉前則陰維脉所行也足少陰之脉從腎上貫肝鬲入肺中循喉嚨俠舌本其支別者從肺出絡心注胸中故甚則悲以恐也恐者生於腎悲者生於心刺飛陽之脉在内踝上五寸。新校正云按甲乙經作三寸少陰之前與陰維之會。内踝後上同身寸之五寸復溜穴少陰脉所行刺可入同身寸之三分内踝之後築賓穴陰維之郄刺可入同身寸之三分若灸者可灸五壯少陰之前陰維之會以三脉會在此穴分位也刺可入同身寸之三分若灸者可灸五壯今中誥經文正同此法○新校正云按甲乙經足太陽之絡別走少陰者名曰飛陽在外踝上七寸又云築賓陰維之郄在内踝上腨分中復溜穴在内踝上二寸今此經注都与甲乙不合者疑經注中五寸字當作二寸則素問与甲乙相應矣昌陽之脉。令人腰痛。痛引膺目䀮䀮然甚則反折舌卷不能言陰蹻脉也陰蹻者足少陰之別也起於然骨之後上内踝之上直上循陰股入陰而循腹上入胷裏入缺盆上出人迎之前入頄内廉屬目内眥合於太陽陽蹻而上行故腰痛之狀如此刺内筋爲二痏在内踝上大筋前。太陰後上。踝二寸所内筋謂大筋之前分肉也太陰後大筋前即陰蹻之郄交信穴也在内踝上同身寸之二寸少陰前太陰

後筋骨之間陷者之中刺可入同身寸之四分留五呼若灸者可灸三壯今中誥經文正主此散脉令人腰
痛而熱熱甚生煩腰下如有橫木居其中甚則遺溲散脉足太陰之
别也散行而上故以名焉其脉循股內入腹中与少陰少陽結於腰髁下骨空中故病則腰下如有橫木居其中甚乃遺
溲也刺散脉在膝前骨肉分間絡外廉束脉為三痏謂膝前內側也骨肉
分謂膝內輔骨之下下廉腨肉之兩間也絡外廉則太陰之絡色青而見者也輔骨之下後有大筋擷束膝胻之骨令其
連屬取此筋骨繫束之處脉以去其病是曰地機三刺而已故曰束脉為之三痏也肉里之脉令人腰
痛不可以欬欬則筋縮急肉里之脉少陽所生則陽維之脉氣所發也里裏也刺肉里
之脉為二痏在太陽之外少陽絕骨之後分肉主之一經云少陽絕骨之前傳
寫誤也絕骨之前足少陽脉所行絕骨之後陽維脉所過故指曰在太陽之外少陽絕骨之後也分肉穴在足外踝直上
絕骨之端如後同身寸之二分筋肉分間陽維脉氣所發刺可入同身寸之五分留十呼若灸者可灸三壯。新校正云
按分肉之穴甲乙經不見与氣穴注两出而分寸不同氣穴注二分作三分五分作三分十呼作七呼腰痛俠
脊而痛至頭几几然目䀮䀮欲僵仆刺足太陽郄中出血郄中
委中。新校正云按太素作頭沈沈然腰痛上寒刺足太陽陽明上熱刺足厥

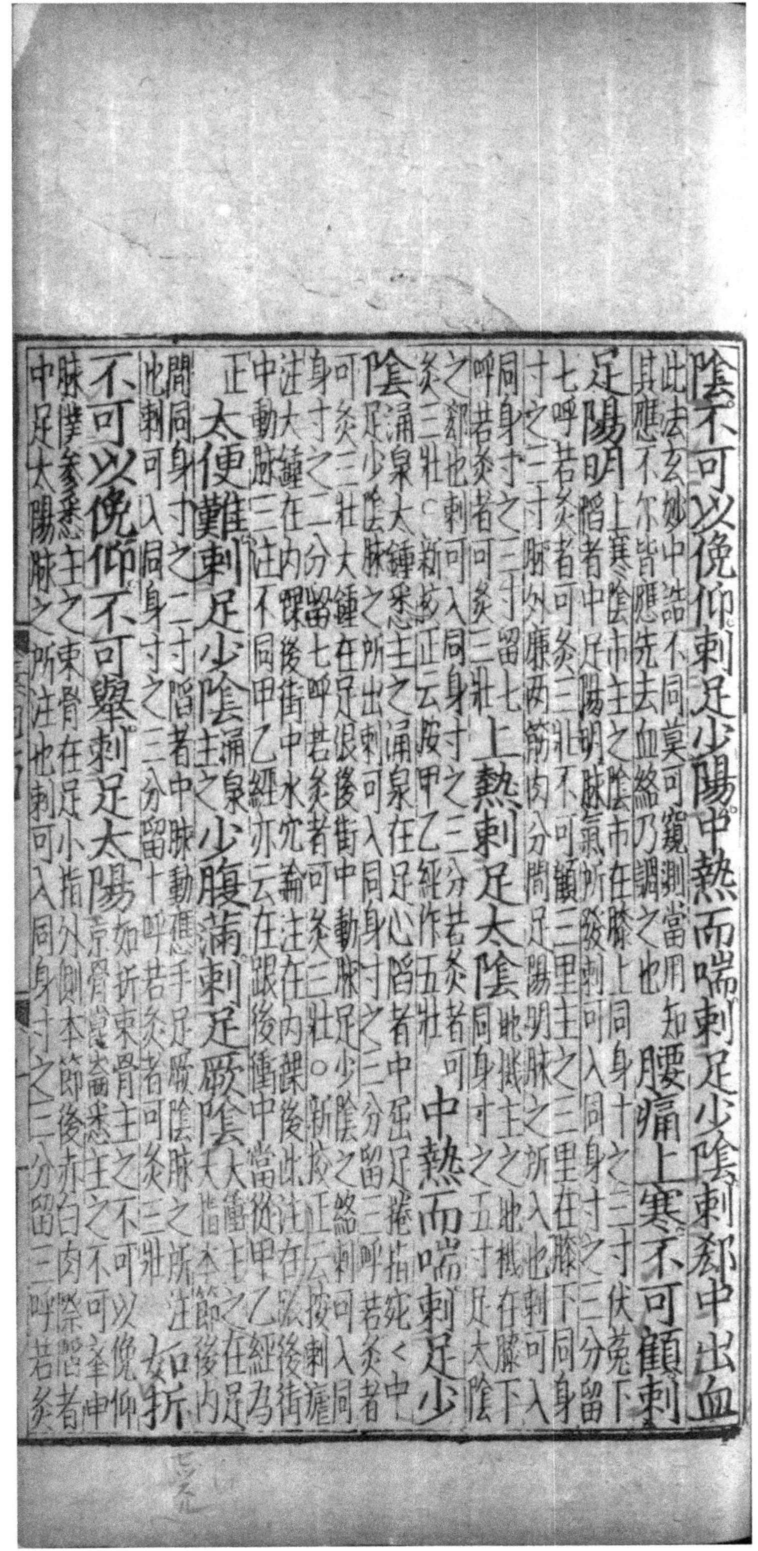

陰不可以俛仰刺足少陽中熱而喘刺足少陰刺郄中出血此法玄妙中誥不同莫可窺測當用知其應不尔皆應先去血絡乃調之也腰痛上寒不可顧刺足陽明上寒陰市主之陰市在膝上同身寸之三寸伏菟下陷者中足陽明脉氣所發刺可入同身寸之三分留七呼若灸者可灸三壯不可顧三里主之三里在膝下同身寸之三寸䯒外廉兩筋肉分間足陽明脉之所入也刺可入同身寸之三寸留七呼若灸者可灸三壯上熱刺足太陰地機主之地機在膝下同身寸之五寸足太陰之郄也刺可入同身寸之三分若灸者可灸三壯○新校正云按甲乙經作五壯中熱而喘刺足少陰涌泉大鍾悉主之涌泉在足心陷者中屈足捲指宛宛中足少陰脉之所出刺可入同身寸之三分留三呼若灸者可灸三壯大鍾在足跟後衝中動脉足少陰之絡刺可入同身寸之二分留七呼若灸者可灸三壯○新校正云按刺瘧注大鍾在内踝後街中水穴腧注在内踝後此注在跟後街中動脉三注不同甲乙經亦云在跟後衝中當從甲乙經為正太便難刺足少陰涌泉主之少腹滿刺足厥陰大衝主之在足大指本節後内間同身寸之二寸陷者中脉動應手足厥陰脉之所注也刺可入同身寸之三分留十呼若灸者可灸三壯如折不可以俛仰不可舉刺足太陽如折束骨主之不可以俛仰京骨崑崙悉主之不可舉申脉僕參悉主之束骨在足小指外側本節後赤白肉際陷者中足太陽脉之所注也刺可入同身寸之三分留三呼若灸

者可灸三壯京骨在足外側大骨下赤白肉際陷者中按而得之足太陽脉之所過也刺可入同身寸之三分留七呼若灸者可灸三壯崑崙在足外踝後跟骨上陷者中細脉動應手足太陽脉之所行也刺可入同身寸之五分留十呼若灸者可灸三壯申脉在外踝下同身寸之五分容爪甲陽蹻之所生也刺可入同身寸之六分留十呼若灸者可灸三壯僕參在跟骨下陷者中足太陽陽蹻二脉之會刺可入同身寸之三分留七呼若灸者可灸三壯○新校正云按甲乙經申脉在外踝下陷者中无五分字刺入六分作三分留七呼作留六呼氣穴注作七呼僕參留七呼甲乙經作六呼

引脊內廉刺足少陰復溜主之取用飛陽注從腰痛上寒不可顧至此件經語除注并合朱書○新校正云按全元起本及甲乙經并太素自腰痛上寒至此並无乃王氏所添也今注云從腰痛上寒至並合朱書十九字非王氷之語蓋後人所加也

腰痛引少腹控䏚不可以仰新校正云按甲乙經作不可以俛仰字䏚音抄

刺腰尻交者兩髁胂上以月生死為痏數發鍼立已此邪客於足太陰之絡也控通引也䏚謂季脇下之空軟處也腰尻交者謂髁下尻骨二傍四骨空左右八穴俗呼此骨為八髎骨也此腰痛取腰髁下第四髎即下髎穴也足太陰厥陰少陽三脉左右交結於中故曰腰尻交者也兩髁胂謂兩髁骨下堅起肉也胂上非胂之上巔正當刺胂肉矣直刺胂肉即胂上也何者胂之上巔別有中膂肉俞白環俞雖並主腰痛考其形證經不相應矣髁骨即腰脊兩傍起骨之俠脊兩傍腰髁之下各有胂肉隴起而斜趣於髁骨之後內承其髁

故曰兩髁胂也下承髁胂肉左右兩胂各有四骨空故曰上髎次髎中髎下髎上髎當髁骨下陷者中餘三髎少斜下按之陷中是也四空悉主腰痛下髎所主文與經同即太陰厥陰少陽所結者也刺可入同身寸之二寸留十呼若灸者可灸三壯以月生死為痏數者月初向圓為月生月半向空為月死死月刺少生月刺多繆刺論曰月生一日一痏二日二痏漸多之十五日十五痏十六日十四痏漸少之其痏數多少如此則知之〔髎〕苦彫反〔髎〕音遼

左取右右取左痛在左針取右痛在右針取左所以然者以其脉左右交結於尻骨之中故也〇新校正云詳此腰痛引少腹一節與繆刺論重

〇風論篇第四十二 新校正云按全元起本在第九卷

黃帝問曰風之傷人也或為寒熱或為熱中或為寒中或為癘風或為偏枯或為風也其病各異其名不同或內至五藏六府不知其解願聞其說傷謂人自中之岐伯對曰風氣藏於皮膚之間內不得通外不得泄腠理開疏則邪風入風氣入已玄府閉封故內不得通外不得泄風者善行而數變腠理開則洒然寒閉則熱而悶洒然寒皃悶不爽皃腠理開則風飄揚故寒腠理閉則風混亂故悶其寒也則衰食飲其熱也則消肌肉

故使人怢慄而不能食名曰寒熱寒風入胃故食飲衰熱氣内藏故消肌肉寒熱相合
故怢慄而不能食名曰寒熱也怢慄卒振寒皃○新校正云詳怢慄全元起本作失味甲乙經作解㑊風氣與
陽明入胃循脉而上至目内眥其人肥則風氣不得外泄則
爲熱中而目黄人瘦則外泄而寒則爲寒中而泣出陽明者胃脉也
胃脉起於鼻交頞中下循鼻外入上齒中還出俠口環脣下交承漿却循頤後下廉循喉嚨入缺盆下膈屬胃故上與陽明
入胃循脉而上至目内眥也人肥則腠理密緻故不得外泄則爲熱中而目黄人瘦則腠理開疎風得外泄則寒中而泣
出也風氣與太陽俱入行諸脉俞散於分肉之間與衛氣相干
其道不利故使肌肉憤䐜而有瘍衛氣有所凝而不行故其
肉有不仁也肉分之間衛氣行處風與衛氣相薄俱行於肉分之間故氣道澀而不利也氣道不利風氣内
攻衛氣相持故肉憤䐜而瘡出也瘍瘡也若衛氣被風吹之不得流轉所在偏并凝而不行則肉有不仁之處也不仁謂
㾓而不知寒熱痛癢癘者有榮衛熱胕其氣不清故使鼻柱壞而色敗
皮膚瘍潰此則風入於經脉之中也榮行脉中故風入脉中内攻於血與榮氣合合熱而血胕壞也其氣不清
言潰乱也然血脉潰乱榮復挾風陽脉盡上於頭鼻爲呼吸之所故鼻柱壞而色惡皮膚破而潰爛也脉要精微論曰脉

風盛為疠遺胡對反風寒客於脉而不去名曰癘風或名曰寒熱始為寒熱
熱成曰疠風。○新校正云按別本成一作盛以春甲乙傷於風者為肝風以夏丙
丁傷於風者為心風以季夏戊己傷於邪者為脾風以秋庚
辛中於邪者為肺風以冬壬癸中於邪者為腎風春甲乙木肝主之夏
丙丁火心主之季夏戊己土脾主之秋庚辛金肺主之冬壬癸水腎主之風中五藏六府之俞亦
為藏府之風各入其門戶所中則為偏風隨俞左右而偏中之則為偏風
風氣循風府而上則為腦風風入係頭則為目風眼寒風府穴名正入
項髮際一寸太筋內宛宛中督脉陽維之會自風府而上則腦戶也腦戶者督脉足太陽之會故循風府而上則為腦風
也足太陽之脉起於目內眥上額交巔上入絡腦還出故風入係頭則為目風眼寒也飲酒中風則為
漏風熱鬱腠踈中風汗出多如液漏故曰漏風經具名曰酒風入房汗出中風則為內風
內耗其精外開腠理因內風襲故曰內風經具名曰勞風新沐中風則為首風沐髮中風舍於頭故
曰首風久風入中則為腸風飧泄風在腸中上熏於胃故食不化而下出焉飧泄者食不化
而出也。○新校正云按全元起云飧泄者水穀不分為利外在腠理則為泄風風居腠理則玄府開

謂風薄汗泄故云泄風故風者百病之長也至其變化乃爲他病也無
常方然致有風氣也長先也先百病而有也○新校正云按全元起本及甲乙經致字作故攻
曰五藏風之形狀不同者何願聞其診及其病能診謂可言之證能謂
内作病形岐伯曰肺風之狀多汗惡風色皏然白時欬短氣晝日
則差暮則甚診在眉上其色白凡内多風氣則熱有餘熱則腠理開故多汗也風薄於内
故惡風焉皏謂薄白色也肺色白在變動爲欬主藏氣風内迫之故色皏然白時欬短氣也晝則陽氣在表故差暮則陽
氣入裏風内應之故甚也眉上謂兩眉間之上闕庭之部所以外司肺候故診在焉白肺色也心風之狀多
汗惡風焦絶善怒嚇赤色病甚則言不可快診在口其色赤
焦絶謂脣焦而文理斷絶也何者熱則皮剥故也風薄於心則神亂故善怒而嚇人也心脉支别者從心系上俠咽喉而
主舌故病甚則言不可快也口脣色赤故診在焉赤者心色○新校正云按甲乙經无嚇字肝風之狀多
汗惡風善悲色微蒼嗌乾善怒時憎女子診在目下其色青
肝病則心藏无養心氣虚故善悲肝合木木色蒼故色微蒼也肝脉者循股陰入髦中環陰器抵少腹俠胃屬肝絡膽上
貫鬲布脇肋循喉嚨之後入頏顙上出額與督脉會於巔其支別者從目系下故嗌乾善怒時憎女子診在目下也青肝

色也

脾風之狀多汗惡風身體怠惰四支不欲動色薄微黃不嗜食診在鼻上其色黃

脾脈起於足上循胻骨又上膝股內前廉入腹屬脾絡胃上鬲俠咽連舌本散舌下其支別者復從胃別上鬲注心中心脈出於手循臂故身体怠惰四支不欲動而不嗜食脾氣合土主中央鼻於面部亦居中故診在焉黃脾色也新校正云按王注脾風不當引心脈出於手循臂七字於義无取脾主四支脾風則四支不欲動矣

腎風之狀多汗惡風面痝然浮腫脊痛不能正立其色炲隱曲不利診在肌上其色黑

痝然言腫起也炲黑色也腎者陰也目下亦陰也故腎藏受風則面痝然而浮腫腎脈者起於足下上循腨內出膕內廉上股內後廉貫脊故脊痛不能正立也隱曲者謂隱蔽委曲之處也腎藏精外應交接今藏被風薄精氣內微故隱蔽委曲之事不通利所為也陰陽應象大論曰氣歸精々食氣今精不足則氣內歸精氣不注皮故肌皮上黑也黑腎色也

胃風之狀頸多汗惡風食飲不下鬲塞不通腹善滿失衣則䐜脹食寒則泄診形瘦而腹大

胃之脈支別者從頤後下廉過人迎循喉嚨入缺盆下鬲屬胃絡脾其直行者從缺盆下乳內廉下俠臍入氣街中其支別者起胃下口循腹裏至氣街中而合故頸多汗食飲不下鬲塞不通腹善滿也然失衣則外寒而中熱故腹䐜脹食寒則寒物薄胃而陽不內消故泄利胃合脾而主肉胃氣不足則肉不長故瘦也胃中風氣稸聚故腹大也

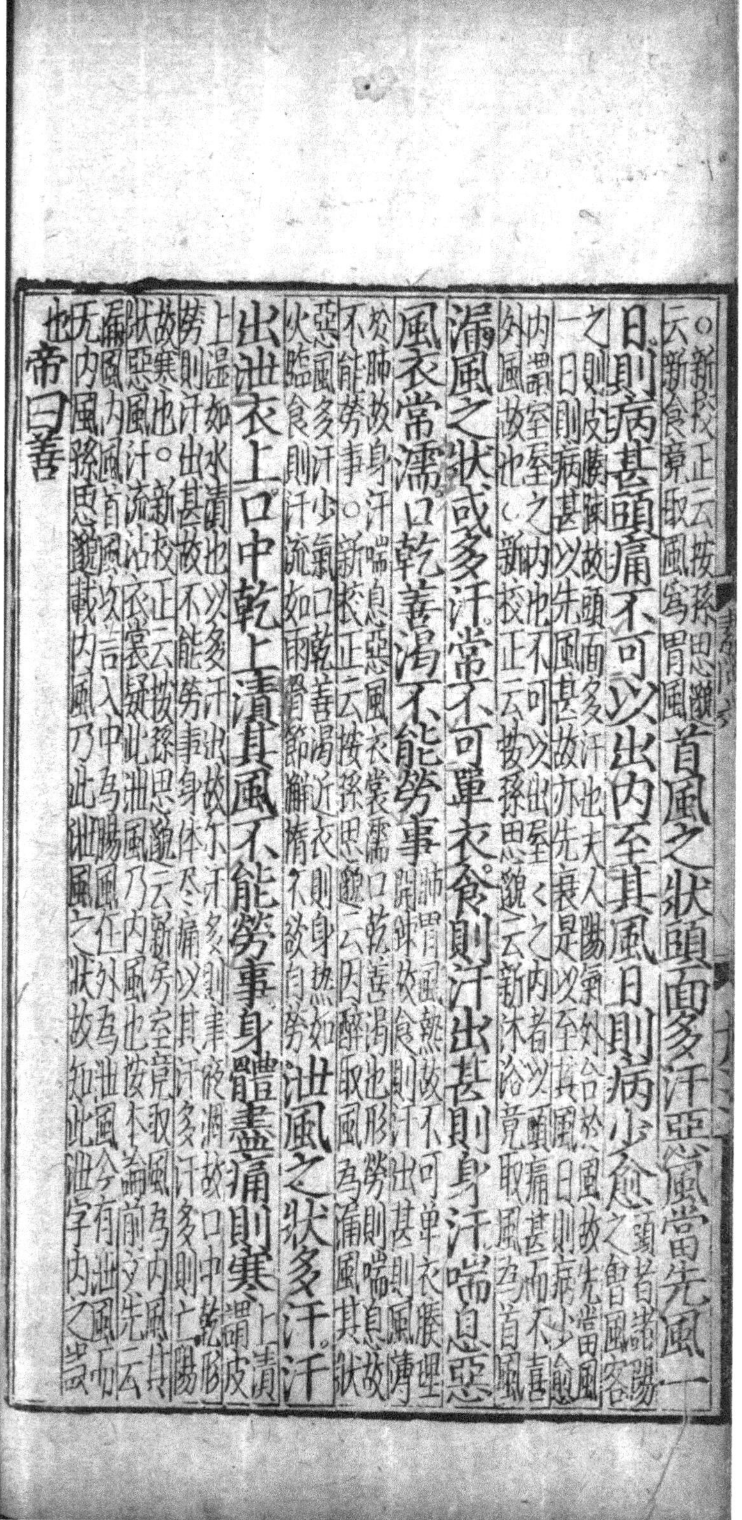

○新校正云按孫思邈云新沐食竟取風爲胃風首風之狀頭面多汗惡風當先風一日則病甚頭痛不可以出内至其風日則病少愈頭者諸陽之會風客之則皮腠疏故頭面多汗也夫人陽氣外合於風故先當風一日則病甚以先風甚故亦先衰是以至其風日則病少愈内謂室屋之内也不可以出屋室之内者以頭痛甚而不喜外風故也○新校正云按孫思邈云新沐浴竟取風爲首風漏風之狀或多汗常不可單衣食則汗出甚則身汗喘息惡風衣常濡口乾善渴不能勞事肺胃風熱故不可單衣腠理開踈故食則汗出甚則風薄於肺故身汗喘息惡風衣裳濡口乾善渴也形勞則喘息故不能勞事○新校正云按孫思邈云因醉取風爲漏風其狀惡風多汗少氣口乾善渴近衣則身熱如火臨食則汗流如雨骨節懈惰不欲自勞泄風之狀多汗汗出泄衣上口中乾上漬其風不能勞事身體盡痛則寒上漬謂皮上濕如水漬也以多汗出故不汗多則津液涸故口中乾形勞則汗出甚故不能勞事身体盡痛以其汗多汗多則亡陽故寒也○新校正云按孫思邈云新房室竟取風爲内風其狀惡風汗流沾衣裳疑此泄風乃内風也按本論前文先云漏風内風首風次言入中爲腸風在外爲泄風今有泄風而无内風孫思邈載内風乃此泄風之狀故知此泄字内之誤也帝曰善

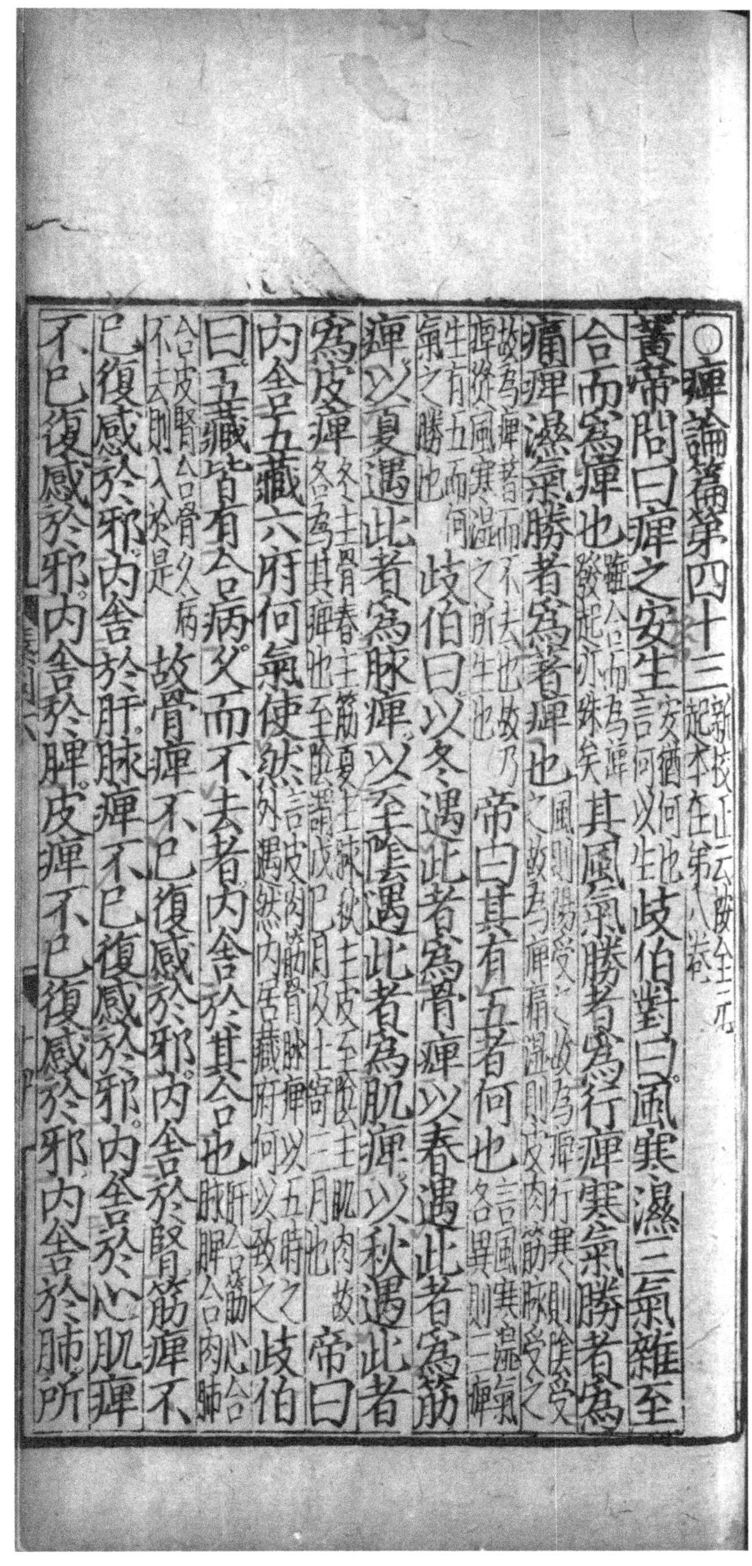

○痹論篇第四十三 新校正云按全元起本在第八卷

黄帝問曰痹之安生 安猶何也言何以生 岐伯對曰風寒濕三氣雜至合而爲痹也 雖合而爲痹發起亦殊矣 其風氣勝者爲行痹寒氣勝者爲痛痹濕氣勝者爲著痹也 風則陽受之故爲痹行寒則陰受之故爲痹痛濕則皮肉筋脉受之故爲痹著而不去也故乃痹從風寒濕之所生也 帝曰其有五者何也 言風寒濕氣各異則三痹生有五而何氣之勝也 岐伯曰以冬遇此者爲骨痹以春遇此者爲筋痹以夏遇此者爲脉痹以至陰遇此者爲肌痹以秋遇此者爲皮痹 冬主骨春主筋夏主脉秋主皮至陰主肌內故各爲其痹也至陰謂戊己月及土寄王月也 帝曰內舍五藏六府何氣使然 言皮肉筋骨脉痹以五時之外遇然內居藏府何以致之 岐伯曰五藏皆有合病久而不去者內舍於其合也 肝合筋心合脉脾合肉肺合皮腎合骨久病不去則入於是 故骨痹不已復感於邪內舍於腎筋痹不已復感於邪內舍於肝脉痹不已復感於邪內舍於心肌痹不已復感於邪內舍於脾皮痹不已復感於邪內舍於肺所

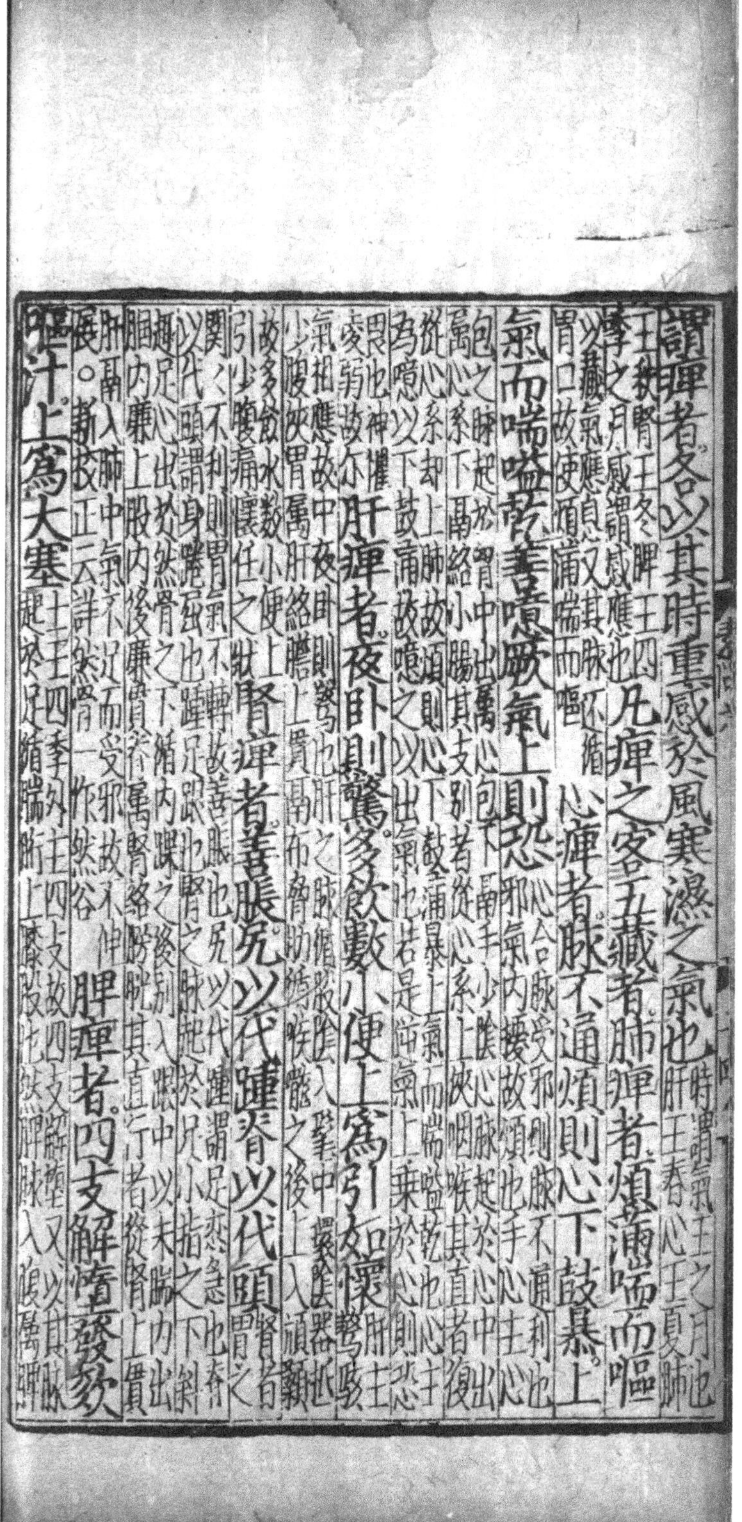

謂痺者各以其時重感於風寒濕之氣也時謂氣王之月也肝王春心王夏肺
王秋腎王冬脾王四季之月感謂感應也凡痺之客五藏者肺痺者煩滿喘而嘔
以藏氣應息又其脉還循胃口故使煩滿喘而嘔心痺者脉不通煩則心下鼓暴上
氣而喘嗌乾善噫厥氣上則恐心合脉受邪則脉不通利也邪氣內擾故煩也手心主心
包之脉起於胸中出屬心包下鬲手少陰心脉起於心中出屬心系下鬲絡小腸其支別者從心系上俠咽喉其直者復
從心系却上肺故煩則心下鼓滿暴上氣而喘嗌乾也心主為噫以下鼓滿故噫之以出氣也若是逆氣上乘於心則恐
畏也神懼委弱故亦肝痺者夜卧則驚多飲數小便上為引如懷肝主驚駭
氣相應故中夜卧則驚也肝之脉循股陰入髦中環陰器抵少腹俠胃屬肝絡膽上貫鬲布脅肋循喉嚨之後上入頏顙
故多飲水數小便上引少腹痛懷任之狀腎痺者善脹尻以代踵脊以代頭腎者胃之
關〻不利則胃氣不轉故善脹也尻以代踵謂足攣急也脊以代頭謂身踡屈也踵足跟也腎之脉起於足小指之下斜
趣足心出於然骨之下循內踝之後別入跟中以上腨內出膕內廉上股內後廉貫脊屬腎絡膀胱其直行者從腎上貫
肝鬲入肺中氣不足而受邪故不伸展○新校正云詳然骨一作然谷脾痺者四支解墯發欬
嘔汁上為大塞土王四季外主四支故四支解墯又以其脉起於足循腨胻上膝股也然脾脉入腹屬脾

絡胃上鬲俠咽故發欬嘔汁脾氣養肺胃復連咽故上為大塞也腸痹者數飲而出不得中氣喘爭時發飧泄入腸之脈入缺盆絡肺下鬲屬大腸小腸之脈又入缺盆絡心循咽下鬲抵胃屬小腸今小腸有邪則脈不下鬲脈不下鬲則腸不行化而胃氣蓄熱故多飲水而不得下出也腸胃中陽氣與邪氣奔喘交爭得時通利以腸氣不化故時或得通則為飧泄胞痹者少腹膀胱按之內痛若沃以湯濇於小便上為清涕膀胱為津液之府胞內居之少腹處關元之中內藏胞器然膀胱之脉起於目內眥上額交巔上入絡腦出別下項循肩髆內俠脊抵腰中入循膂絡腎屬膀胱其支別者從腰中下貫臀入膕中今胞受風寒濕氣則膀胱太陽之脈不得下流於足故少腹膀胱按之內痛若沃以湯濇於小便也小便既濇太陽之脈不得下行故上爍其腦而為清涕出於鼻竅矣沃猶灌也。新校正云按全元起本內痛二字作兩髀陰氣者靜則神藏躁則消亡陰謂五神藏也所以說神藏与消亡者言人安靜不涉邪氣則神氣寧以內藏人躁動觸冒邪氣則神被害而離散藏无所守故曰消亡此言五藏受邪之為痺也飲食自倍腸胃乃傷藏以躁動致傷府以食飲見損皆謂過用越性則受其邪此言六府受邪之為痺也淫氣喘息痺聚在肺淫氣憂思痺聚在心淫氣遺溺痺聚在腎淫氣乏竭痺聚在肝淫氣肌絕痺聚在脾淫氣謂氣之妄行者各隨藏之所主而入為痹也○新校

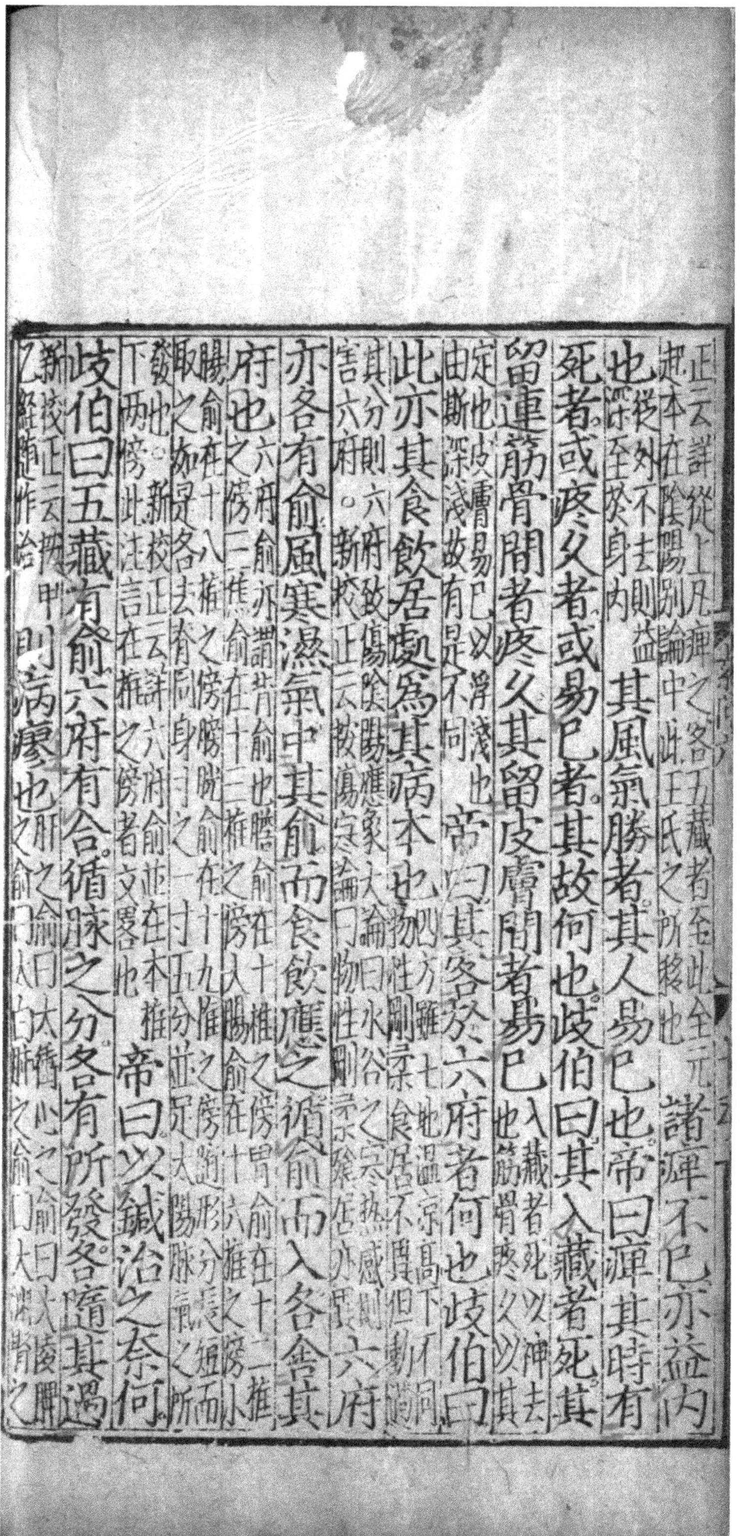

正云詳從上凡痺之客五藏者至此全元起本在陰陽別論中此王氏之所移也 諸痺不已亦益内
也從外不去則益深至於身内 其風氣勝者其人易已也帝曰痺其時有
死者或疼久者或易已者其故何也岐伯曰其入藏者死其
留連筋骨間者疼久其留皮膚間者易已入藏者死以神去也筋骨疼久以其
定也皮膚易已以浮淺也由斷深淺故有是不同 帝曰其客於六府者何也岐伯曰
此亦其食飲居處為其病本也四方雖土地溫涼高下不同物性剛柔食居亦異但動過
其分則六府致傷陰陽應象大論曰水穀之寒熱感則害六府○新校正云按異法方宜論曰物性剛柔飱居亦異 六府
亦各有俞風寒濕氣中其俞而食飲應之循俞而入各舍其
府也六府俞亦謂背俞也膽俞在十椎之傍胃俞在十二椎之傍三焦俞在十三椎之傍大腸俞在十六椎之傍小
腸俞在十八椎之傍膀胱俞在十九椎之傍隨形分長短而取之如是各去脊同身寸之一寸五分並足太陽脈氣之所
發也○新校正云詳六府俞並在本椎下兩傍此注言在椎之傍者文略也 帝曰以鍼治之奈何
岐伯曰五藏有俞六府有合循脉之分各有所發各隨其過
新校正云按甲乙經隨作治 則病瘳也肝之俞曰太衝心之俞曰大陵脾之俞曰太白肺之俞曰大淵腎之

俞曰大谿皆經脉之所注也太衝在足大指間本節後二寸陷者中○新校正云按刺腰痛注云太衝在足大指本節後內間二寸陷者中動脉應手刺可入同身寸之三分留十呼若灸者可灸三壯大陵在手掌後骨兩筋間陷者中刺可入同身寸之六分留七呼若灸者可灸三壯太白在足內側核骨下陷者中刺可入同身寸之三分留七呼若灸者可灸三壯大淵在手掌後陷者中刺可入同身寸之二分留二呼若灸者可灸三壯大谿在足內踝後跟骨上動脉陷者中刺可入同身寸之三分留七呼若灸者可灸三壯胃合入于三里膽合入于陽陵泉大腸合入于曲池小腸合入于小海三焦合入于委陽膀胱合入于委中三里在膝下三寸䯒外廉兩筋間刺可入同身寸之一寸留十呼若灸者可灸三壯陽陵泉在膝下一寸䯒外廉陷者中刺可入同身寸之六分留十呼若灸者可灸三壯小海在肘內大骨外去肘端五分陷者中屈肘乃得之刺可入同身寸之二分留七呼若灸者可灸五壯曲池在肘外輔屈肘曲骨之中刺可入同身寸之五分留七呼若灸者可灸三壯委陽在足膕中外廉兩筋間刺可入同身寸之七分留五呼若灸者可灸三壯屈伸而取之委中在膕中央約文中動脉刺可入同身寸之五分留七呼若灸者可灸三壯○新校正云按刺熱注委中在足膝後屈處餘並同此○故經言諸脉之分各有所發各隨其過則病瘳也過謂脉所經過處○新校正云詳王氏以委陽為三焦合按甲乙經云委陽三焦下輔俞也足太陽之別絡三焦之合自在手少陽經天井穴為少陽所入為合詳此六府之合俱引本經所入之穴独三焦不引本經所入之穴者王氏之誤也王氏但見甲乙經云三焦合于委陽故設此說自異彼文

以大腸合于巨虛上廉，小腸合于下廉，此以曲池、小海易之，故知當以天井穴為合也。帝曰：榮衛之氣亦令人痺乎？岐伯曰：榮者，水穀之精氣也，和調於五藏，灑陳於六府，乃能入於脈也。正理論曰：穀入於胃，脈道乃行，水入於經，其血乃成。又靈樞經曰：營氣之道，內谷為寶。○新校正云：按別本寶作宝。谷入於胃，氣傳與肺，精專者上行經隧，由此故水谷精氣合榮氣運行而入於脈也。故循脈上下，貫五藏，絡六府也。榮行脈內，故无所不至。衛者，水穀之悍氣也，其氣慓疾滑利，不能入於脈也。悍氣，謂浮盛之氣也。以其浮盛之氣，故慓疾滑利，不能入於脈中也。故循皮膚之中，分肉之間，熏於肓膜，散於胸腹。皮膚之中，分肉之間，謂脈外也。肓膜，謂五藏之間鬲中膜也。以其浮盛，故能布散於胸腹之中，空虛之處，熏其肓膜，令氣宣通也。肓音荒。逆其氣則病，從其氣則愈，不與風寒濕氣合，故不為痺。帝曰：善。痺或痛，或不痛，或不仁，或寒，或熱，或燥，或濕，其故何也？岐伯曰：痛者，寒氣多也，有寒故痛也。風寒濕氣客於肉分之間，迫切而為沫，得寒則聚，聚則排分肉，肉裂則痛，故有寒則痛也。其不痛不仁者，病久入深，榮衛之行濇，經絡時疎，故不通，新校正按：甲乙經不通作不痛。詳甲乙經此條論不痛與不仁兩事，後言

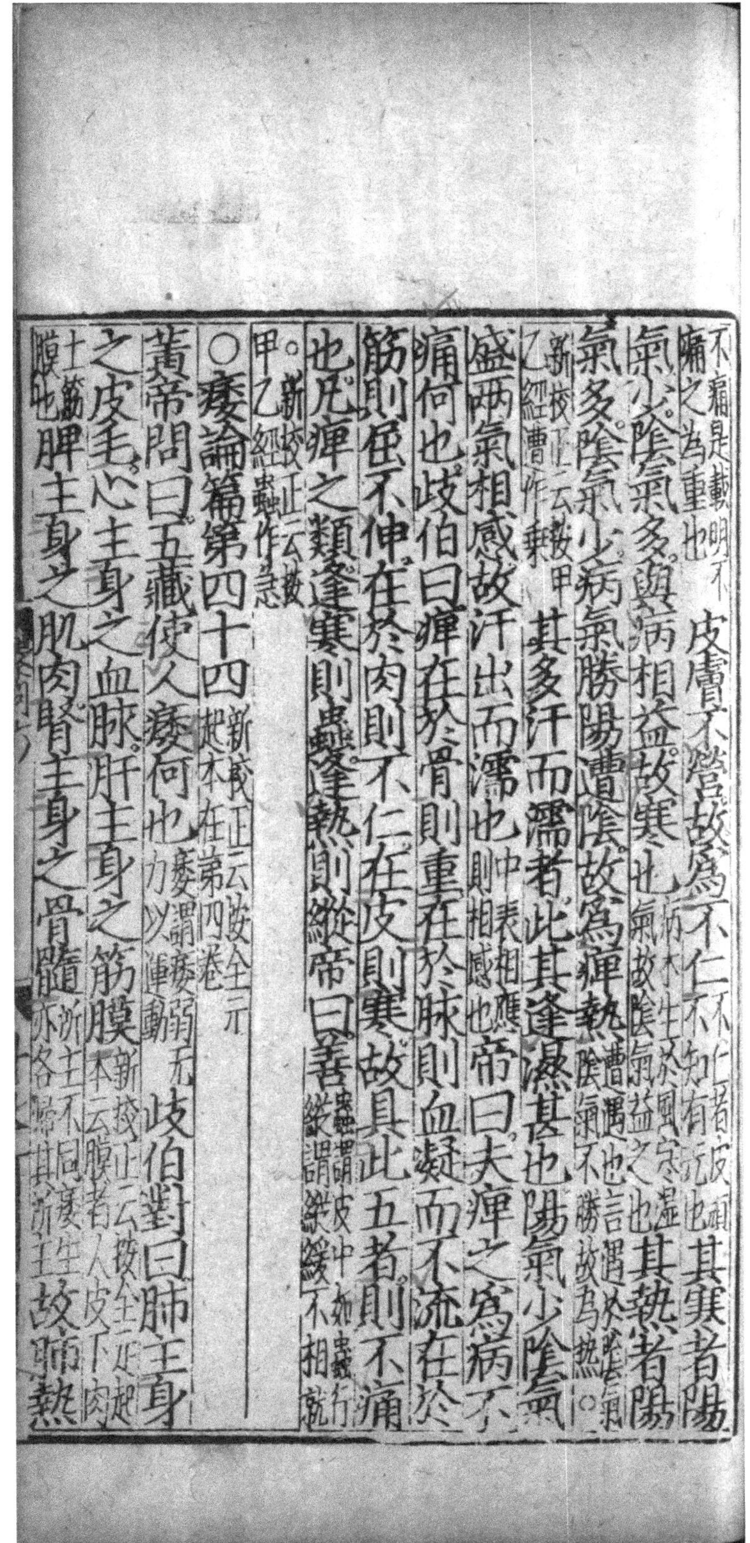

不痛是謂明不痛之為重也皮膚不營故為不仁不仁者皮頑不知有无也其寒者陽氣少陰氣多與病相益故寒也病本生於風寒濕氣故陰氣益之也其熱者陽氣多陰氣少病氣勝陽遭陰故為痺熱遭遇也言遇於陰氣陰氣不勝故為熱○新校正云按甲乙經遭作乘其多汗而濡者此其逢濕甚也陽氣少陰氣盛兩氣相感故汗出而濡也中表相應則相感也帝曰夫痺之為病不痛何也岐伯曰痺在於骨則重在於脉則血凝而不流在於筋則屈不伸在於肉則不仁在於皮則寒故具此五者則不痛也凡痺之類逢寒則蟲逢熱則縱帝曰善蟲謂皮中如蟲行縱謂縱緩不相就○新校正云按甲乙經蟲作急

○痿論篇第四十四新校正云按全元起本在第四卷

黃帝問曰五藏使人痿何也痿謂痿弱无力以運動岐伯對曰肺主身之皮毛心主身之血脉肝主身之筋膜新校正云按全元起本云膜者人皮下肉上筋膜也脾主身之肌肉腎主身之骨髓所主不同痿生亦各歸其所主故肺熱

葉焦，則皮毛虛弱急薄，著則生痿躄也。（躄謂攣躄，足不得伸以行也。肺熱則腎受熱氣故爾。躄，必亦反。）心氣熱，則下脈厥而上，上則下脈虛，虛則生脈痿，樞折挈，脛縱而不任地也。（心熱盛則火獨光，火獨光則內炎上。腎之脈常下行，今火盛而上炎用事，故腎脈亦隨火炎爍而逆上行也。陰氣厥逆，火復內燔，陰上隔陽，下不守位，心氣通脈，故生脈痿。腎氣主足，故膝腕樞紐如折去而不相提挈，脛筋縱緩而不能任用於地也。）肝氣熱，則膽泄口苦，筋膜乾，筋膜乾則筋急而攣，發為筋痿。（膽約肝葉而汁味至苦，故肝熱則膽液滲泄，膽病則口苦。今膽液滲泄，故口苦也。肝主筋膜，故熱則筋膜乾而攣急，發為筋痿也。八十一難經曰：膽在肝短葉間下。）脾氣熱，則胃乾而渴，肌肉不仁，發為肉痿。（脾與胃以膜相連，脾氣熱則胃液滲泄，故乾而渴也。脾主肌肉，今熱薄於內，故肌肉不仁而發為肉痿。）腎氣熱，則腰脊不舉，骨枯而髓減，發為骨痿。（腰為腎府，又腎脈上股內貫脊屬腎，故腎氣熱則腰脊不舉也。腎主骨髓，故熱則骨枯而髓減，發則為骨痿也。）帝曰：何以得之？岐伯曰：肺者，藏之長也，為心之蓋也。（位高而布葉於胸中，是故為藏之長，心之蓋。）有所失亡，所求不得，則發肺鳴，鳴則肺熱葉焦。（志苦不暢，氣鬱故也。肺藏氣，氣鬱不利，故喘息有声而肺熱葉焦也。）故曰：五藏因肺熱葉焦發爲痿躄，此之謂也。（肺者所以行榮衛治陰陽，故引曰五藏因肺熱而發爲痿躄也。）悲哀太甚則胞絡絶，胞絡絶則陽氣內動，發則心下崩，數溲血也。（悲則心系急，肺布葉舉，而上焦不通，榮衛不散，熱氣在中，故胞絡絶而陽氣內鼓動，發則心下崩，數溲血也。心下崩謂心包內崩而下血也。溲謂溺也。○新校正云：按楊上善云：胞絡者，心上胞絡之脈也。詳經注中胞字俱當作包。全本胞又作肌也。）故本病曰：大經空虛，發爲肌痺，傳爲脈痿。（本病，古經論篇名也。大經謂大經脈也。以心崩溲血，故大經空虛，脈空則熱內薄，衛氣盛，衛氣熾，故發爲肌痺也。先見肌痺，後漸脈痿，故曰傳爲脈痿也。）思想無窮，所願不得，意淫於外，入房太甚，宗筋弛縱，發爲筋痿，及爲白淫。（思想所願，爲祈欲也。施瀉勞損，故爲筋痿及白淫也。白淫謂白物淫衍，如精之狀，男子因溲而下，女子陰器中綿綿而下也。）故下經曰：筋痿者，生於肝，使內也。（下經，上古之經名也。使內謂勞役陰力，費竭精氣也。）有漸於濕，以水爲事，若有所留，居處相濕，肌肉濡漬，痺而不仁，發爲肉痿。（業惟近濕，居處澤下，皆水爲事也。平者久而猶殆，感之者尤甚矣。肉屬於脾，脾惡濕，濕著於肉，則衛氣不榮，故爲肉痿也。）故下經曰：肉痿者，得之濕地也。（陰陽應象大論曰：地之濕氣，感則害皮肉筋脈。此之謂害肉也。）有所遠行勞倦，逢大熱而渴，渴則陽氣内伐，内伐則熱舍於腎，腎者水藏也，今水不勝火，則骨枯而髓虚，故足不任身，發爲骨痿。陽氣内伐，謂伐腹中之陰氣也。水不勝火，以熱舍於腎中也。故下經曰：骨痿者，生於大熱也。腎性惡燥，熱反居中，熱薄骨乾，故骨痿無力也。帝曰：何以别之？岐伯曰：肺熱者色白而毛敗，心熱者色赤而絡脉溢，肝熱者色蒼而爪枯，脾熱者色黄而肉蠕動，腎熱者色黑而齒槁。各求藏色及所主養而命之，則其應也。帝曰：如夫子言可矣，論言治痿者獨取陽明何也？岐伯曰：陽明者，五藏六府之海，陽明，胃脉也。胃爲水穀之海。主閏宗筋，宗筋主束骨而利機關也。宗筋，謂陰髦中横骨上下之竪筋也。上絡胷腹，下貫髖尻，又經於背腹上頭項，故云宗筋主束骨而利機關也。然腰者身之大關節，所以司屈伸，故曰機關。衝脉者，經脉之海也，靈樞經曰：衝脉者，十二經之海。主滲灌谿谷，與陽明合於宗筋，尋此則横骨上下齊兩傍竪筋正宗筋也。衝脉循腹俠齊傍各同身寸之五分而上，陽明脉亦俠齊傍各同身寸之一寸五分而上，宗筋脉於中，故云與陽明合於宗筋也。以爲十二經海，故主滲灌谿谷也。肉之大會爲谷，小會爲谿。○新校正云：詳宗筋脉於中，一作宗筋縱於中。陰陽總宗

上二紙

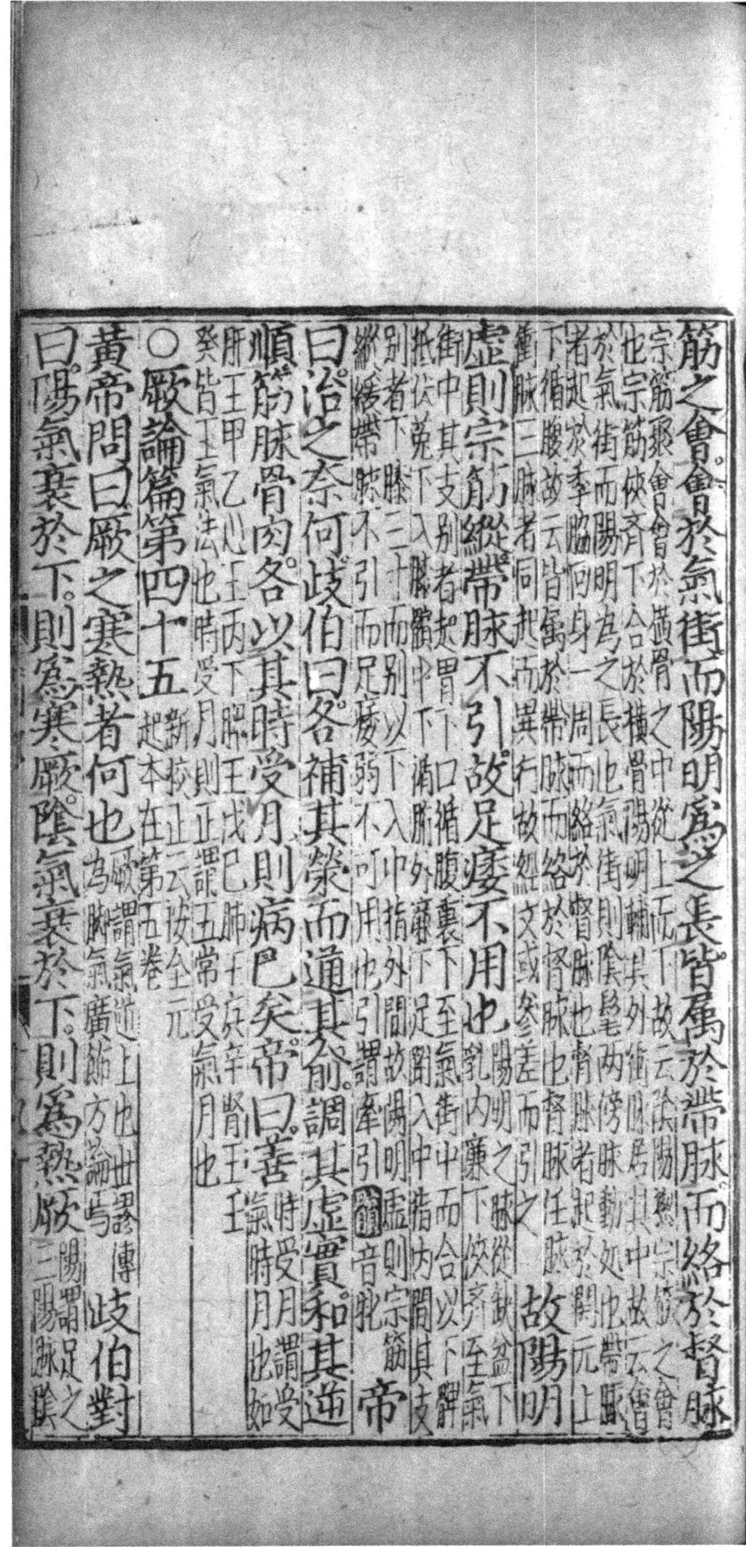

筋之會。會於氣街，而陽明為之長，皆屬於帶脈，而絡於督脈。宗筋聚會，會於橫骨之中，從上而下，故云陰陽總宗筋之會也。宗筋俠齊下合於橫骨，陽明輔其外，衝脈居其中，故云會於氣街，而陽明為之長也。氣街則陰毛兩傍脈動處也。帶脈者，起於季脇，迴身一周，而絡於督脈也。督脈者，起於關元，上下循腹，故云皆屬於帶脈而絡於督脈也。督脈、任脈、衝脈三脈者，同起而異行，故經文或參差而引之。故陽明虛則宗筋縱，帶脈不引，故足痿不用也。陽明之脈，從缺盆下乳內廉，下俠齊，至氣衝中；其支別者，起胃下口，循腹裏，下至氣街中而合，以下髀，抵伏兔，下入膝臏中，下循胻外廉，下足跗，入中指內間；其支別者，下膝三寸而別，以下入中指外間。故陽明虛則宗筋縱緩，帶脈不引而足痿弱不可用也。引謂牽引。臏音牝。帝曰：治之奈何？岐伯曰：各補其滎而通其俞，調其虛實，和其逆順，筋脈骨肉各以其時受月，則病已矣。帝曰：善。時受月謂受氣時月也，如肝王甲乙，心王丙丁，脾王戊己，肺王庚辛，腎王壬癸，皆王氣法也。時受月則正謂五常受氣月也。

○厥論篇第四十五 新校正云：按全元起本在第五卷。

黃帝問曰：厥之寒熱者，何也？厥謂氣逆上也。世謬傳為脚氣，廣飾方論焉。岐伯對曰：陽氣衰於下，則為寒厥；陰氣衰於下，則為熱厥。陽謂足之三陽脈，陰

（謂足之三陰脉下謂足也）帝曰：熱厥之為熱也，必起於足下者何也？（陽主外而厥在內，故問之）岐伯曰：陽氣起於足五指之表，陰脉者集於足下而聚於足心，故陽氣勝則足下熱也。（大約而言之，足太陽脉出於足小指之端外側，足少陽脉出於足小指次指之端，足陽明脉出於足中指及大指之端，並循足陽而上。肝脾腎脉集於足下，聚於足心，陰弱故足下熱也。○新校正云：按《甲乙經》陽氣起於足作走於足，起當作走）帝曰：寒厥之為寒也，必從五指而上於膝者何也？（陰主內而厥在外，故問之）岐伯曰：陰氣起於五指之裏，集於膝下而聚於膝上，故陰氣勝則從五指至膝上寒，其寒也，不從外，皆從内也。（亦大約而言之也。足太陰脉起於足大指之端內側，足厥陰脉起於足大指之端三毛中，足少陰脉起於足小指之下斜趣足心，並循足陰而上，循股陰入腹，故云集於膝下而聚於膝之上也）帝曰：寒厥何失而然也？岐伯曰：前陰者，宗筋之所聚，太陰陽明之所合也。（宗筋俠臍下合於陰器，故云前陰者宗筋之所聚也。太陰者，脾脉；陽明者，胃脉。脾胃之脉皆輔近宗筋，故云太陰陽明之所合。○新校正云：按《甲乙經》前陰者宗筋之所聚作厥陰者衆筋之所聚。全元起云：前陰者，厥陰也。與王注義異，亦自一說）春夏則陽氣多而陰氣少，秋冬則陰氣盛

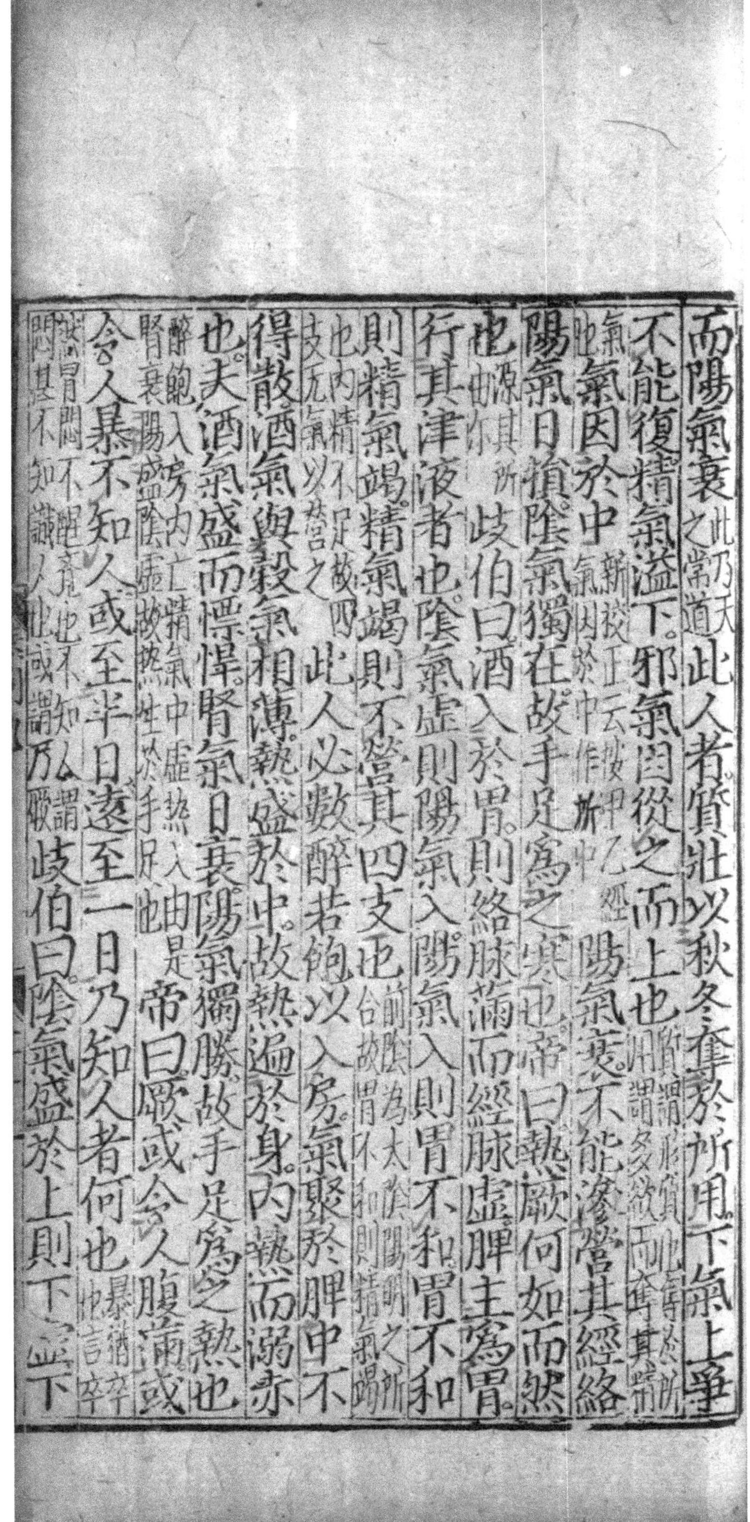

而陽氣衰此乃天之常道此人者質壯以秋冬奪於所用下氣上爭不能復精氣溢下邪氣因從之而上也質謂形質奪於所用謂多欲而奪其精氣也氣因於中新校正云按甲乙經氣因於中作所中陽氣衰不能滲營其經絡陽氣日損陰氣獨在故手足為之寒也帝曰熱厥何如而然也源其所由也岐伯曰酒入於胃則絡脈滿而經脈虛脾主為胃行其津液者也陰氣虛則陽氣入陽氣入則胃不和胃不和則精氣竭精氣竭則不營其四支也前陰為太陰陽明之所合故胃不和則精氣竭也內精不足故四支無氣以營之此人必數醉若飽以入房氣聚於脾中不得散酒氣與穀氣相薄熱盛於中故熱遍於身內熱而溺赤也夫酒氣盛而慓悍腎氣日衰陽氣獨勝故手足為之熱也醉飽入房內亡精氣中虛熱入由是腎衰陽盛陰虛故熱生於手足也帝曰厥或令人腹滿或令人暴不知人或至半日遠至一日乃知人者何也暴猶卒也言卒然冒悶不醒覺也不知人謂悶甚不知識人也或謂尸厥岐伯曰陰氣盛於上則下虛下

虛則腹脹滿。陽氣盛於上則下氣重上而邪氣逆，逆則陽氣亂，陽氣亂則不知人也。陰謂足太陰氣○新校正云按甲乙經陽氣盛於上五字作腹滿二字當從甲乙經之說何以言之別按甲乙經云陽脉下墜陰脉上爭發尸厥焉有陰氣盛於上而又言陽氣盛於上又按張仲景云少陰脉不至腎氣微少精血奔氣促迫上入胸膈宗氣反聚血結心下陽氣退下熱歸陰股與陰相動令身不仁此為尸厥仲景言陽氣退下則是陽氣不得盛於上故知當從甲乙經也又王注陰謂足太陰亦為未盡按繆刺論云邪客於手足少陰太陰足陽明之絡此五絡皆會於耳中上絡左角五絡俱竭令人身脉皆動而形無知其狀若尸或曰尸厥焉得專解陰為太陰也

帝曰：善。願聞六經脉之厥狀病能也。以前問解故請備聞諸經厥也

岐伯曰：巨陽之厥，則腫首頭重，足不能行，發為眴仆。巨陽太陽也足太陽脉起於目內眥上額交巔上其支別者從巔至耳上角其直行者從巔入絡腦還出別下項循肩髆內俠脊抵腰中入循膂絡腎屬膀胱其支別者從腰中下貫臀入膕中其支別者從髆內左右別下貫胛過髀樞循髀外後廉下合膕中以下貫腨內出外踝之後循京骨至小指之端外側由是厥逆外形斯證也腫或作踵非

陽明之厥，則癲疾欲走呼，腹滿不得臥，面赤而熱，妄見而妄言。足陽明脉起於鼻交頞中下循鼻外入上齒中還出俠口環脣下交承漿却循頤後下廉出大迎循頰車上耳前過客主人循髮際至額

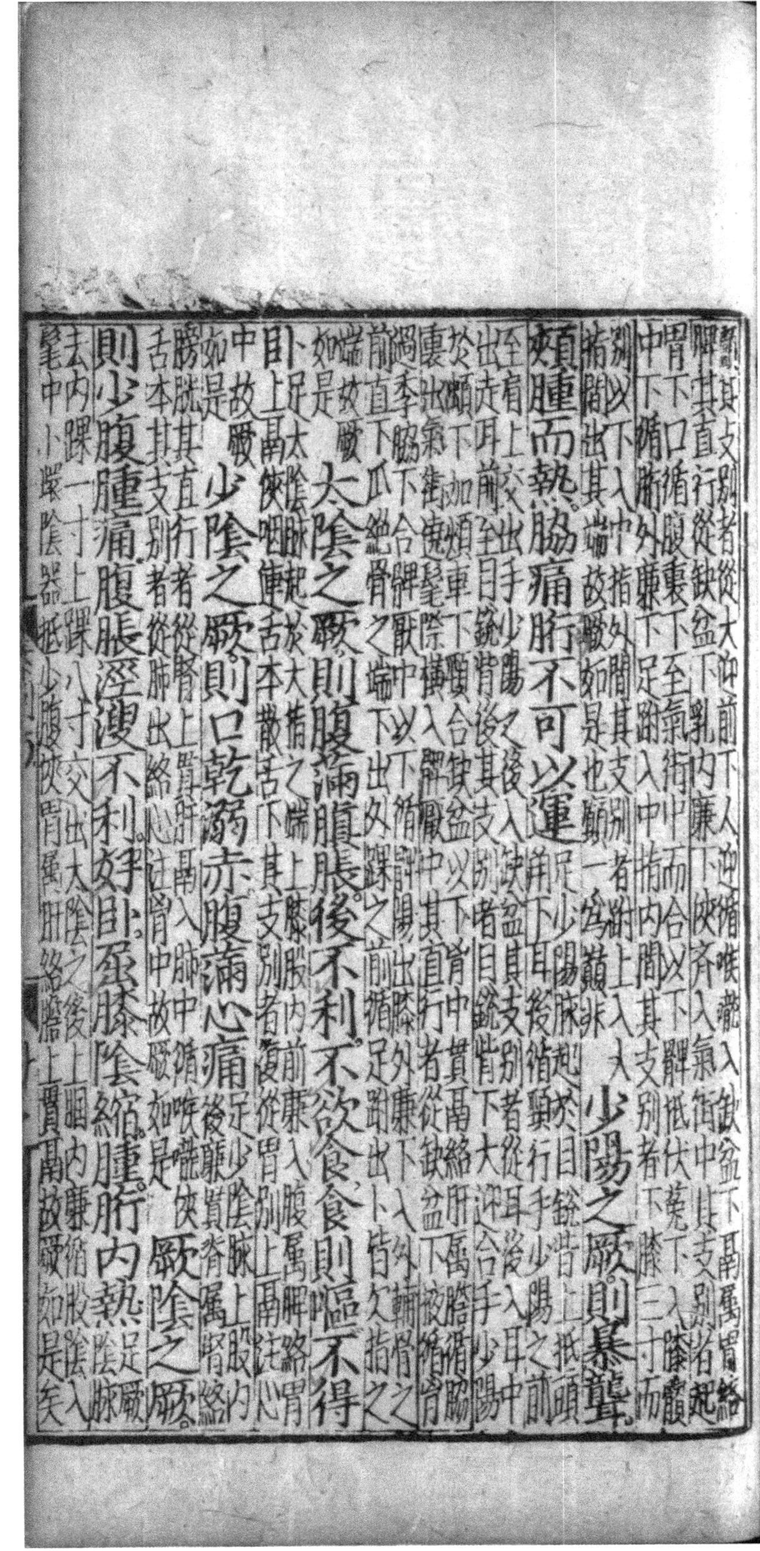

氣其支別者從大迎前下人迎循喉嚨入缺盆下鬲屬胃絡脾其直行從缺盆下乳內廉下俠齊入氣街中其支別者起
胃下口循腹裏下至氣街中而合以下髀抵伏菟下入膝髕中下循䯒外廉下足跗入中指內間其支別者下膝三寸而
別以下入中指外間其支別者跗上入大指間出其端故厥如是也顛一爲巔非少陽之厥，則暴聾
頰腫而熱，脅痛，䯒不可以運。足少陽脈起於目銳眥上抵頭角下耳後循頸行手少陽之前
至肩上交出手少陽之後入缺盆其支別者從耳後入耳中出走耳前至目銳眥後其支別者目銳眥下大迎合手少陽
於䪼下加頰車下頸合缺盆以下胷中貫鬲絡肝屬膽循脅裏出氣街遶毛際橫入髀厭中其直行者從缺盆下掖循胷
過季脅下合髀厭中以下循髀陽出膝外廉下入外輔骨之前直下抵絕骨之端下出外踝之前循足跗出小指次指之
端故厥如是太陰之厥，則腹滿䐜脹，後不利，不欲食，食則嘔，不得
臥。足太陰脈起於大指之端上膝股內前廉入腹屬脾絡胃上鬲俠咽連舌本散舌下其支別者復從胃別上鬲注心
中故厥如是少陰之厥，則口乾溺赤，腹滿心痛。足少陰脈上股內後廉貫脊屬腎絡
膀胱其直行者從腎上貫肝鬲入肺中循喉嚨俠舌本其支別者從肺出絡心注胷中故厥如是厥陰之厥，
則少腹腫痛，腹脹，涇溲不利，好臥屈膝，陰縮腫，䯒內熱。足厥陰脈
去內踝一寸上踝八寸交出太陰之後上膕內廉循股陰入髦中環陰器抵少腹俠胃屬肝絡膽上貫鬲故厥如是矣

胕内熱一本云胕外熱傳寫行書内外誤也盛則寫之虚則補之不盛不虚以經取之不盛不虚謂邪氣未盛真氣未虚如是則以穴俞經法留呼多少而取之太陰厥逆胻急攣心痛引腹治主病者足太陰脉起於大指之端循指内側上内踝前廉上腨内循胻骨後上膝股内前廉入腹其支别者復從胃别上鬲注心中故胻急攣心痛引腹也太陰之脉行有左右候其有過者當發取之故言治主病者○新校正云詳從太陰厥逆至篇末全元起本在第九卷王氏移於此少陰厥逆虚滿嘔變下泄清治主病者以其脉從腎上貫肝鬲入肺中循喉嚨故如是厥陰厥逆攣腰痛虚滿前閉譫言新校正云按全元起云譫言者氣虚獨言也譫音詹治主病者以其脉循股陰入髦中環陰器復上循喉嚨之後絡舌本故如是○新校正云按甲乙經厥陰之經不絡舌本王氏引刺熱篇刺腰痛篇并此三注俱云絡舌本又注風論痺論各不云絡舌本王注自有異同當以甲乙經為正三陰俱逆不得前後使人手足寒三日死三陰絶故三日死太陽厥逆僵仆嘔血善衄治主病者以其脉起目内眥上額交巔絡腦故如是僵居良反衄音朒少陽厥逆機關不利機關不利者腰不可以行項不可以顧以其脉循頸下繞髦際横入髀厭中故如是發腸癰不可治驚者死足少陽脉貫鬲絡肝屬膽循脇裏出氣街發腸癰則經氣絶故

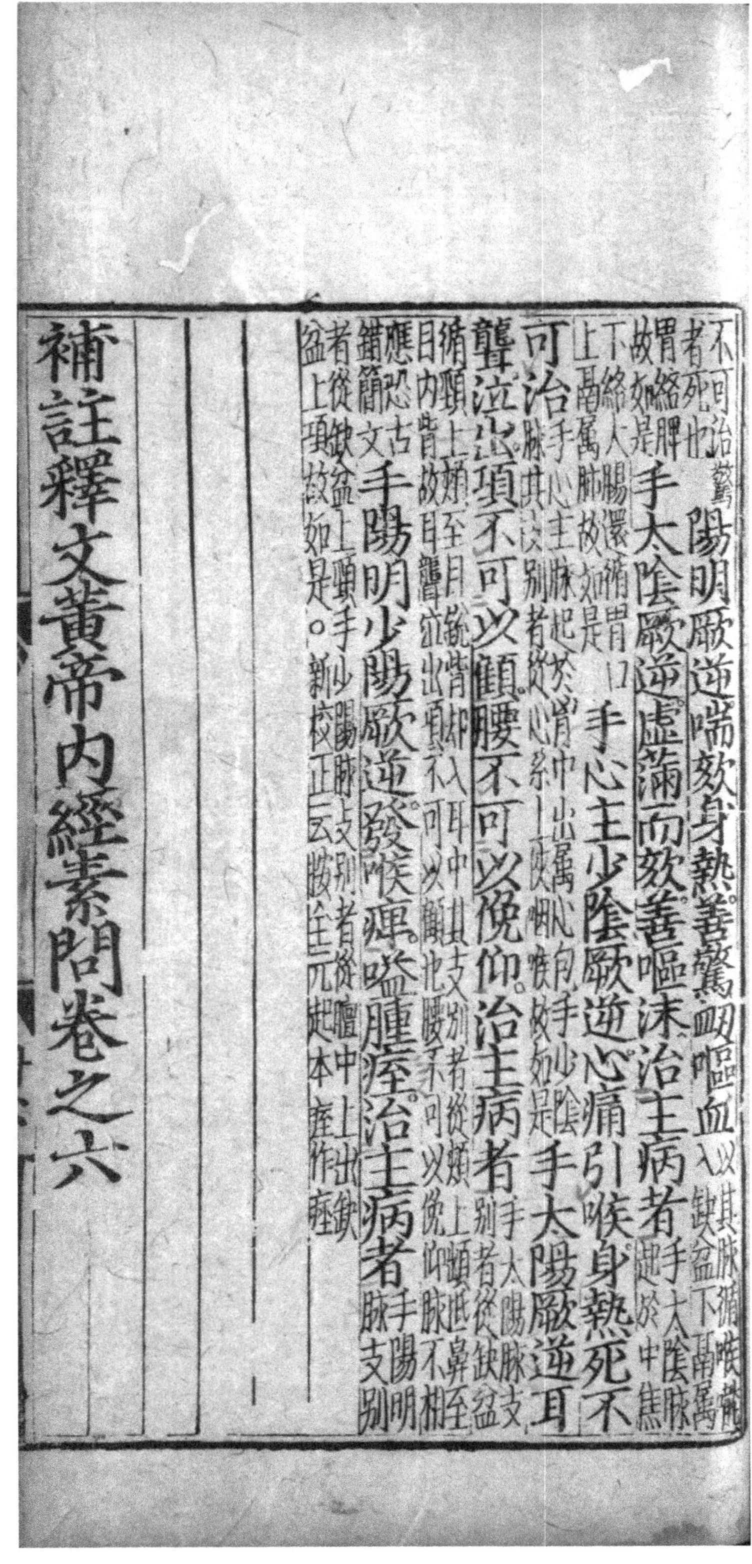

不可治驚者死也陽明厥逆喘欬身熱。善驚衂嘔血以其脉循喉嚨入缺盆下鬲屬胃絡脾故如是手太陰厥逆虛滿而欬善嘔沫治主病者手太陰脉起於中焦下絡大腸還循胃口上鬲屬肺故如是手心主少陰厥逆心痛引喉身熱死不可治手心主脉起於胸中出屬心包手少陰脉其支別者從心系上俠咽喉故如是手太陽厥逆耳聾泣出項不可以顧。腰不可以俛仰。治主病者手太陽脉支別者從缺盆循頸上頰至目鋭眥却入耳中其支別者從頰上䪼抵鼻至目內眥故耳聾泣出項不可以顧也腰不可以俛仰脉不相應恐古錯簡文手陽明少陽厥逆發喉痺。嗌腫痓。治主病者手陽明脉支別者從缺盆上頸手少陽脉支別者從膻中上出缺盆上項故如是。新校正云按全元起本痓作痙

補註釋文黄帝内經素問卷之六

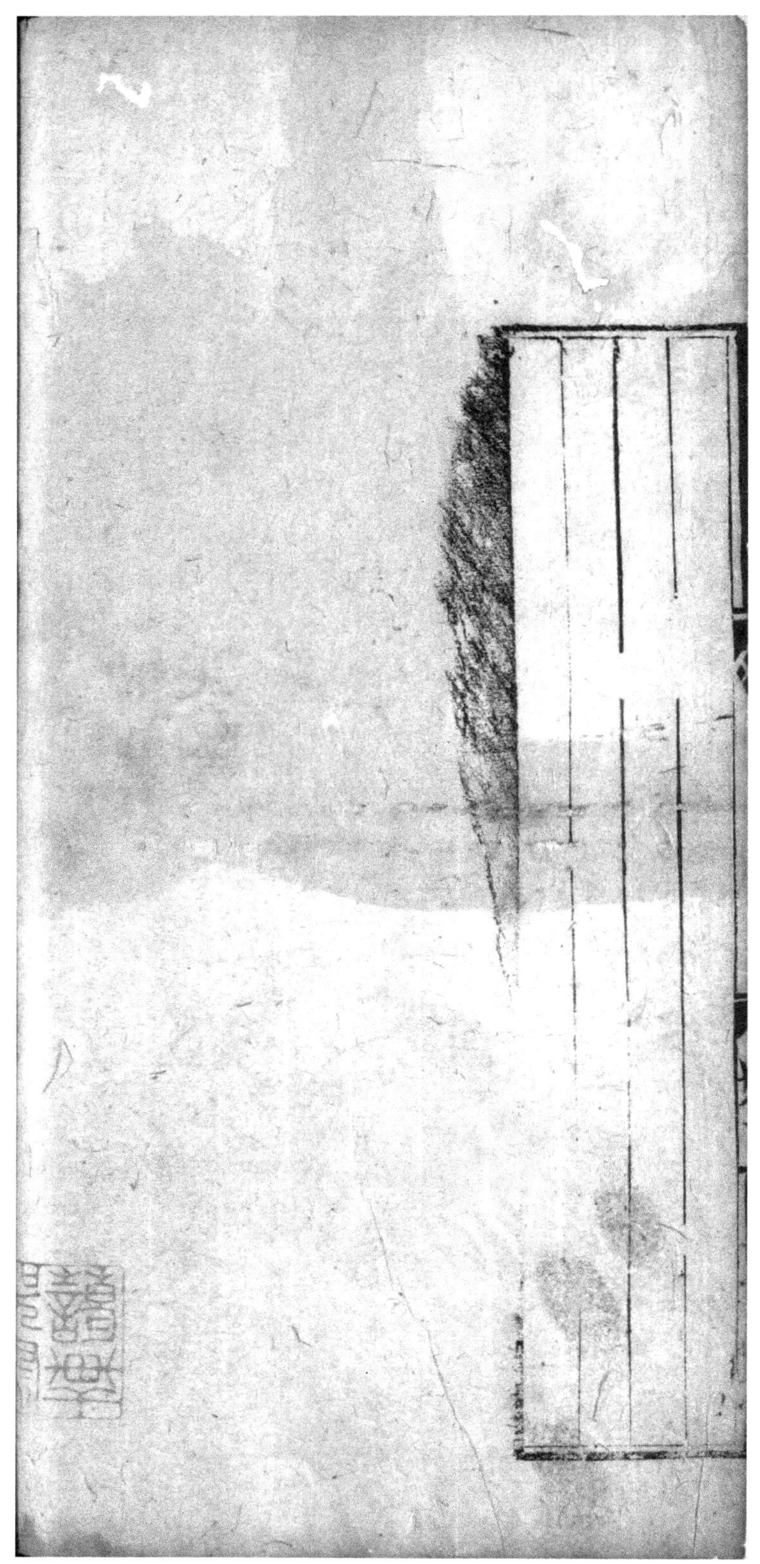

補註釋文黃帝內經素問卷之七

○病能論篇第四十六 新校正云按全元起本在第五卷

黃帝問曰人病胃脘癰者診當何如岐伯對曰診此者當候胃脈其脈當沉細沉細者氣逆 胃者水穀之海其血盛氣壯今反脈沉細者是逆常平也○新校正云按甲乙經沉細作沉濇太素作沉細 逆者人迎甚盛甚盛則熱 沉細為寒寒氣格陽故人迎脈盛人迎者陽明之脈故盛則熱也人迎謂結喉傍脈動應手者 人迎者胃脈也 胃脈循喉嚨而入缺盆故云人迎者胃脈也 逆而盛則熱聚於胃口而不行故胃脘為癰也 血氣壯盛而熱內薄之兩氣合熱故結為癰也 帝曰善人有卧而有所不安者何也岐伯曰藏有所傷及精有所之寄則安故人不能懸其病也 五藏有所傷損及之水穀精氣有所之寄扶其下則卧安以傷及於藏故人不能懸其病處於空中也○新校正云按甲乙經精有所之寄則安作情有所倚則卧不安太素作精有所倚則不安 帝曰人之不得偃卧者何也 謂不得仰卧也 岐伯曰肺者藏之蓋也 居高布葉四藏下之故言肺者藏之

盖也肺氣盛則脉大脉大則不得偃卧肺氣盛滿偃卧則氣促喘奔故不得偃卧也
論在奇恒陰陽中奇恒陰陽上古經篇名世本闕帝曰有病厥者診右脉沉
而緊左脉浮而遲不然病主安在不然言不沉也○新校正云按甲乙經不然作不知
岐伯曰冬診之右脉固當沉緊此應四時左脉浮而遲此逆
四時在左當主病在腎頗關在肺當腰痛也以冬左脉浮而遲浮為肺脉故
言頗關在肺也腰者腎之府故腎受病則腰中痛也帝曰何以言之岐伯曰少陰脉貫
腎絡肺今得肺脉腎為之病故腎為腰痛之病也左脉浮遲非肺來見
以左腎不足而脉不能沉故得肺脉腎為病也帝曰善有病頸癰者或石治之或鍼
灸治之而皆已其真安在言所攻則異所愈則同故問真法何所在也岐伯曰此
同名異等者也言雖同曰頸癰然其皮中别異不一等也故下云夫癰氣之息者宜
以鍼開除去之夫氣盛血聚者宜石而寫之此所謂同病異
治也息瘜也死肉也石砭石也可以破大癰出膿今以鈹鍼代之帝曰有病怒狂者新校正云
按太素怒狂作善怒此病安生岐伯曰生於陽也帝曰陽何以使人狂

怒不慮禍故謂之狂岐伯曰陽氣者因暴折而難決故善怒也病名曰陽厥言陽氣被折鬱不散也此人多怒亦曾因暴折而心不疏暢故尔如是者皆陽逆躁極所生故病名陽厥帝曰何以知之岐伯曰陽明者常動巨陽少陽不動不動而動大疾此其候也言頸項之脉皆動不止也陽明常動者動於結喉傍是謂人迎氣舍之分位也若以少陽之動動於曲頰下是謂天窓天牖之分位也若巨陽之動於項兩傍大筋前陷者中是謂天柱天容之分位也不應常動而反動甚動當病也○新校正云詳王注以天窓為少陽之分位天容為太陽之分位按甲乙經天窓乃太陽脉氣所發天容乃少陽脉氣所發一位交互當以甲乙經為正也帝曰治之奈何岐伯曰奪其食即已夫食入於陰長氣於陽故奪其食即已食少則氣衰故節去其食即病自已○新校正云按甲乙經奪作衰太素同也使之服以生鐵洛為飲新校正云按甲乙經鐵洛作鐵落為飲作為後飯夫生鐵洛者下氣疾也之或為人傳文誤也鐵洛味辛微温平主治下氣方俗或呼為鐵漿非是生鐵液也帝曰善有病身熱解墮汗出如浴惡風少氣此為何病岐伯曰病名曰酒風飲酒中風者也風論曰飲酒中風則為漏風是亦名漏風也夫極飲者陽氣盛而腠理疎玄府開發陽盛則筋痿弱故身体解墮也腠理踈則風内攻玄府發則氣外泄故汗

出如浴也風氣外薄膚腠理開汗多内虛瘅熱熏肺故惡風少氣也因酒而病故曰酒風解音介墮徒卧反帝曰治之奈何岐伯曰以澤瀉朮各十分麋銜五分合以三指撮為後飯朮味苦溫平主治大風止汗麋銜味苦平主治風濕痹筋痿澤瀉味甘寒平主治風濕益氣由此功用方故先之飯後藥先謂之後飯所謂深之細者其中手如鍼也摩之切之聚者堅也博者大也上經者言氣之通天也下經者言病之變化也金匱者決死生也揆度者切度之也奇恒者言奇病也新校正云按楊上善云得病傳之至於勝時而死此為恒中生喜怒令病次傳者此為奇所謂奇者使奇病不得以四時死也恒者得以四時死也所謂揆者方切求之也言切求其脉理也度者得其病處以四時度之也凡言所謂者皆釋未了義今此所謂尋前後經文悉不与此篇義相接似今數句少成文義者終是別釋經文世本既闕第七二篇應彼闕經錯簡文也古文斷裂繆續於此

○奇病論篇第四十七新校正云按全元起本在第五卷

黃帝問曰人有重身九月而瘖此為何也重身謂身中有身則懷任者也瘖

不得言語也任娠九月足少陰脉養胎約氣斷則瘖不能言也岐伯對曰胞之絡脉絕也絕謂脉斷絕而不通流而不能言非天真之氣斷絕也帝曰何以言之岐伯曰胞絡者繫於腎少陰之脉貫腎繫舌本故不能言少陰腎脉也氣不營養故舌不能言帝曰治之奈何岐伯曰無治也當十月復十月胎去胞絡復通腎脉上營故復舊而言也刺法曰無損不足益有餘以成其疹疹謂久病反法而治則胎死不去遂成久固之疹病然後調之新校正云按甲乙經及太素无此四字按全元起注云所謂不治者其身九月而瘖身重不得為治須十月滿生後復如常也然後調之則此四字本全元起注文誤書於此當刪去之所謂無損不足者身羸瘦無用鑱石也任娠九月筋骨瘦勞力少身重又拒於谷故身形羸瘦不可以鑱石傷也鑱鋤銜反無益其有餘者腹中有形而泄之泄之則精出而病獨擅中故曰疹成也胎約胞絡腎氣不通因而泄之腎精隨出精液內竭胎則不全胎死腹中著而不去由此獨擅故疹成焉帝曰病脇下滿氣逆二三歲不已是為何病岐伯曰病名曰息積此不妨於食不可灸刺積為導引服藥藥不能獨治也腹中无形脇下逆滿頻歲不愈息且形之氣逆息難故名息積也氣不在胃故不妨於食也灸

之則火熱內爍氣化為風刺之則必寫其經轉成虛敗故不可灸刺是可積為導引使氣流行久以藥攻內消瘀稸則可矣若独悪其藥而不積為導引則藥亦不能獨治之也帝曰人有身體髀股胻皆腫環齊而痛是為何病岐伯曰病名曰伏梁以衝脈病故名曰伏梁然衝脈者与足少陰之絡起於腎下出於氣街循陰股內廉斜入膕中循胻骨內廉並足少陰經下入內踝之後入足下其上行者出齊下同身寸之三寸關元之分俠齊直上循腹各行會於咽喉故身体髀皆腫繞齊而痛名曰伏梁環謂圓繞如環也此風根也其氣溢於大腸而著於肓肓之原在齊下故環齊而痛也大腸廣腸也經說大腸當言迴腸也何者靈樞經曰迴腸當齊右環回周葉積而下廣腸附脊以受迴腸左環葉積上下辟大尋此則是迴腸非應言大腸也然大腸迴腸俱与肺合從合而命故通曰大腸也不可動之動之為水溺濇之病也以衝脈起於腎下出於氣街其上行者起於胞中上出齊下關元之分故動之則為水而溺濇也動謂齊其毒藥而擊動之使其大下也此一問荅之義与腹中論同以為奇病故重出於此帝曰人有尺脈數甚筋急而見此為何病筋急謂掌後尺中兩筋急也脈要精微論曰尺外以候腎尺裏以候腹中今尺脈數急脈數為熱熱當筋緩反尺中筋急而見腹中筋當急故問為病乎靈樞經曰熱即筋緩寒即筋急岐伯曰此所謂疹筋是人腹必急白色黑色見則

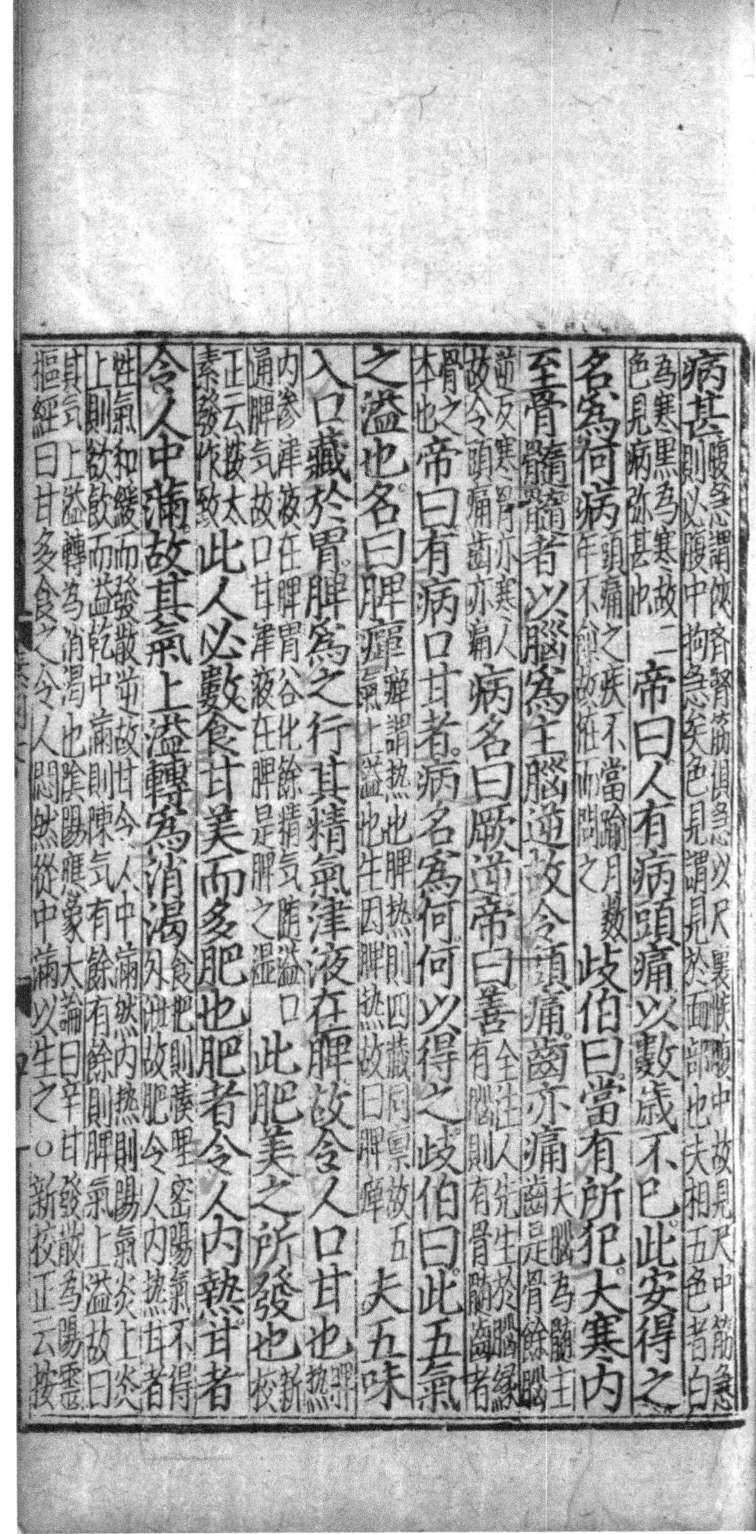

病甚腹急謂俠臍腎筋俱急以尺裏候腹中故見尺中筋急則以腹中拘急矣色見謂見於面部也夫相五色者白為寒黑為寒故二色見病彌甚也帝曰人有病頭痛以數歲不已此安得之名為何病頭痛之疾不當踰月數年不愈故怪而問之岐伯曰當有所犯大寒内至骨髓髓者以腦為主腦逆故令頭痛齒亦痛夫腦為髓主齒是骨餘腦逆反寒骨亦寒入故令頭痛齒亦痛病名曰厥逆帝曰善全注以先生於腦緣有腦則有骨髓齒者骨之本也帝曰有病口甘者病名為何何以得之岐伯曰此五氣之溢也名曰脾癉癉謂熱也脾熱則四藏同稟故五氣上溢也生因脾熱故曰脾癉夫五味入口藏於胃脾為之行其精氣津液在脾故令人口甘也脾熱內滲津液在脾胃谷化餘精氣隨溢口通脾氣故口甘津液在脾是脾之濕此肥美之所發也新校正云按太素發作致此人必數食甘美而多肥也肥者令人內熱甘者令人中滿故其氣上溢轉為消渴食肥則腠理密陽氣不得外泄故肥令人內熱甘者性氣和緩而發散逆故甘令人中滿然內熱則陽氣炎上炎上則欲飲而嗌乾中滿則陳氣有餘有餘則脾氣上溢故曰其氣上溢轉為消渴也陰陽應象大論曰辛甘發散為陽靈樞經曰甘多食之令人悶然從中滿以生之○新校正云按

甲乙經消渴作消癉治之以蘭除陳氣也蘭謂蘭草也神農曰蘭草味辛熱平利水道辟不祥胷中
痰澼也除謂去也陳謂久也言蘭除陳久甘肥不化之氣者以辛能發散故也藏氣法時論曰辛者散也。新校正云按
本草蘭性平不言熱帝曰有病口苦取陽陵泉。口苦者病名爲何何以
得之岐伯曰病名曰膽癉亦謂熱也膽汁味苦故口苦。新校正云按全元起本及太素无口
苦取陽陵泉六字詳前後文勢疑此爲誤夫肝者中之將也取決於膽咽爲之使
靈蘭秘典論曰肝者將軍之官謀慮出焉膽者中正之官決斷出焉肝与膽合氣性相逶故諸謀慮取決於膽咽膽相應
故咽爲使焉。新校正云按甲乙經曰膽者中精之府五藏取決於膽咽爲之使疑此文誤此人者數謀
慮不決故膽虛氣上溢而口爲之苦治之以膽募俞胷腹曰募背脊
曰俞膽募在乳下二肋外期門下同身寸之五分俞在脊第十椎下兩旁相去各同身寸之一寸半治在陰陽
十二官相使中言治法具於彼篇今經已亡帝曰有癃者一日數十溲此
不足也身熱如炭頸膺如格人迎躁盛喘息氣逆此有餘也
是陽氣太盛於外陰氣不足故有餘也。新校正云詳此十五字舊作文寫按甲乙經太素並无此文再詳乃是全元起
注後人誤書於此今作注書太陰脉細微如髪者此不足也其病安在名

為何病癃小便不得也溲小便也頸膺如格言頸與胷膺如相格拒不順應也人迎躁盛謂結喉兩傍脉動盛滿
急數非常躁速也胃脉也太陰脉細微如髮者謂手大指後同身寸之一寸骨高脉動處脉則肺脉也此正手太陰脉氣
之所流可以候五藏也岐伯曰病在太陰其盛在胃頗在肺病名曰厥
死不治病癃數溲身熱如炭頸膺如格息氣逆者皆手太陰脉當洪大而數今太陰脉反微細如髮者是病與脉
相反也何以致之肺氣逆陵於胃而為是上使人迎躁盛也故曰病在太陰其盛在胃也以喘息氣逆故云頗亦在肺也
病相氣逆盛不相應故病名曰厥死不治也此所謂得五有餘二不足也帝曰何
謂五有餘二不足岐伯曰所謂五有餘者五病之氣有餘也
二不足者亦病氣之不足也今外得五有餘內得二不足此
其身不表不裏亦正死明矣外五有餘者一身熱如炭二頸膺如格三人迎躁盛四喘息五
氣逆也內二不足者一病癃一日數十溲二太陰脉微細如髮夫如是者謂其病在表則內有二不足謂其病在裏則外
得五有餘表裏既不可憑補寫固難為法故曰此其身不表不裏亦正死明矣帝曰人生而有病巔
疾者病名曰何安所得之夫百病者皆生於風雨寒暑陰陽喜怒也然始生有形未犯邪氣已
有巔疾豈邪氣素傷即故問之巔謂上巔則頭首也岐伯曰病名為胎病此得之在母

腹中時其毋有所大驚氣上而不下精氣并居故令子發爲巔疾也精氣謂陽之精氣也帝曰有病痝然如有水狀切其脈大緊身無痛者形不瘦不能食食少名爲何病痝然謂面目浮起而色雜也大緊謂如弓弦也大即爲氣緊即爲寒寒氣內薄而反无痛与衆別異常故問之也岐伯曰病生在腎名爲腎風脉如弓弦大而且緊勞氣內稸寒復內爭勞氣薄寒故化爲風風勝於腎故曰腎風腎風而不能食善驚驚已心氣痿者死腎水受風心火痿弱火水俱困故必死帝曰善

○大奇論篇第四十八新校正云按全元起本在第九卷

肝滿腎滿肺滿皆實即爲腫滿謂脉氣滿實也腫謂癰腫也藏氣滿乃如是肺之雍喘而兩胠滿肺藏氣而外主息其脉支別者從肺系橫出腋下故喘而兩胠滿也○新校正云詳肺癰肝癰腎雍甲乙經俱作癰肝雍兩胠滿臥則驚不得小便肝之脉循股陰入毛中環陰器抵少腹上貫肝鬲布脇肋故胠滿不得小便也肝主驚駭故臥則驚腎雍脚下至少腹滿新校正云按甲乙經脚下作胠下脚當作胠不得言脚下至少腹也脛有大小髀胻大跛易偏枯衝脉者經脉之海与少陰之絡俱起於腎下出於氣街循陰股內廉斜入膕中循骭骨內廉並少陰之經下入內踝之後入足下其

（上行者出齊下同身寸之三寸故如是甚血氣變易爲偏枯也）心脉滿大癇瘛筋攣（心脉滿大則肝氣下流熱氣內薄筋乾血涸故癇瘛而筋攣）肝脉小急癇瘛筋攣（肝養筋內藏血肝氣受寒故癇瘛而筋攣小急者寒也）肝脉騖暴有所驚駭（騖謂馳騖言其迅急也陽氣內薄故發爲驚也）脉不至若瘖不治自已（肝氣若厥厥則脉不通厥退則脉復通矣又其脉布脇肋循喉嚨之後故脉不至若瘖不治亦自已）腎脉小急肝脉小急心脉小急不鼓皆爲瘕（小急爲寒甚不鼓則血不流血不流而寒薄故血內凝而爲瘕也）腎肝并沉爲石水（肝脉入陰內貫少腹腎脉貫脊中絡膀胱兩藏并藏氣熏衝脉自腎下絡於胞令水不行化故堅而結然腎主水水冬冰水宗於腎腎象水而沉故氣并而沉名爲石水。新校正云詳腎肝并沉至下并小弦欲驚全元起本在厥論中王氏移於此）并浮爲風水（脉浮爲風下焦主水風薄於下故名風水）并虛爲死（腎爲五藏之根肝爲發生之主二者不足是生主俱微故死）并小弦欲驚（脉小弦爲肝腎俱不足故尔）腎脉大急沉肝脉大急沉皆爲疝（疝者寒氣結聚之所爲也夫脉沉爲實脉急爲痛氣實寒薄聚故爲絞痛爲疝）心脉搏滑急爲心疝肺脉沉搏爲肺疝（皆寒薄於藏故也）三陽急爲瘕三陰急爲疝（太陽受寒血凝爲瘕太陰受寒氣聚爲疝）二陰急爲癇厥二陽急爲驚（二陰少陰也二陽〻明也。○新校正云詳二陽急爲瘕至此全元起本在厥論王氏移於此脾脉外鼓沉爲腸澼久自已外鼓謂鼓動於臂外也肝脉小緩爲腸澼易治肝脉小緩爲脾乘肝故易治腎脉小搏沉爲腸澼下血小爲陰氣不足搏爲陽氣乘之熱在下焦故下血也血溫身熱者死血溫身熱是陰氣喪敗故死心肝澼亦下血肝藏血心養血故澼皆下血也二藏同病者可治心火肝木木火相生故可治之其脉小沉濇爲腸澼心肝脉小而沉濇者澼也其身熱者死熱見七日死腸澼下血而身熱者是火氣內絕去心而歸於外也故死火成數七故七日死胃脉沉鼓濇胃外鼓大心脉小堅急皆鬲偏枯外鼓謂不當尺寸而鼓擊於臂外側也男子發左女子發右陽主左陰主右故尔陰陽應象大論曰左右者陰陽之道路此其義也不瘖舌轉可治三十日起偏枯之病瘖不能言腎与胞脉內絕也胞脉繫於腎〻之脉從腎上貫肝鬲入肺中循喉嚨俠舌本故氣內絕則瘖不能言也其從者瘖三歲起從謂男子發左女子發右也病順左右而瘖不能言三歲治之乃能起年不滿二十者三歲死以其五藏始定血氣方剛藏始定則易傷氣方剛則甚費易傷甚費故三歲死脉至而搏血衄身熱者死血衄爲虛脉不應搏今反脉搏是氣極乃然故死脉來懸鉤浮爲常脉以其爲血衄者

（之常脈也）脈至如喘，名曰暴厥。（喘謂卒來盛急去而便衰如人之喘狀也）暴厥者不知與人言。（所謂暴厥之候如此）脈至如數，使人暴驚，（脈數為熱熱則內動肝心故驚）三四日自已。（數為心脈木被火干病非肝生不与邪合故三日後四日自除所以尒者木生數三也）脈至浮合，（如浮波之合後至者凌前速疾而動无常候也）浮合如數，一息十至以上，是經氣予不足也，微見九十日死。脈至如火薪然，是心精之予奪也，草乾而死。（薪然之火燄燄不定其形而便絶也燄音艷弋念反）脈至如散葉，是肝氣予虛也，木葉落而死。（如散葉之隨風不常其狀。新校正云按甲乙經散葉作叢棘）脈至如省客，省客者，脈塞而鼓，是腎氣予不足也，懸去棗華而死。（脈塞而鼓謂纔見不行旋復去也懸謂如懸物物動而絶去也）脈至如丸泥，是胃精予不足也，榆莢落而死。（如珠之轉是謂丸泥）脈至如橫格，是膽氣予不足也，禾熟而死。（脈長而堅如橫木之在指下也）脈至如弦縷，是胞精予不足也，病善言，下霜而死，不言可治。（胞之脈繫於腎腎之脈俠舌本今氣不足者則當不能言今反善言是真氣內絶去腎外歸於舌也故死）脈至如交漆，交漆者，左右傍至也，微見三十日死。

左右傍至言如歷漆之交左右反戾○新校正云按甲乙經交漆作交棘脉至如涌泉浮鼓肌中。大陽氣予不足也少氣味韭英而死如水泉之動但出而不入脉至如頽土之狀按之不得。是肌氣予不足也五色先見黑白壘發死頽土之狀謂浮之大而虛耎按之則無○新校正云按甲乙經頽土作委土脉至如懸雍懸雍者浮揣切之益大是十二俞之予不足也水凝而死如顏中之懸雍也○新校正云按全元起本懸雍作懸離元起注云懸離者言脉與肉不相得也脉至如偃刀偃刀者浮之小急按之堅大急五藏菀熟寒熱獨并於腎也如此其人不得坐立春而死菀積也熟熱也脉至如丸滑不直手不直手者按之不可得也是大腸氣予不足也棗葉生而死脉至如華者令人善恐不欲坐卧行立常聽。是小腸氣予不足也季秋而死脉至如華謂似華虛弱不可正取也小腸之脉上入耳中故常聽也

○脉解篇第四十九新校正云按全元起本在第九卷

大陽所謂腫腰脽痛者正月大陽寅寅大陽也脽謂臀肉也正月三陽生

主建寅三陽謂之太陽故曰寅太陽也正月陽氣出在上而陰氣盛陽未得自次也正月雖三陽生而天氣尚寒以其尚寒故曰陰氣盛陽未得自次次謂立王之次也故腫腰脽痛也以其脈抵腰中入貫臀過髀樞故爾病偏虛為跛者正月陽氣凍解地氣而出也所謂偏虛者冬寒頗有不足者故偏虛為跛也以其脈循股內後廉合膕中下循踹過外踝之後循京骨至小指外側故也○新校正詳王氏其脈循股內踝非股甲乙經太陽流注不到股內股內乃髀外之誤當云髀外後廉所謂強上引背者陽氣大上而爭故強上也強上謂頸項禁強也甚則引背矣所以爾者以其脈從腦出別下項背故也所謂耳鳴者陽氣萬物盛上而躍故耳鳴也以其脈支別者從顛至耳上角故爾所謂甚則狂巔疾者陽盡在上而陰氣從下下虛上實故狂巔疾也以其脈上額交巔上入絡腦還出其支別者從巔至耳上角故狂巔疾也頂上曰巔所謂浮為聾者皆在氣也亦以其脈至耳故也所謂入中為瘖者陽盛已衰故為瘖也陽氣盛入中而薄於胞腎則胞絡腎絡氣不通故瘖也胞之脈繫於腎腎之脈俠舌本故瘖不能言內奪而厥則為瘖俳此腎虛也俳廢也腎之脈与衝脈並出於氣街循陰股內廉斜入膕中循胻骨內廉及內踝之後入足下

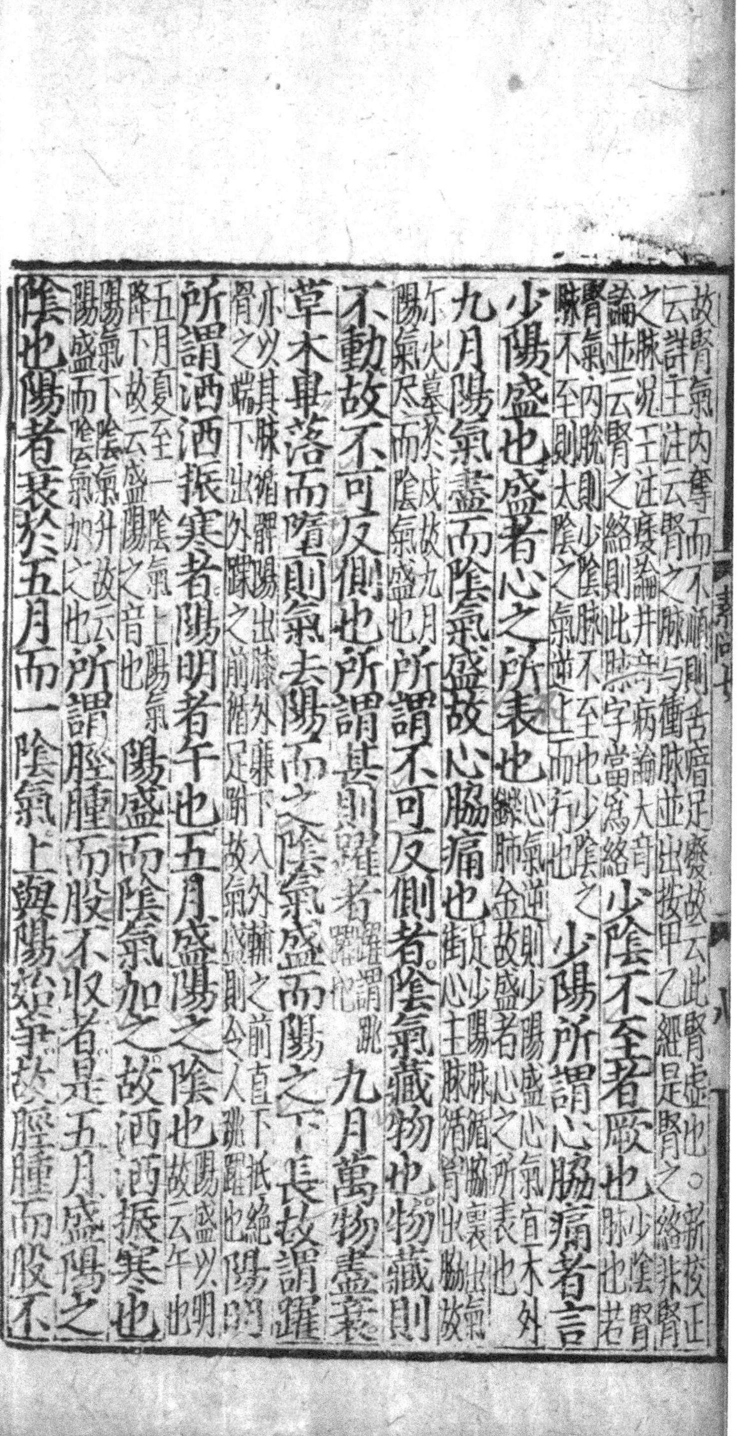
故腎氣内奪而不順則舌瘖足廢故云此腎虛也。新校正云詳王注云腎之脉与衝脉並出按甲乙經是腎之絡非腎之脉況王注痿論并奇病論大奇論並云腎之絡則此脉字當爲絡少陰不至者厥也少陰腎脉也若腎氣内脫則少陰脉不至也少陰之脉不至則太陰之氣逆上而行也少陽所謂心脇痛者言少陽盛也盛者心之所表也心氣逆則少陽盛心氣宜木外鑠肺金故盛者心之所表也九月陽氣盡而陰氣盛故心脇痛也足少陽脉循脇裏出氣街心主脉循胸出脇故所謂不可反側者陰氣藏物也物藏則亦火墓於戌故九月陽氣盡而陰氣盛也不動故不可反側也所謂甚則躍者躍謂跳躍也九月萬物盡衰草木畢落而墮則氣去陽而之陰氣盛而陽之下長故謂躍亦以其脉循髀陽出膝外廉下入外輔之前直下抵絕骨之端下出外踝之前循足跗故氣盛則令人跳躍也所謂洒洒振寒者陽明者午也五月盛陽之陰也陽盛以明故云午也五月夏至一陰氣上陽氣降下故云盛陽之音也陽盛而陰氣加之故洒洒振寒也陽氣下陰氣升故云陽盛而陰氣加之也所謂脛腫而股不收者是五月盛陽之陰也陽者衰於五月而一陰氣上與陽始爭故脛腫而股不

收也（以其脉下髀抵伏菟下入膝髕中下循胻外廉下足跗入中指內間又其支別者下膝三寸而別以下入中指外間故尔）所謂上喘而為水者陰氣下而復上上則邪客於藏府間故為水也（藏脾也府胃也足太陰脉從足走腹足陽明脉從頭走足今陰氣微下而太陰上行故云陰氣下而復上也復上則所下之陰氣不散客於脾胃之間化為水也）所謂胷痛少氣者水氣在藏府也水者陰氣也陰氣在中故胷痛少氣也（水停於下則氣鬱於上氣鬱於上則肺滿故胷痛少氣也）所謂甚則厥惡人與火聞木音則惕然而驚者陽氣與陰氣相薄水火相惡故惕然而驚也所謂欲獨閉戶牖而處者陰陽相薄也陽盡而陰盛故欲獨閉戶牖而居（惡喧故尔）所謂病至則欲乘高而歌棄衣而走者陰陽復爭而外并於陽故使之棄衣而走也（新校正云詳所謂甚則厥至此与前陽明脉解論相通）所謂客孫脉則頭痛鼻鼽腹腫者陽明并於上上者則其孫絡太陰也故頭痛鼻鼽腹腫也太陰所謂病脹者太陰子也十一月萬物氣皆藏於中故曰病脹（陰氣太盛太陰始於子故云子也以其脉入腹屬脾

(絡胃故病脹也)所謂上走心爲噫者。陰盛而上走於陽明。陽明絡屬
心。故曰上走心爲噫也(按靈樞經說足陽明流注並无至心者太陰脉說云其支別者復從胃別
上鬲注心中法應以此絡爲陽明絡也○新校正云詳王氏以足陽明流注並无至心者按甲乙經陽明之正上通於心
循咽出於口宜其經言陽明絡屬心爲噫王氏安得謂之无)所謂食則嘔者。物盛滿而上
溢。故嘔也(以其脉屬脾絡胃上鬲俠咽故也)所謂得後與氣則快然如衰者。
十一月陰氣下衰。而陽氣且出。故曰得後與氣則快然如衰
也。少陰所謂腰痛者。少陰者腎也。十月萬物陽氣皆傷。故腰
痛也(少陰者腎脉也腰爲腎府故腰痛也)所謂嘔欬上氣喘者。陰氣在下。陽氣
在上。諸陽氣浮。無所依從。故嘔欬上氣喘也(以其脉從腎上貫肝鬲入肺中)
(故病如是)所謂色色(新校正云詳色色字疑誤)不能久立久坐。起則目䀮䀮無
所見者。萬物陰陽不定。未有主也。秋氣始至。微霜始下。而方
殺萬物。陰陽內奪。故目䀮䀮無所見也。所謂少氣善怒者。陽
氣不治。陽氣不治則陽氣不得出。肝氣當治而未得。故善怒

善怒者名曰煎厥所謂恐如人將捕之者秋氣萬物未有畢去陰氣少陽氣入陰陽相薄故恐也所謂惡聞食臭者胃無氣故惡聞食臭也所謂面黑如地色者秋氣內奪故變於色也所謂欬則有血者陽脈傷也陽氣未盛於上而脈滿滿則欬故血見於鼻也厥陰所謂㿗疝婦人少腹腫者厥陰者辰也三月陽中之陰邪在中故曰㿗疝少腹腫也以其脈循陰股入髦中環陰器抵少腹故尓所謂腰脊痛不可以俛仰者三月一振榮華萬物一俛而不仰也所謂㿗癃疝膚脹者曰陰亦盛而脈脹不通故曰㿗癃疝也所謂甚則嗌乾熱中者陰陽相薄而熱故嗌乾也此一篇殊与前後經文不相連接別釋經脈發病之源与靈樞經流注略同所指殊異○新校正云詳此篇所言多甲乙經是動所生之病雖復少有異然大槩則不殊矣

○刺要論篇第五十 新校正云按全元起本在第六卷刺齊篇中

黃帝問曰願聞刺要岐伯對曰病有浮沉刺有淺深各至其

理無過其道道謂氣所行之道也過之則內傷不及則生外壅壅則邪從之過之內傷以大深也不及外壅以妄益他分之氣也氣益而外壅故邪氣隨虛而從之也淺深不得反為大賊內動五藏後生大病賊謂私害動謂動亂然不及則外壅過之則內傷既且外壅內傷是為大病之階漸尒故曰後生大病也故曰病有在毫毛腠理者有在皮膚者有在肌肉者有在脈者有在筋者有在骨者有在髓者毛之長者曰毫皮之文理曰腠理然二者皆皮之可見者是故刺毫毛腠理無傷皮皮傷則內動肺肺動則秋病溫瘧泝泝然寒慄鍼經曰凡刺有五以應五藏一曰半刺半刺者淺內而疾發鍼令鍼傷多如拔髮狀以取皮氣此肺之應也然此其淺以應於肺腠理毫毛由應更淺當取髮根淺深之半尒肺之合皮王於秋氣故肺動則秋病溫瘧泝泝然寒慄也泝音素刺皮無傷肉肉傷則內動脾脾動則七十二日四季之月病腹脹煩不嗜食脾之合肉寄王四季又其脈從股內前廉入腹屬脾絡胃上鬲俠咽連舌本散舌下其支別者復從胃別上鬲注心中故傷肉則脾脾動則四季之月病腹脹煩而不嗜食也七十二日四季之月者謂三月六月九月十二月各十二日後土寄王十八日也刺肉無傷脈脈傷則內動心心動則夏病心痛心之合脈王於夏氣

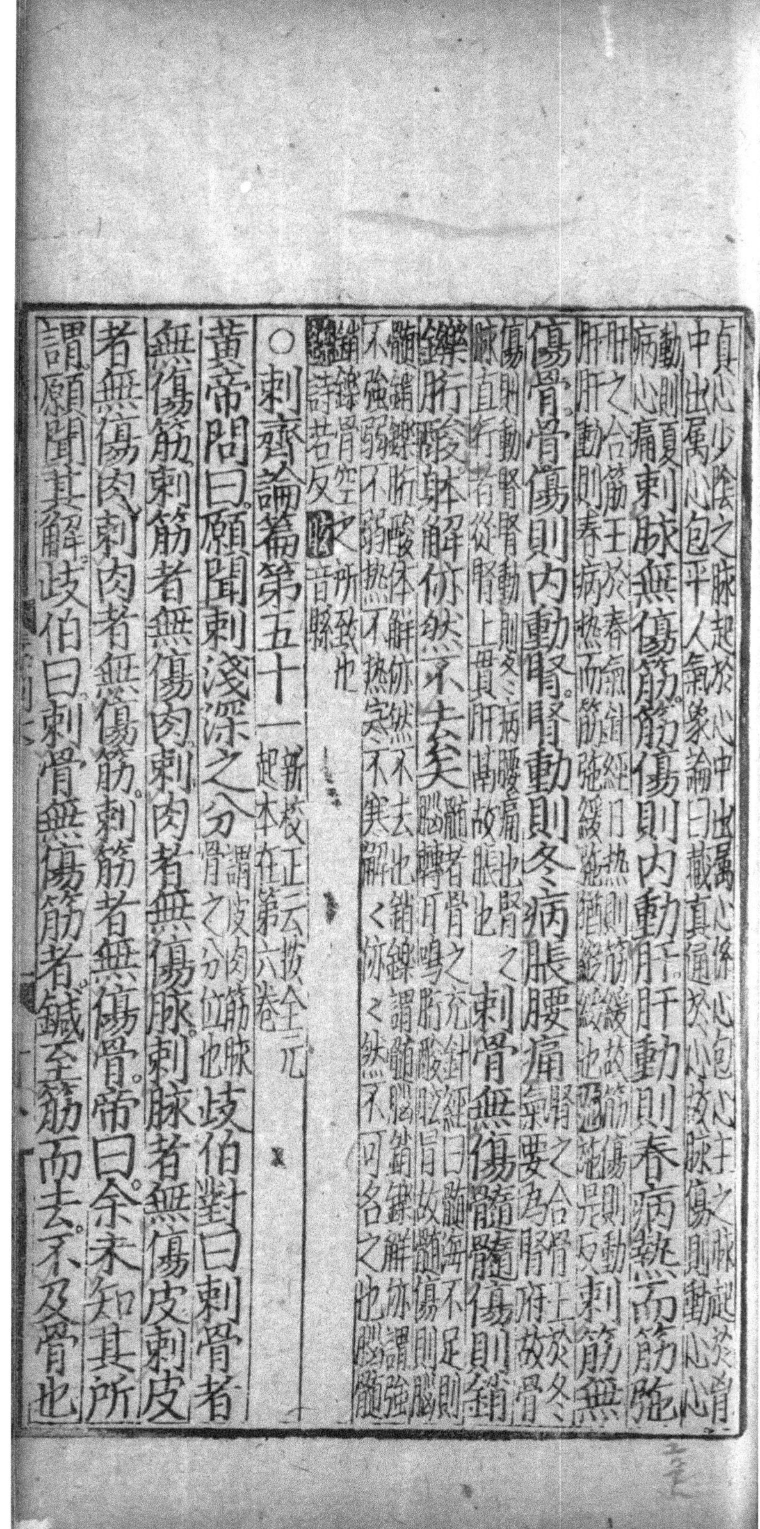

> 真心少陰之脈起於心中出屬心系心包心主之脈起於胸中出屬心包平人氣象論曰藏真通於心故脈傷則動心心

動則夏病心痛刺脈無傷筋筋傷則內動肝肝動則春病熱而筋弛

> 肝之合筋王於春氣絡經曰熱則筋緩故筋傷則動肝肝動則春病熱而筋弛緩也弛施是反

刺筋無傷骨骨傷則內動腎腎動則冬病脹腰痛

> 腎之合骨王於冬々氣要為腎府故骨傷則動腎腎動則冬々病腰痛也腎之脈直行者從腎上貫肝鬲故脹也

刺骨無傷髓髓傷則銷鑠胻酸躰解㑊然不去矣

> 髓者骨之充鍼經曰髓海不足則腦轉耳鳴胻酸眩冒故髓傷則腦髓銷鑠胻酸体解㑊然不去也銷鑠謂髓腦銷鑠解㑊謂強不強弱不弱熱不熱寒不寒解々㑊々然不可名之也腦髓銷鑠骨空之所致也鑠詩若反㑊音驛

○刺齊論篇第五十一

> 新校正云按全元起本在第六卷

黃帝問曰願聞刺淺深之分

> 謂皮肉筋脈骨之分位也

岐伯對曰刺骨者無傷筋刺筋者無傷肉刺肉者無傷脈刺脈者無傷皮刺皮者無傷肉刺肉者無傷筋刺筋者無傷骨帝曰余未知其所謂願聞其解岐伯曰刺骨無傷筋者鍼至筋而去不及骨也

刺筋無傷肉者。至肉而去不及筋也。刺肉無傷脉者。至脉而去不及肉也。刺脉無傷皮者。至皮而去不及脉也。（是皆謂遣邪也。然筋有寒邪，肉有風邪，脉有溼邪，皮有熱邪，則如是遣之。所謂邪者，皆言其非順正氣而相干犯也。○新校正云：詳此謂刺淺不至所當刺之處也，下文則誠其大深也。）所謂刺皮無傷肉者，病在皮中，鍼入皮中，無傷肉也。刺肉無傷筋者。過肉中筋也。刺筋無傷骨者，過筋中骨也。此謂之反也。（此則誠過分大深也。○新校正云：按全元起云：刺如此者，是謂傷，此皆過過，必損其血氣，是謂逆也，邪必因而入也。）

○刺禁論篇第五十二（新校正云：按全元起云在第六卷。）

黄帝問曰：願聞禁數。岐伯對曰：藏有要害，不可不察。肝生於左，（肝象木，王於春，春陽發生，故生於左也。）肺藏於右，（肺象金，王於秋，秋陰收殺，故藏於右也。○新校正云：按楊上善云：肝為少陽，陽長之始，故曰生；肺為少陰，陰藏之初，故曰藏。）心部於表，（陽氣主外，心象火也。）腎治於裏，（陰氣主內，腎象水也。○新校正云：按楊上善云：心為五藏部主，故得稱部；腎間動氣內治五藏，故曰治。）脾謂之使，（營動不已，糟粕水穀，故使者也。）胃為之市，（水穀所歸，五味皆入，如市雜，故為市也。）鬲

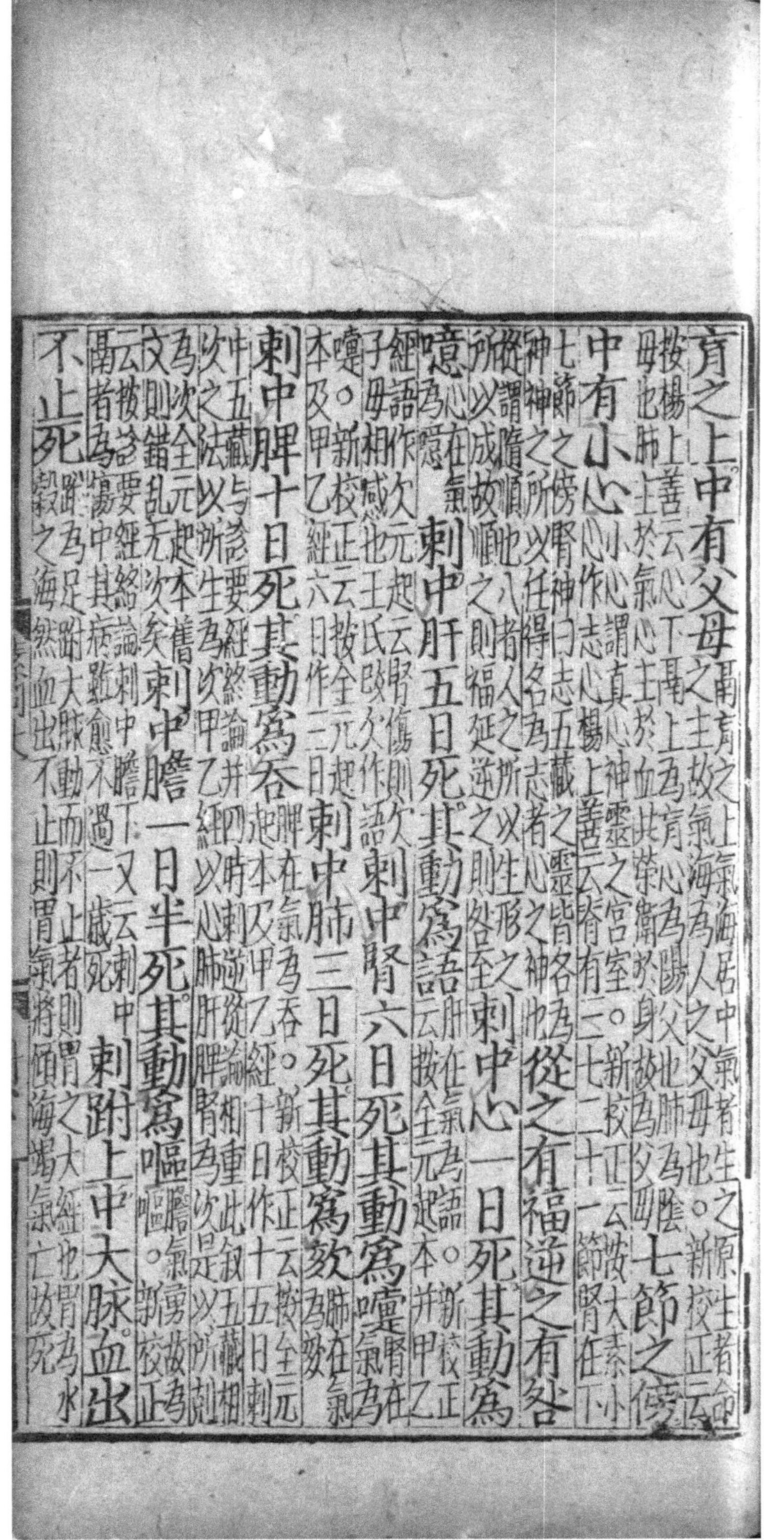

肓之上中有父母鬲肓之上氣海居中氣者生之原生者命之主故氣海為人之父母也。新校正云
按楊上善云心下鬲上為肓心為陽父也肺為陰母也肺主於氣心主於血共榮衛於身故為父母七節之傍
中有小心小心謂真心神靈之宮室。新校正云按太素小心作志心楊上善云脊有三七二十一節腎在下
七節之傍腎神曰志五藏之靈皆各為神神之所以任得名為志者心之神也從之有福逆之有咎
從謂隨順也八者人之所以生形之所以成故順之則福延逆之則咎至刺中心一日死其動為
噫心在氣為噫刺中肝五日死其動為語肝在氣為語。新校正云按全元起本并甲乙
經語作欠元起云腎傷則欠子母相感也王氏改欠作語刺中腎六日死其動為嚏腎在氣為
嚏。新校正云按全元起本及甲乙經六日作三日刺中肺三日死其動為欬肺在氣為欬
刺中脾十日死其動為吞脾在氣為吞。新校正云按全元起本及甲乙經十日作十五日刺
中五藏与診要經終論并四時刺逆從論相重此叙五藏相次之法以所生為次甲乙經以心肺肝脾腎為次是以所剋
為次全元起本舊文則錯乱无次矣刺中膽一日半死其動為嘔膽氣傷故為嘔。新校正
云按診要經終論刺中膽下又云刺中鬲者為傷中其病雖愈不過一歲死刺跗上中大脈血出
不止死跗為足跗大脈動而不止者則胃之大經也胃為水穀之海然血出不止則胃氣將傾海竭氣亡故死

刺面中溜脈，不幸為盲。面中溜脈者，手太陽任脈之交會。手太陽脈自顴而斜行至目內眥，任脈自鼻鼽兩傍上行至瞳子下，故刺面中溜脈不幸為盲。刺頭中腦戶，入腦立死。腦戶穴名也。在枕骨上，通於腦中。然腦為髓之海，真氣之所聚，針入腦則真氣泄，故立死。刺舌下中脈太過，血出不止為瘖。舌下脈，脾之脈也。脾脈者，俠咽連舌本，散舌下。血出不止，則脾氣不能營運於舌，故瘖不能言語。刺足下布絡中脈，血不出為腫。布絡謂當內踝前足下空處布散之絡，正當然谷穴分也。絡中脈則衝脈也。衝脈者，並少陰之經下入內踝之後，入足下也。然刺之而血不出，則腎脈与衝脈氣并歸於然谷之中，故為腫。刺郄中大脈，令人仆脫色。尋此經郄中主治与中誥流注經委中穴正同，應郄中者，以經穴為名，委中處所為名，亦猶寸口脈口氣口皆同一處尔。然郄中大脈者，足太陽經脈也。足太陽之脈，起於目內眥，合手太陽。手太陽脈自目內眥斜絡於顴。足太陽脈上頭下項，又循於足，故刺之過禁，則令人仆倒而面色如脫去也。刺氣街中脈，血不出為腫鼠僕。氣街之中，膽胃脈也。膽之脈循脇裏出氣街，胃之脈俠齊入氣街中，其支別者起胃下口，循腹裏至氣街中而合。今刺之而血不出，則血脈氣并聚於中，故內結為腫如伏鼠之形也。氣街在腹下俠齊兩傍相去四寸，鼠僕上一寸動脈應手也。○新校正云：按別本僕一作髖。氣府論注：氣街在齊下橫骨兩端鼠鼷上一寸也。刺脊間中髓為傴。傴謂傴僂，身踡屈也。脊髓[illegible]脊骨節間也。刺中髓則[illegible]泄氣泄故傴僂也刺乳上，中乳房，為腫根蝕。乳之上下皆足陽明之脈也乳房之中乳液滲泄胃中氣血皆外湊之然刺中乳房則氣血交湊故為大腫中有膿根內蝕既潰化為膿水而久故不愈也刺缺盆中內陷，氣泄，令人喘欬逆。五藏者肺為之蓋缺盆為之道肺藏氣而主息又在氣為欬刺缺盆中內陷則肺氣外泄故令人喘欬逆也刺手魚腹內陷，為腫。手魚腹內肺脈所流故刺之內陷則為腫也○新校正云按甲乙經肺脈所流當作留字無刺大醉，令人氣亂。脈數過度故因刺而亂也○新校正云按靈樞經氣亂當作脈亂無刺大怒，令人氣逆。怒者氣逆故刺之益甚無刺大勞人，經氣越也無刺新飽人，氣盛滿也無刺大飢人，氣不足也無刺大渴人，血脈乾也無刺大驚人。神蕩越而氣不治也○新校正云詳无刺大醉至此七條與靈樞經相出入靈樞經云新內无刺已刺无內大怒无刺已刺无怒大勞无刺已刺无勞大醉无刺已刺无醉大飽无刺已刺无飽大飢无刺已刺无飢大渴无刺已刺无渴大驚大恐必定其氣乃刺之也刺陰股中大脈，血出不止，死。陰股之中脾之脈也脾者中央土孤藏以灌四旁今血出不止脾氣將竭故死○新校正云按刺陰股中大脈條皇甫士安移在前刺跗上中大脈下相續自後至篇末逐條與前條相間也刺客主人內陷中脈，為內漏為聾。客主人穴名也今名上關在耳前上廉起骨開口有空手少陽足陽明脈交會於中陷脈言刺太深也刺太深則交脉破決故為耳内之漏脉内漏則氣不營故聾○新校正云詳客主人穴与氣穴論注同按甲乙經及氣府論注云手足少陽足陽明三脉之會疑此訛足少陽二脉也刺膝髕出液為跛膝為筋府筋會於中液出筋乾故跛○髕音牝刺臂太陰脉出血多立死臂太陰者肺脉也肺者主行營衛陰陽治節由之血出多則營衛絶故立死刺足少陰脉重虛出血為舌難以言足少陰腎脉也足少陰脉貫腎絡肺繫舌本故重虛出血則舌難言也刺膺中陷中肺為喘逆仰息肺氣上泄逆所致也刺肘中内陷氣歸之為不屈伸肘中謂肘屈折之中尺澤穴中也刺過陷脉惡氣歸之氣固關節故不屈伸也刺陰股下三寸内陷令人遺溺股下三寸腎之絡也腎絡与少陰之絡皆起於腎下出於氣街並循於陰股其上行者出胞中故刺陷脉則令人遺溺也刺掖下脇間内陷令人欬掖下肺脉也肺之脉從肺系橫出掖下真心藏脉直行者從心系却上掖下刺陷脉則心肺俱動故欬也刺少腹中膀胱溺出令人少腹滿胞氣外泄穀氣歸之故少腹滿也少腹謂齊下也刺腨腸内陷為腫腨腸之中足太陽脉也太陽氣泄故為腫刺匡上陷骨中脉為漏為盲匡目匡也骨中謂目匡骨中也匡骨中脉目之系肝之脉也刺内陷則眼系絶故為目漏目盲刺關節中液出不得屈伸諸筋者皆屬於節津液滲潤之液出則筋膜乾故不得屈伸也

○刺志論篇第五十三新校正云按全元起本在第六卷

黃帝問曰願聞虛實之要岐伯對曰氣實形實氣虛形虛此其常也反此者病陰陽應象大論曰形歸氣生是故虛實同焉反謂不相合應失常平之候也形氣相反故病生氣謂脉氣形謂身形也穀盛氣盛穀虛氣虛此其常也反此者病靈樞經曰榮氣之道內穀為寶穀入於胃氣傳與肺精專者上行經隧由是故穀氣虛實占以同焉候不相應則為病也○新校正云按甲乙經實作贊脉實血實脉虛血虛此其常也反此者病脉者血之府故虛實同焉反不相應則為病也帝曰如何而反岐伯曰氣虛身熱此謂反也氣虛為陽氣不足陽氣不足當身寒反身熱者脉氣當盛脉不盛而身熱證不相符故謂反也○新校正云按甲乙經云氣盛身寒氣虛身熱此謂反也當補此四字穀入多而氣少此謂反也胃之所出者穀氣而布於經脉也穀入於胃脉道乃散今穀入多而氣少者是胃氣不散故謂反也穀不入而氣多此謂反也胃氣外散肺并之也脉盛血少此謂反也脉少血多此謂反也經脉行氣絡脉受血經氣入絡絡受經氣候不相合故皆反常也氣盛身寒得之傷寒氣虛身熱得之傷暑傷謂觸冒也寒傷形故氣盛身寒熱傷氣故氣虛身熱穀入多而氣

少者。得之有所脫血濕居下也。脫血則血虛，血虛則氣盛內鬱，化成津液，流入下焦，故云濕居下也。穀入少而氣多者。邪在胃及與肺也。胃氣不足，肺氣下流於胃中，故邪在胃。然肺氣入胃，則肺氣不自守，氣不自守，則邪氣從之，故云邪在胃及與肺也。脈小血多者。飲中熱也。飲，謂留飲也。飲留脾胃之中則脾氣溢，脾氣溢則發熱中。脈大血少者。脈有風氣水漿不入此之謂也。風氣盛滿則水漿不入於脈。夫實者氣入也。虛者氣出也。入為陽，出為陰，陰生於內，故出；陽生於外，故入。氣實者熱也。氣虛者寒也。陽盛而陰內拒，故熱；陰盛而陽外微，故寒。入實者左手開鍼空也。入虛者左手閉鍼空也。言用鍼之補寫也。右手持鍼，左手捻穴，故實者右手開鍼空以寫之，虛者左手閉鍼空以補之也。捻音涅。

○鍼解篇第五十四新校正云：按全元起本在第六卷。

黃帝問曰。願聞九鍼之解。虛實之道。岐伯對曰。刺虛則實之者。鍼下熱也。氣實乃熱也。滿而泄之者。鍼下寒也。氣虛乃寒也。菀陳則除之者。出惡血也。菀，積也。陳，久也。除，去也。言絡脈之中血積而久者，鍼刺而除去之也。邪盛則虛之者。出鍼勿按。邪者，不正之目，非本經氣，是則謂邪，非言鬼毒精邪之所勝也。

出鍼勿按，穴俞且開，故得經虛，邪氣發泄也。徐而疾則實者，徐出鍼而疾按之；疾而徐則虛者，疾出鍼而徐按之。徐出，謂得經氣已久乃出之。疾按，謂鍼出穴已速疾按之，則真氣不泄，經脈氣全，故徐而疾乃實也。疾出，謂鍼入穴已至於經脈，即疾出之。徐按，謂鍼出穴已徐緩按之，則邪氣得泄，精氣復固，故疾而徐乃虛也。言實與虛者，寒溫氣多少也。寒溫，謂經脈陰陽之氣也。若無若有者，疾不可知也。言其冥昧，不可即而知也。夫不可即知，故若無；慧然神悟，故若有也。察後與先者，知病先後也。知病先後，乃補寫之。為虛與實者，工勿失其法。鍼經曰：經氣已至，慎守勿失。此之謂也。○新校正云：按甲乙經云：若有若亡，為虛与实。若得若失者，離其法也。妄為補寫，離亂大經，誤補實者，轉令若得；誤寫虛者，轉令若失，故曰若得若失也。鍼經曰：無實實，無虛虛。此其誠也。○新校正云：詳自篇首至此，与太素九鍼解篇經同而解異，二經互相發明也。虛實之要，九鍼最妙者，為其各有所宜也。熱在頭身宜鑱鍼，肉分氣滿宜員鍼，脈氣虛少宜鍉鍼，寫熱出血、發泄固病宜鋒鍼，破癰腫、出膿血宜鈹鍼，調陰陽、去暴痺宜員利鍼，治經絡中痛痺宜毫鍼，痺深居骨解腰脊節腠之間者宜長鍼，虛風舍於骨解皮膚之間宜大鍼。此之謂各有所宜也。○新校正云：按別本鉟一作鍉，音氏。補寫之時者，與氣開闔相合也。氣當時刻謂之開，已過未至謂之闔。時刻者，然水下一刻，人氣在太

陽水下二刻人氣在少陽水下三刻人氣在陽明水下四刻
人氣在陰分水下不已氣行不已如是則當刻者謂之開過
刻及未至者謂之闔也針經曰謹候其氣之所在而刺之是
謂逢時此所謂補寫之時也○新校正云詳自篇首至此文
出靈樞經素問解之互相發明也甲乙經補寫之時以針為之者此脫此四字九鍼之名各不同形
者鍼窮其所當補寫也各不同形謂長短鋒穎不等窮其補寫謂各隨其療而用之也○新校正
云按九鍼之形今具甲乙經刺實須其虛者留鍼陰氣隆至乃去鍼也刺
虛須其實者陽氣隆至鍼下熱乃去鍼也言要以氣至而有効也經氣
已至慎守勿失者勿變更也變謂變易更謂改更皆變法也言得氣至必宜謹守無變其法
反招撤也淺深在志者知病之內外也志一為意志意皆行針之用也近遠如一
者深淺其候等也言氣雖近遠不同然其測候皆以氣至而有効也如臨深淵者不
敢墯也言氣候補寫如臨深淵不敢墯慢失補寫之法也手如握虎者欲其壯也壯謂
持針堅定也針經曰持針之道堅者為实則其義也○新校正云按甲乙經实字作宝神無營於衆物
者靜志觀病人無左右視也目絶妄視心專一務則用之必中无惑誤也○新校正詳發刺
实須其虛至此文見宝命全形論此反為之解亦互相發明也義無邪下者欲端以正也正端

直刺針无左右必正其神者。欲瞻病人目。制其神。令氣易行也。檢彼精神令无散越則氣爲神使中外易調也所謂三里者。下膝三寸也。所謂跗之者新校正云按全元起本跗之作低跗太素作付之按骨空論跗之疑作跗上舉膝分易見也三里穴名正在膝下三寸胻外兩筋肉分間極重按之則足跗上動脈止矣故曰舉膝分易見巨虛者。蹻足胻獨陷者巨虛穴名也蹻謂舉也取巨虛下廉當舉足取之則胻外兩筋之間陷下也下廉者。陷下者也欲知下廉穴者胻外兩筋之間獨陷下者則其處也帝曰。余聞九鍼上應天地四時陰陽。願聞其方。令可傳於後世。以爲常也。岐伯曰。夫一天二地三人四時五音。六律七星八風九野。身形亦應之。鍼各有所宜。故曰九鍼。新校正云詳此文与靈樞經相出入人皮應天覆蓋於物天之象也人肉應地柔厚安靜地之象也人脈應人盛衰變易人之象也人筋應時堅固真定時之象也人聲應音備五音故人陰陽合氣應律。交會氣通相生无替則律之象○新校正云按別本氣一作度人齒面目應星。人面應七星者所謂面有七孔應之也○新校正云詳此注乃全元起之辭也人出入氣應風動出往來風之象也人九竅三百六十五絡應野身形之外野之象也故一鍼皮二鍼肉三鍼脉四鍼筋五鍼骨六鍼調陰陽七鍼益精八鍼除風九鍼通九竅除三百六十五節氣此之謂各有所主也一鑱鍼二員鍼三鍉鍼四鋒鍼五鈹鍼六員利鍼七毫鍼八長鍼九大鍼○新校正云按别本鈹一作鍛人心意應八風風動靜不形風之象也人氣應天天運行不息天之象也人髮齒耳目五聲應五音六律髮齒生長耳目清通五聲應同故應五音及六律也人陰陽脉血氣應地人陰陽有交會生成脉血有虛盈盛衰故應地也人肝目應之九木生數三肝氣通目三而三之則應之九也九竅三百六十五新校正云按全元起本無此七字人一以觀動靜天二以候五色七星應之以候髮毋澤五音一以候宮商角徵羽六律有餘不足應之二地一以候高下有餘九野一節俞應之以候閉節三人變一分人候齒泄多血少十分角之變五分以候緩急六分不足三分寒關節第九分四時人寒溫燥濕四時一應之以候相反一四方各作解此一百二十四字蠧簡爛文義理殘缺莫可尋究而上古書故且載之以佇後之具本也○新校正云詳王氏云一百二十四字今有一

百二十三字
文亡一字

○長刺節論篇第五十五 新校正云按全元起本在第三卷

刺家不診，聽病者言，在頭頭疾痛，爲藏鍼之，藏猶深也，言深刺之，故下文曰。○新校正云按全元起本云爲針之，下無藏字。刺至骨病已上，無傷骨肉及皮，皮者道也。皮者針之道，故刺骨無傷骨肉及皮也。陰刺入一傍四處，治寒熱。頭有寒熱則用陰刺法治之。陰刺謂卒刺之如此數也。○新校正云按別本卒刺一作平刺。按甲乙經陽刺者正內一傍內四，陰刺者左右卒刺之，此陰刺疑是陽刺。深專者刺大藏，寒熱病氣深專攻中者，當刺五藏以拒之。迫藏刺背，背俞也。迫，近也。漸近於藏，則刺背五藏之俞也。刺之迫藏，藏會，言刺近於藏者何以是藏氣之會發也。腹中寒熱去而止。言刺背俞者無問其數，要以寒熱去乃止針。與刺之要，發鍼而淺出血。若與諸俞刺之，則如此。治腐腫者刺腐上，視癰小大深淺刺，腐腫謂腫中肉腐敗爲膿血者。癰小者淺刺之，癰大者深刺之。○新校正云按全元起本及甲乙經腐作癰。刺大者多血，小者深之，必端內鍼爲故正。癰之大者多出血，癰之小者但直針之而已。○新校正云按甲乙經云刺大者多而深之，必端內針爲故正也。此文云小者深之，疑此誤。病在少腹有積刺皮髓以下至少腹而止刺俠脊兩傍四椎間刺兩髂髎季脇肋間導腹中氣熱下已少腹積謂寒熱之氣結積也皮髓謂齊下同身寸之五寸横約文審刺而勿過深之刺禁論曰刺少腹中膀胱溺出令人少腹滿由此故不可深之矣俠脊四椎之間據經无俞恐當云五椎間五椎之下兩傍正心之俞心應少腹故當言之間也髂謂腰骨髎一為髁字形相近之誤也髎謂居髎腰側穴也季脇肋間當是刺季脇之間京門穴也○新校正云按釋音皮髓作皮骺是骺誤作髓也及徧尋篇韻中无髓字只有骺骨端也皮骺者蓋謂齊下横骨之端也全元起本作皮髓元起注云臍傍埵起也亦未為得髂口亞反髎光孫反

病在少腹腹痛不得大小便病名曰疝得之寒刺少腹兩股間刺腰髁骨間刺而多之盡炅病已厥陰之脈環陰器抵少腹衝脈與少陰之絡皆起於腎下出於氣街循陰股其後行者自少腹以下骨中央女子入繫廷孔其絡循陰器合篡間繞篡後別繞臀至少陰與巨陽中絡者合少陰上股内後廉貫脊屬腎其男子循莖下至篡與女子等故刺少腹及兩股間又刺腰髁骨間也腰髁骨者腰房俠脊平立陷者中按之有骨處也疝為寒生故多刺之少腹盡熱乃止針炅熱也○新校正云按別本篡一作基又初患反

病在筋筋攣節痛不可以行名曰筋痺刺筋上為故刺分肉間不可中骨也分謂肉分間有筋維絡處也刺筋无傷骨故不可中骨也病起筋

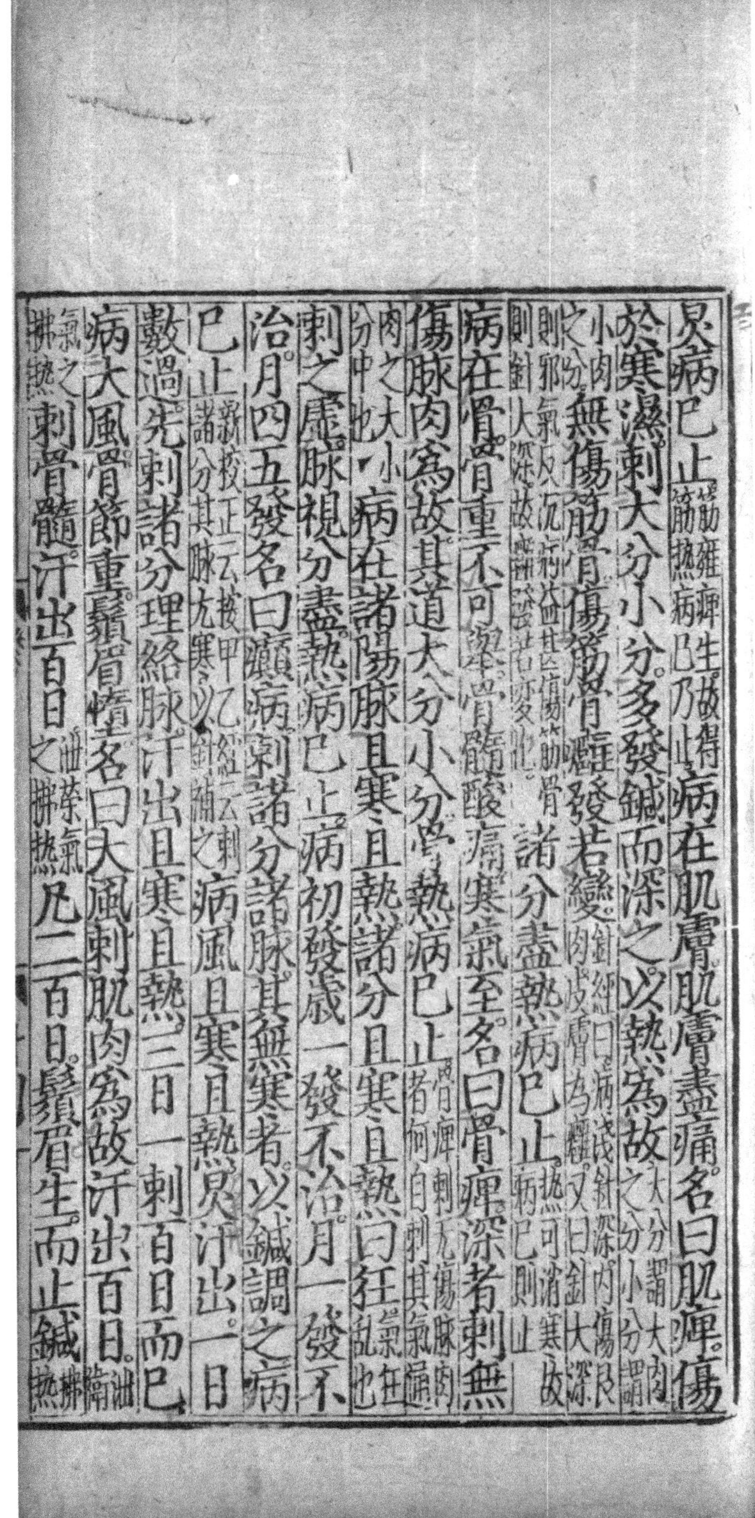
炅病已止筋寒痺生故得筋熱病已乃止病在肌膚肌膚盡痛名曰肌痺傷於寒濕刺大分小分多發鍼而深之以熱為故大分謂大肉之分小分謂小肉之分無傷筋骨傷筋骨癰發若變鍼經曰病淺鍼深內傷良肉皮膚為癰又曰鍼大深則邪氣反沉病益甚傷筋骨則鍼大深故癰發若變也諸分盡熱病已止熱可消寒故病已則止病在骨骨重不可舉骨髓酸痛寒氣至名曰骨痺深者刺無傷脈肉為故其道大分小分骨熱病已止骨痺刺無傷脈肉者何自刺其氣通肉之大小分中也病在諸陽脈且寒且熱諸分且寒且熱名曰狂氣在亂也刺之虛脈視分盡熱病已止病初發歲一發不治月一發不治月四五發名曰癲病刺諸分諸脈其無寒者以鍼調之病已止新校正云按甲乙經云刺諸分其脈尤寒以鍼補之病風且寒且熱炅汗出一日數過先刺諸分理絡脈汗出且寒且熱三日一刺百日而已病大風骨節重鬚眉墮名曰大風刺肌肉為故汗出百日泄衛氣之怫熱刺骨髓汗出百日泄榮氣之怫熱凡二百日鬚眉生而止鍼怫熱

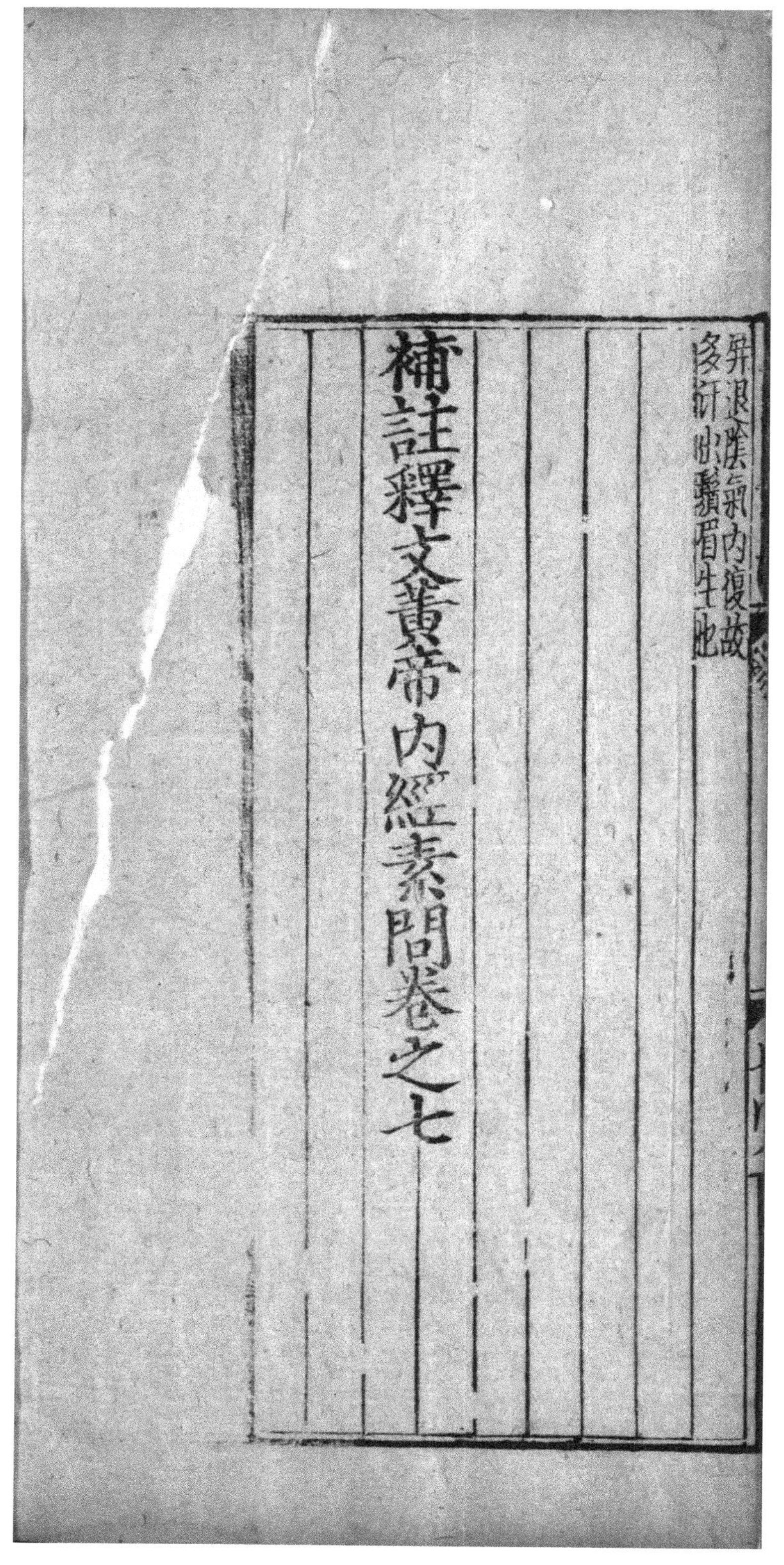

并退陰氣内復故多汗出鬚眉生也

補註釋文黄帝内經素問卷之七